NO
RASTRO
DA NOTÍCIA

ROBERTO CABRINI

NO RASTRO DA NOTÍCIA

OS BASTIDORES DAS REPORTAGENS DE UM DOS
MAIORES JORNALISTAS INVESTIGATIVOS DO BRASIL

Planeta

Copyright © Roberto Cabrini, 2019
Copyright © Editora Planeta do Brasil, 2019
Todos os direitos reservados.

Preparação: Diego Franco Gonçales
Revisão: Fernanda Mello e Vivian Miwa Matsushita
Diagramação: Márcia Matos
Capa: Rafael Brum
Fotografia de capa: Sherman Costa
Imagens de miolo: Arquivo pessoal do autor

Dados Internacionais de Catalogação na Publicação (CIP)
Angélica Ilacqua CRB-8/7057

Cabrini, Roberto
No rastro da notícia / Roberto Cabrini. -- São Paulo: Planeta do Brasil, 2019.
304 p.

ISBN: 978-85-422-1774-2

1. Não ficção 2. Repórteres e reportagens 3. Reportagens investigativas
4. Cabrini, Roberto I. Título

19-2046   CDD 070.43

Índices para catálogo sistemático:
1. Não ficção - Repórteres e reportagens

2019
Todos os direitos desta edição reservados à
EDITORA PLANETA DO BRASIL LTDA.
Bela Cintra, 986 – 4º andar – Consolação
01415-002 – São Paulo-SP
www.planetadelivros.com.br
faleconosco@editoraplaneta.com.br

Para Renata, minha parceira, meu eterno amor, para nossos filhos Robertinho e Gaby, nossos tesouros, para Natalino e Dirce, meus pais que já partiram, não sem antes deixar exemplos marcantes de determinação e fé... E para meus queridos irmãos Heloísa, Claudete, Mauro e Marcos, com quem tantos sonhos de infância e adolescência acalentei.

SUMÁRIO

INTRODUÇÃO
A MISSÃO 9

CAPÍTULO 1
SENNA: O DIA QUE NÃO TERMINOU 13

CAPÍTULO 2
E ASSIM DESCOBRI PC 43

CAPÍTULO 3
O SEGREDO DA SACRISTIA 69

CAPÍTULO 4
IRAQUE: O ENIGMA DAS MIL E UMA NOITES 121

CAPÍTULO 5
EM NOME DE ALÁ 163

CAPÍTULO 6
RELATOS DE UM SEQUESTRO 189

CAPÍTULO 7
A VERDADEIRA HISTÓRIA DO VOO 254 205

CAPÍTULO 8
FRENTE A FRENTE COM O "SENHOR DO TRÁFICO" 229

CAPÍTULO 9
O MONSTRO DOS MÚSCULOS 255

CAPÍTULO 10
A UM PASSO DA ETERNIDADE 275

CONCLUSÃO
CONVERSA COM A ALMA 295

A MISSÃO

Sempre quis entender que estranha transformação é essa que acontece dentro de mim. O mundo parece parar, e o batimento cardíaco e o ritmo da respiração ficam acelerados. Não há mais fome, frio ou cansaço, e eventuais dores desaparecem "num passe de mágica". Quando menos se espera, surge uma força que toma conta do corpo. A rede de neurônios passa a operar a pleno vapor (os americanos chamariam isso de *full speed*, ou seja, velocidade máxima).

Nesse instante, é como se nada pudesse me deter. Sim, é isso. A sensação é mais ou menos essa. São alucinações de invencibilidade, um trem expresso que não pode ser parado até chegar a seu destino. É como me sinto quando estou diante do que mentalizo como "missão".

Uns vão chamar de idealismo romântico; outros, de foco, determinação. A psicanálise pode referir-se à catarse, à experiência da liberdade em relação a alguma situação opressora. Fica claro que existe algo a ser vencido, a ser conquistado.

No meu caso, é dessa maneira que se inicia o processo para a grande reportagem – aquela que logo detectamos ter essência, poder para mover as montanhas da passividade social. Isso acontece quando farejo uma notícia que pode levar milhões de mentes de uma só vez à reflexão, abrindo a caixa de Pandora dos medos e dos abusos. É a busca da verdade – ou, como gostamos de falar nas redações, da investigação jornalística que é capaz de vencer o jogo.

Algo desse tipo pode ser fruto de meses de trabalho, centenas de telefonemas, encontros, contatos, conversas e observações. Ou – desde que estejamos prontos – pode nascer de uma hora para a outra. Tem a capacidade de derrubar governos ou simplesmente fazer justiça a mais um ser humano sem voz na face da Terra. Para tanto, escavamos pistas no subterrâneo das informações cruzadas ou do singelo papo com o motorista de táxi, o faxineiro, o anônimo da multidão, que tantos ignoram. É desse jeito que "a missão" nos incendeia e nos consome.

No mundo real das reportagens, espinhos são bem mais comuns do que flores. A cada 10 tentativas dessa tal grande reportagem, apenas uma pode vingar. Nas outras 9, perde-se tempo, suor e dinheiro, sem que tudo o que conseguimos nos leve de fato ao idealizado pote de ouro, às terras doces de Xangri-lá em forma de matéria jornalística.

No entanto, quando todos os obstáculos e armadilhas são vencidos, cruzamos as fronteiras do horizonte perdido e tudo parece, enfim, valer a pena. Percalços e eventuais fracassos são agora motivo de piada, e contamos as horas, os minutos e os segundos para a veiculação da reportagem. O texto se repete em nossa mente, as falas de cada entrevistado são minuciosamente guardadas em nossa memória. É como se elas fossem anteriores aos nossos primeiros balbucios, como se tivéssemos nascido com elas.

Somos, é claro, apenas reles mortais, e a energia sobrenatural por vezes demandada tem um custo. E ele é bem alto. Após dias da veiculação pública de nosso material, recebemos a conta em forma de desnutrição, estresse, dores, e, às vezes, pesadelos que não nos deixam dormir.

Entretanto, só há um meio de combater esse conjunto de fantasmas. (Sim, eles batem à porta juntos.) O melhor antídoto é encontrar a próxima história e sentir o prazer da adrenalina uma vez mais. Só mais uma... e outra... e depois mais outra... É como um bálsamo que, magicamente, vai dar sentido a tudo, cicatrizando velhas e novas feridas, oxigenando pulmões resfolegantes, entorpecendo de furor corações sem alma e nos eletrificando diante da possibilidade de um novo orgasmo. Só mais um, como se fosse o último...

Na verdade, para muitos que nos observam, não passamos de loucos. No entanto, trata-se de uma loucura que poderá melhorar o mundo. Só assim merecerá ser chamada de jornalismo. Quem está à nossa volta sofrerá muitas vezes; mas, em outras, vai se inspirar. Assim a roda gira.

Chegou a hora de contar a você, leitor, um pouco das minhas histórias.

Muito prazer, sou um repórter!

1
SENNA: O DIA QUE NÃO TERMINOU

Neste capítulo, Roberto Cabrini fala do ídolo que, em muitos domingos, uniu o país ao fazer os brasileiros vibrarem a cada largada, a cada volta, a cada bandeira quadriculada na chegada: Ayrton Senna. Cobrindo Fórmula 1, Cabrini acompanhou boa parte da carreira do piloto – o que lhe conferiu momentos empolgantes, situações inusitadas, entrevistas memoráveis, mas também um pesar... quando teve de anunciar a fatídica morte do piloto.

Entre relatos sobre aquele dia de maio de 1994, desdobramentos do acidente sofrido por Ayrton na curva Tamburello e buscas para descobrir as reais circunstâncias do acidente, o repórter nos apresenta informações importantíssimas sobre a vida e a morte de Senna. Em um momento sensível, Cabrini também abre seu arquivo pessoal, mostrando-nos o homem por trás do ídolo – o Beco, como os mais chegados o chamavam.

***

San Marino, Bolonha, Itália.
Abril de 1994.

Era a sétima volta do Grande Prêmio de San Marino, no circuito italiano de Ímola, localizado na província de Bolonha. Ayrton Senna passou reto pela curva Tamburello, a 300 km/h, e chocou-se violentamente contra o muro de concreto. Aquele fim de semana de corrida em Ímola não poderia ter sido mais sombrio...

Um acidente grave na sexta-feira, um acidente fatal no sábado. Uma névoa de negatividade pairava no ar. Ayrton Senna moveu levemente a cabeça – um espasmo muscular. Rapidamente saí em busca de Armand Deus, o cinegrafista francês com quem eu cobria a temporada de Fórmula 1 pela Rede Globo naqueles primeiros anos da década de 1990. Em minutos, já acessávamos o estacionamento do autódromo. Trocamos poucas palavras naquele momento. Não eram necessárias. Pouco depois, com Armand assumindo o volante, pegávamos a autoestrada em direção a Bolonha, a capital da província e maior cidade da região da Emília-Romanha.

"Mais rápido, mais rápido...", pedia a ele.

Conhecíamos bem aquele trajeto de 41,2 quilômetros no sentido oeste. Dias antes, fizéramos a mesma viagem para cobrir os desdobramentos do acidente de Rubens Barrichello, na sexta-feira, e o de Roland Ratzenberger, um dia depois. As imagens ainda estavam frescas na mente.

No caminho, respirei fundo. Comentei com Armand que precisava reunir toda a calma do mundo. Admirava Ayrton profundamente. Convivia com ele corrida a corrida, treino a treino, viagem a viagem. Conhecia o ser humano por trás do ídolo e agora estava prestes a anunciar o inevitável. O trajeto que normalmente é feito em trinta e cinco minutos, naquele dia o vencemos em pouco mais de vinte... E, então, lá estava eu abrindo a enorme porta do Hospital Maggiore de Bolonha.

Fui um dos primeiros jornalistas a chegar. Senna, que fora transportado de helicóptero, tinha dado entrada no hospital havia pouco mais de dez minutos. Com a ajuda de um celular emprestado pelo produtor Jaime Brito – que ficava baseado em Paris e cuidava da logística de nossas coberturas da Fórmula 1 –, comecei a entrar ao vivo. Seriam pelo menos 4 boletins. O celular parecia um tijolo: um daqueles bem grandes e pesados da década de 1990, quando o aparelho ainda era privilégio de poucos, mesmo na Europa.

Observei a movimentação dos médicos comandados pela dra. Maria Teresa Fiandri, chefe da equipe de reanimação do hospital. Falavam de um paciente que lutava desesperadamente pela vida, porém percebi um tipo de certeza em suas expressões. Pareciam mais concentrados em se manifestar nas entrevistas coletivas. Pensei, refleti...

"Se Ayrton estivesse mesmo entre a vida e a morte, todos eles estariam lá na UTI ao lado dele, não aqui, fazendo pronunciamentos sobre a gravidade da situação. Só há uma verdade. Não há esperança..."

Boletim a boletim, entrei ao vivo no ar. Minha comunicação era com a central da Rede Globo no Rio de Janeiro – eu não tinha retorno da programação. Eles apenas me davam o aviso – "Vai, Cabrini!" – e eu entrava no ar.

As entradas se baseavam no que os médicos informavam, embora eu tivesse notado que eles pareciam apenas adiar o inevitável. Nas duas primeiras vezes, falei de um paciente em estado extremamente grave... Tentava ser o mais firme que podia. Apesar da tensão à flor da pele, procurava me concentrar para não permitir que o emocional atrapalhasse a precisão das informações. No entanto, sempre acreditei que transparecer certa dose de emoção significa respeitar a dor de um país inteiro.

Era como se estivesse prestes a anunciar a morte de um ente querido, um ente querido coletivo... O irmão, o filho, o sobrinho de cada um.

No primeiro boletim – ainda durante o restante do Grande Prêmio –, foi Galvão Bueno, o narrador da F1, que me chamou:

"Do Hospital Maggiore de Bolonha, informa o repórter Roberto Cabrini", anunciou, desde o circuito de Ímola.

Reuni toda a concentração possível, tentei isolar o emocional e comecei a falar:

"O estado de Ayrton Senna é considerado extremamente grave e com risco de morte. Ayrton está internado na unidade de terapia do Hospital Maggiore de Bolonha e apresenta trauma craniano severo, além de choque hemorrágico. A chefe do departamento de reanimação me informou agora há pouco que Ayrton sofreu uma parada cardíaca no circuito e foi reanimado. Voltamos a qualquer momento com novas informações. Roberto Cabrini, direto do Hospital Maggiore de Bolonha."

A transmissão da corrida foi encerrada, mas continuei com as entradas ao vivo durante a programação da Globo, desta vez chamado pelo apresentador Léo Batista.

Nos treinos do dia anterior, a asa dianteira do carro da pequena equipe Simtek se soltou na curva Villeneuve, e o jovem piloto austríaco Roland Ratzenberger bateu no muro a 308 km/h. Logo após o acidente, houve uma tentativa de reanimação cardíaca na própria pista. O piloto, que sofreu múltiplas fraturas cranianas, teve a morte anunciada oito minutos após ter dado entrada no Hospital Maggiore de Bolonha.

Naquele dia, escutei de Senna, o mesmo homem que agora (ao menos oficialmente) estava em um leito no 8º andar do hospital:

"Roland morreu na pista, mas não se pode falar sobre isso. Pela lei italiana, nem poderia mais ter corrida", disse o piloto, visivelmente abalado, enquanto andava desnorteado pelo paddock do autódromo.

Foi inevitável lembrar-me daquela nossa conversa e associá-la ao que estava acontecendo naquele momento. Senna morrera na pista, mas isso não podia ser revelado no hospital.

Mais um boletim divulgado, afirmando um quadro desesperador. E, então, minutos depois, soltaram o terceiro e penúltimo boletim. Meu coração batia descompassado. Precisei puxar o ar e soltá-lo lentamente, então escutei o "Vai, Cabrini". Eu estava no ar:

"A chefe do departamento de reanimação do Hospital Maggiore de Bolonha está comunicando neste momento que o quadro do piloto brasileiro Ayrton Senna é de morte cerebral. O eletroencefalograma confirmou fratura múltipla. Não há mais esperança para Ayrton Senna. Ele está clinicamente morto… O piloto brasileiro ainda apresenta atividades cardíacas e respiratórias, mas os médicos não acreditam que essas funções devam continuar por muito tempo. Portanto, estas são as últimas informações diretamente do Hospital Maggiore: Ayrton Senna da Silva está clinicamente morto. Roberto Cabrini, do Hospital Maggiore de Bolonha."

Sabia perfeitamente que aquela notícia era como um míssil disparado contra os sentimentos de uma nação.

A tarde se aproximava. Na Itália, o relógio marcava 18h55. O momento da minha derradeira entrada ao vivo chegara. A médica Maria Teresa Fiandri me informou que o coração de Ayrton parara de bater às 18h40 (13h40 no Brasil).

Procurei uma maneira de expressar a dimensão do momento. As palavras são encontradas apenas segundos antes de Léo Batista me chamar. Às vezes, as soluções mais singelas são as mais sofisticadas e que melhor representam um instante histórico. Pensei em sutilmente abrir parte do meu coração e me permitir compartilhar com todos o sentimento de que, às vezes, profissionais são obrigados a comunicar notícias que jamais gostariam de informar.

"Morreu Ayrton Senna da Silva. Uma notícia que a gente jamais gostaria de dar: morreu Ayrton Senna da Silva."

***

Phoenix, Arizona, Estados Unidos.
Março de 1991.

"Oi, Ayrton. Sou o Roberto Cabrini, do SBT. Estou aqui para cobrir seus passos nesta corrida."

É o Grande Prêmio dos Estados Unidos. Abertura do campeonato mundial de Fórmula 1.

"Puxa, que bacana. Conte comigo para seu trabalho."

Tinha acabado de chefiar o departamento de esportes da emissora na cobertura da Copa do Mundo de Futebol, em 1990, na Itália. Havia montado uma equipe, da qual tinha grande orgulho, com nomes como Telê Santana, Sócrates e Emerson Leão. Conseguimos um resultado impressionante: o 2º lugar na audiência, à frente de canais com tradição esportiva.

Agora, havia recebido a missão de mostrar o outro lado da Fórmula 1. Os direitos de transmissão do evento, é claro, pertenciam à Rede Globo – minha ex-emissora. Mas naquela época as corridas chamavam tanta atenção que comportavam cobertura mesmo de canais que não mostravam os grandes prêmios.

Duas semanas antes, o superintendente artístico do SBT, Luciano Callegari, me chamou na sua sala:

"Cabrini, tenho uma missão para você. A Shell está patrocinando boletins sobre a Fórmula 1. Eles serão exibidos antes dos telejornais, nas sextas e sábados antes do início das corridas, e depois haverá mais um na segunda-feira, com informações do que aconteceu no GP. Você deve trabalhar com as imagens geradas pelas agências de notícias. Quero que você assuma isso."

Naquela época, quando havia corridas, a agência internacional de notícias Visnews transmitia um pacote com cinco minutos de imagens na sexta, no sábado e no domingo. Eram gravações dos treinos e do GP, para assinantes de seus serviços em todo o mundo – entre eles o SBT. Tempos depois, a Visnews foi comprada pela Reuters, que já detinha uma porcentagem de suas ações, e deixou de existir.

"Cobrir só com imagens internacionais é frustrante. Posso ir às corridas? Viajar?"

Viagens significariam despesas, porém a emissora decidiu apostar em minha reputação de repórter que sempre buscava informações exclusivas.

"Onde é a primeira corrida?", ele perguntou.

"Estados Unidos."

"Bem, viaja primeiro e depois a gente vê como fica. Duvido que a Globo permita que você receba credenciais."

A Foca – a poderosa Associação dos Construtores da Fórmula 1 – negociava os direitos de transmissão e, consequentemente, a distribuição de credencias para a cobertura das corridas. À sua frente estava o mais hábil negociante que a Fórmula 1 já produziu: Bernie Ecclestone, ex-proprietário da equipe Brabham – que chegou a ser uma das melhores do circuito – e raposa dos bastidores do tabuleiro milionário e obscuro do automobilismo internacional.

A Globo, como detentora dos direitos em território brasileiro, tinha, é claro, enorme influência na hora de decidir quem teria credencial para entrar no circuito e fazer a cobertura.

De São Paulo, enviei um *fax* para a sede da Foca, na Inglaterra: "Solicitamos credenciamento para Roberto Cabrini, jornalista do SBT, realizar a cobertura jornalística do Grande Prêmio dos Estados Unidos, a ser realizado no dia 10 de março, bem como autorização para trabalhar durante toda a temporada".

Recebemos sinal verde para os Estados Unidos.

Desembarquei no Arizona com confiança e entusiasmo. Anos antes havia feito a cobertura da Fórmula Indy nos Estados Unidos, na época áurea de Emerson Fittipaldi na categoria.

As reportagens do GP dos Estados Unidos ficaram perfeitas. Clima da corrida, detalhes da pista, entrevistas reveladoras com Ayrton Senna, Alain Prost e ainda uma exclusiva com Jack Stewart.

Sim, Senna ganhou brilhantemente aquele Grande Prêmio e ainda igualou a marca do escocês Jack Stewart: 27 vitórias na Fórmula 1, um recorde da categoria até ser superado por Alain Prost em 1987.

"Ayrton é brilhante. O céu é o limite para ele...", disse em meu microfone o escocês voador.

A cobertura foi um tremendo sucesso, chamando a atenção e repercutindo em jornais.

E então nunca mais tive credencial para cobrir corrida internacional pelo SBT. Os pedidos de credenciamento eram sempre negados. Se alguém imaginou que desistiríamos da cobertura, imaginou errado. Arrumei um jeito de mostrar o outro lado.

O fiscal de imprensa – ou "inspetor", como se autodenominava – era um italiano chamado Pasquale, de cabelo castanho em forma de tigela e expressão de poucos amigos.

"Você não tem credencial. Não pode entrar no paddock", me falava de modo quase agressivo.

Quando ele descuidava da atenção, eu aproveitava para entrar onde as equipes instalavam seus escritórios móveis a cada Grande Prêmio. Ali caçava uma entrevista, uma imagem, algo que, muitas vezes, os credenciados não tinham se concentrado em fazer. Se eu não conseguisse acesso ao paddock, ia para as arquibancadas e mostrava a reação das pessoas e a repercussão nos jornais.

Não podia entrar nos treinos? Usava a criatividade e exibia as imagens mais inusitadas. O retiro de Ayrton Senna em Portugal, o processo de fabricação de um carro de Fórmula 1 na McLaren, a ilha do Nigel Mansell (ilha de Man), o iate do Piquet em Mônaco.

A cobertura do SBT foi virando a sensação no Brasil, mesmo sendo feita por um repórter que não dispunha de credenciais para cobrir os GPS. Os pilotos abriram suas portas e vibravam junto conosco.

No Circuito Gilles Villeneuve, na Ilha de Notre-Dame (Montreal, Canadá), entrei de pedalinho. No GP da Hungria, como cinegrafista húngaro. A federação de automobilismo obrigou os constrangidos Senna e Prost a se cumprimentarem, e a única imagem do aperto de mão foi a minha.

Na França, estava no caminhão da McLaren de Ayrton Senna quando vi o italiano Pasquale, funcionário da Foca, vir correndo em minha direção. Um jornalista português me avisou que o inspetor reteria as minhas fitas. Rapidamente, retirei-as da câmera, e o próprio Ayrton Senna tomou a iniciativa, escondendo-as debaixo de seu casaco vermelho. Quando o italiano nos alcançou, não havia mais nada para ele apreender. E mais uma vez a reportagem foi um sucesso no Brasil.

O ponto alto da cobertura foi a entrevista exclusiva no Japão, no quarto de seu hotel, horas depois de se sagrar tricampeão mundial de Fórmula 1.

Era janeiro de 1992 quando recebi uma ligação em minha casa.

"Cabrini, aqui é o Ciro José."

Ciro era o diretor-geral de esportes da Rede Globo, o mesmo que me contratara pela Globo aos 17 anos.

"Está na hora de você voltar à Globo."

Um convite irrecusável. Voltar à emissora, depois de dez anos, para ser correspondente em Londres, com a missão de cobrir a temporada de Fórmula 1 e, no restante do tempo, todos os assuntos que exigiam atuação de um escritório internacional. Guerra, atentados, reuniões de líderes mundiais – tudo.

O repórter caçado por não ter credencial passaria a entrar pela porta da frente dos grandes prêmios.

O que fazia de Senna tão especial?

Paulistano do bairro de Santana, filho de um rico empresário, Ayrton Senna descobriu a velocidade ainda menino. O kart foi um presente do pai, Milton, um homem avesso a entrevistas, ora durão, ora divertido.

O menino só tinha 4 anos. Uma paixão incontrolável. O talento saltava aos olhos. Uma vocação. O estilo arrojado logo se manifestou.

Aos 13 já competia – e para ganhar. Vitórias e títulos iam se acumulando. Derrotas eventuais apenas o impulsionavam a buscar a perfeição.

Foi nessa busca que seu caminho cruzou o de um mecânico espanhol, radicado no Brasil, entendido de motores de kart. Um cara que todos chamavam de Tchê.

"Ele apareceu aqui em uma quinta-feira. Tinha quebrado o motor. Ele queria correr no domingo e levou o pai lá. Respondi a ele que tudo bem, que podia deixar o motor que íamos consertar", Tchê confidenciou depois de anos.

Aos 20 anos, recém-casado, foi para a Europa. Fórmula Ford, a Fórmula 3 inglesa.

Naquele arquivo, encontrei uma foto de 1990, ele em frente a uma pequena casa em Silverstone.

"Ele venceu tantas corridas aqui antes de chegar à Fórmula 1 que os jornalistas ingleses, com seu humor habitual, chegaram a sugerir que o nome do circuito mudasse para Silvastone", referência ao último sobrenome de Ayrton Senna da Silva.

Receber propostas foi questão de tempo.

Aos 22 anos, o primeiro teste na Fórmula 1, na Williams. Pilotou o carro que era de Keke Rosberg e impressionou a todos.

Aos 23, entrou na mais cobiçada categoria do automobilismo mundial.

A equipe foi a pequena Toleman.

E chegou para ficar. Para vencer.

Ayrton Senna não foi o piloto que venceu mais campeonatos nem o que venceu mais corridas. No entanto, é apontado como o maior piloto da história em um esporte que produziu gênios como Fangio, Clark, Stewart, Lauda, Fittipaldi, Piquet, Prost, Michael Schumacher, Alonso, Vettel, dentre outros.

Em dezembro de 2009, a revista inglesa *Autosport* – tida como "Bíblia" do automobilismo internacional – publicou uma lista com os melhores pilotos de todos os tempos. A eleição foi feita por 217 dos pilotos que passaram pela categoria. Senna foi apontado como o melhor da história, deixando Schumacher em 2º, Fangio em 3º e Prost em 4º.

O que fazia de Senna tão especial?

Fui o repórter que mais vezes o entrevistou, e estive com ele nos últimos três anos de sua vida. Não era tão íntimo dele como Galvão Bueno, nem o conhecia havia tanto tempo como o comentarista Reginaldo Leme, mas tínhamos uma relação de amizade, muito respeito e carinho profissional mútuo. Ele me conhecia bem. Sabia que, independentemente de tudo, eu não iria deixar de fazer-lhe as perguntas mais cortantes – o que, às vezes, até o deixou meio irritado. Mas ele sempre acabava entendendo bem o lado do jornalista, confiando em mim para entrevistas e reportagens inesquecíveis.

Nos tempos áureos da McLaren, com a ajuda de Milton Senna – pai de Ayrton e, na época, um grande colaborador em minhas matérias –, tive acesso à sua fortaleza nas paradisíacas quintas em Sintra, Portugal. Nesta cidade ele se hospedava na mansão do ex-banqueiro brasileiro e seu amigo pessoal Antônio Carlos de Almeida Braga, o Braguinha – reputado também como uma espécie de conselheiro.

Lá, Ayrton condicionava-se fisicamente sob a orientação do preparador Nuno Cobra. Corria mais de 1 hora todos os dias e depois fazia pesadas sessões de musculação e alongamento. Senna foi o primeiro piloto da Fórmula 1 a descobrir que um bom condicionamento físico era essencial para o sucesso. Sua forma era digna dos grandes atletas.

Uma vez, jogamos uma partida de tênis ali, em uma quadra de grama rodeada por jardins de árvores frondosas. Competitivo ao extremo, ele fazia cara feia a cada ponto perdido. Até ganhei o jogo, já que tênis não era o forte dele. Mas foi outro episódio que mais me chamou atenção. Durante a partida, uma das bolinhas se perdeu na mata ao lado. Então, quando a partida terminou, Ayrton disse:

"Preciso fazer algo."

Com os olhos obstinados, por mais de quarenta minutos vasculhou cada árvore, cada folhagem, cada buraco oculto.

"Esquece isso. Depois a gente procura a bola", falei para ele.

"Não, tenho que encontrá-la agora."

Enquanto o ajudava, pensei comigo mesmo: *Puxa, ele é milionário, pode comprar milhões de bolinhas, tem compromisso marcado para daqui a pouco e, ainda assim, sente essa necessidade incontrolável de ficar procurando uma simples bola de tênis.*

Senna buscava a perfeição em tudo. Em sua mente, um objeto desaparecido quebrava sua noção de total harmonia. Talvez, à primeira vista, isso parecesse um detalhe insignificante... Mas esse era o jeito dele. Jamais conheci alguém que perseguisse a amada perfeição com tamanha tenacidade e determinação, de modo quase obsessivo. Ayrton não se contentava, não se conformava com nada que quebrasse essa sua essência. Muitas vezes sofria com isso. Calado e resiliente, fazia dessa busca o seu combustível.

"Achei a bolinha, aqui está!" Sua expressão era a de um menino que ganhou um doce.

Durante um café com o mexicano Jo Ramírez, coordenador técnico da McLaren e conhecedor profundo de Senna, perguntei-lhe o que o diferenciava dos outros pilotos. Ele cutucou um mecânico inglês ao lado, que ouvia a conversa:

"Conte a ele."

O mecânico sorriu, cerrou os punhos e disse:

"*He is the one with more bullets.*"

Ou seja, na linguagem da vida, Senna era o que tinha mais "colhões".

Além de seu talento descomunal, Ayrton era o mais corajoso, o mais audacioso, o último a tirar o pé do acelerador antes das manobras mais arriscadas. Ele vivia uma procura alucinada de seus próprios limites, fazendo disso um sacerdócio, uma busca implacável. Atacava cada curva como se fosse a última...

Ayrton aprendeu com o carisma e a classe de Emerson Fittipaldi – o piloto que abriu caminho para os brasileiros na Fórmula 1 – e também com a esperteza e a fina malandragem de Piquet e a técnica refinada de Alain Prost. Os dois últimos se tornaram rivais, praticamente inimigos, mas ele os respeitava e tirava deles o que tinham de melhor a oferecer. Junte a isso o olhar terno de um Mandela, a rebeldia e boa aparência de James Dean, o conhecimento profundo de vários idiomas de Roger Federer e o carisma e a sabedoria de trabalhar as palavras de um Muhammad Ali (embora sem suas bravatas), e você tinha alguém que transformava em ouro tudo que tocava, que fazia multidões pararem para escutá-lo. Tudo o que Senna falava virava notícia. Ele era amado em todo o mundo, mas em países como Japão e Itália era visto como a personificação de um deus.

Sabia como ninguém ser um ídolo, entendia o que se esperava dele, suas responsabilidades, seu poder transformador na opinião pública. Mas também tinha ciência de que havia um custo para tudo isso. Nem sempre conseguia relaxar: era como se ficasse preso à projeção da imagem criada para ele. Uma dicotomia entre homem e mito.

Em seus limitados momentos de fuga, amou romanticamente as mulheres de sua vida: Lilian de Vasconcellos, a esposa que o acompanhou em seus primeiros anos na profissão, quando ainda era um piloto desconhecido em busca de sucesso; Xuxa, já na fase de supremo estrelato; e Adriane Galisteu, sua última namorada e com quem conseguia sentir-se à vontade. Todas, sem exceção, relatavam seus olhares distantes e tristes. Como se aquela idealizada missão de perfeição, por vezes, pesasse nos ombros.

Ayrton não suportava perder, mas também tinha um lado solidário como poucos, nutrindo genuínas preocupações sociais. Vislumbrando um mundo mais justo, fazia filantropia e participava de projetos humanitários de modo anônimo. Não ajudava pessoas pensando em melhorar sua imagem, mas porque realmente sentia necessidade de devolver ao mundo tudo que "o Criador" havia lhe concedido.

Sim... Senna era um homem de fé. Um dos poucos a falar de religião após algumas de suas vitórias sem ser depois discretamente ridicularizado pelas sempre influentes hordas de ateus dos veículos de comunicação internacionais.

Homem em constante efervescência, permanente ebulição. Capaz de ser o mortal mais simpático e, minutos depois, o mais fechado. Milhões de admiradores o idolatravam, mas contava apenas com poucos amigos verdadeiros. Consumido pelas exigências de ser o super-herói infalível, encarava as vitórias como o seu oxigênio, a derrota do tempo e do espaço como a poesia de sua alma.

O apaixonado Senna

Dez anos após a morte de Ayrton, entrevistei duas das muitas mulheres importantes em sua vida: a mãe, dona Neide Senna, e a ex-esposa do ídolo, Lilian de Vasconcellos.

O encontro com dona Neide foi na sede do Instituto Ayrton Senna, em São Paulo. Levei muitas semanas para convencê-la a falar comigo. Quando concordou em me receber, achei melhor não fazê-la esperar, para não correr o risco de que mudasse de ideia.

"Pode entrar. Ela está na sala esperando você", disse a sua secretária.

Encontrei uma mulher carismática, de olhos expressivos, que abriu um leve sorriso ao me ver. As pronunciadas marcas de expressão não lhe tiravam um ar impressionante de nobreza e altivez.

"A gente não sabia que ele era assim, querido... Como podia imaginar? Nunca! Não passava nunca pela nossa cabeça uma coisa dessas. É algo que a gente leva para o resto da vida, não dá para esquecer, todo dia a gente lembra." Sua voz estava firme, a dicção pausada e clara.

Ela abriu a gaveta de um pequeno móvel. Retirou dali um velho álbum de fotos armazenado em um saco plástico. À medida que abria o embrulho, fazia uma jornada no tempo. Lembranças intensas de um filho que se transformou em lenda.

"Aqui ele não tinha 1 ano de idade ainda. Gênio forte! Bicudo, não era fácil dizer não para ele..." Sorriu com um leve ar de tristeza.

Lembrou que, para a família e para os amigos das redondezas onde moravam, Ayrton era o Beco, o Beco do bairro de Santana, Zona Norte, onde a família mantinha uma casa confortável e ampla.

"Ele era levado. Como na vida profissional, queria sempre chegar em primeiro lugar."

Irrequieto, não parava, fazendo tudo muito rápido. Quando tinha uma prova no colégio, era o primeiro a terminar. A freira, para mantê-lo quieto, dava tabuada para que ele resolvesse. De novo, terminava antes de todo mundo. Sempre acelerado.

"Olha aqui o estilingue dele, você se lembra disso? Foi do seu tempo?" Ela me mostrou o brinquedo em suas mãos. "Ah! Então... Ele vivia com isso pendurado no pescoço! Quebrava vidraça dos vizinhos e corria..."

"Fazia sucesso com as meninas?"

Dona Neide levantou o olhar, como se procurasse uma lembrança.

"Ah! Foi apaixonado, ele era muito apaixonado. Agia com o coração!" Sorriu. "Quando tinha 12 anos, ele se apaixonou pela neta de um senhor que trabalhava com o Milton, meu marido, na fábrica. O menino ficava pensativo... Era muito engraçado."

A mãe de Senna confirmou que o apaixonado filho pensou em abandonar as pistas para salvar o casamento com Lilian, livrando-se do futuro incerto no automobilismo e dos riscos.

"Foi muito difícil na Inglaterra... Um lugar bem distante, os dois sozinhos... Uma vez, ele falou assim para mim: 'Será que estou no caminho certo? Será que é aqui que eu tenho de ficar? Acho que eu vou embora para o Brasil...'", ela lembrou.

"De todas as mulheres que passaram pela vida dele... A esposa, as namoradas... Quem é que foi importante mesmo, Dona Neide?"

"Essa pergunta é muito interessante... Meu filho era movido a emoções. Ele agia muito mais com o coração do que com a razão. Ele era apaixonado por todas elas em seu tempo."

Havia lugares especiais, onde ela se sentia mais próxima do Ayrton que só ela conheceu. Os troféus das pistas... Desde os mais singelos, do kart, aos mais importantes, como os do tricampeonato de Fórmula 1.

"O que a senhora sente vendo isso tudo?"

"Saudades, muitas saudades...", disse em um tom saudoso, enquanto lágrimas escorriam pelo seu rosto.

Um homem apaixonado, segundo a sua mãe. Suas atitudes comprovavam isso. Carismático, boa-pinta e bem-sucedido, Ayrton Senna sempre foi assediado por muitas mulheres. Teve diversas namoradas famosas – como a apresentadora Xuxa –, mas também se relacionou com desconhecidas do grande público. Estas, após se tornarem namoradas dele, ganharam projeção. Um exemplo é a modelo Adriane Galisteu, anos mais tarde estabelecida como uma das mais marcantes mulheres da TV brasileira. Todas invariavelmente belas, de profissões diversas, com diferentes personalidades, mas apenas uma conseguiu ser a senhora Senna.

Dias depois de ter entrevistado dona Neide, estava eu diante de um prédio elegante no bairro de Pompeia, em São Paulo. Ao me ver, o porteiro perguntou:

"Com quem o senhor deseja falar?"

"Estou aqui para falar com uma moradora. O nome dela é Lilian de Vasconcellos."

"Pode entrar, ela está à sua espera. O apartamento é o 72, fica no 7º andar."

Enquanto subia no elevador, imaginava como seria, afinal, a mulher que um dia se casou com um dos maiores heróis brasileiros.

Quando bati à porta, foi ela quem a abriu.

"Olá, Roberto." Um sorriso de dentes perfeitos, iluminado por ternos olhos claros, me convidou a entrar.

Em poucos minutos, já estava gravando. Notei que ela estava ansiosa, como se houvesse esperado muito tempo e agora se sentisse pronta para contar sua história.

"Lilian, em primeiro lugar, conta para a gente: quem você é?"

"Sou a ex-mulher do Ayrton Senna, uma decoradora; mãe de um filho lindo, uma mulher que batalhou bastante na vida, mas que é extremamente feliz."

Loira, olhos azuis, sorriso cativante. Naquele momento, divorciada e mãe de um filho de outro casamento. Durante muitos anos, Lilian permaneceu em silêncio, raramente falando sobre o casamento com Ayrton Senna.

"Por que durante tanto tempo você fez questão de ficar reclusa, longe das atenções?"

"Em respeito ao meu marido. Eu era casada e não tinha maturidade para conversar sobre isso, como estou fazendo agora com você."

O carinho por Ayrton nunca deixara de existir. Isso estava claro em vários detalhes de sua casa. Fotos do casal podiam ser vistas em vários pontos da sala, intercaladas com belas peças de prata. Sim, eles haviam vivido uma história de amor. Uma história desconhecida pela maioria das pessoas.

Lilian me levou até uma casa isolada e elegante, repleta de árvores.

"O Ayrton cresceu aqui... Fomos criados praticamente juntos, brincávamos de casinha, de carrinho. Nossas mães eram amigas."

"Ele pediu você em namoro?"

"Não, foi uma coisa que aconteceu de repente... Nós nos beijamos e começamos a namorar." Ela sorriu, como se voltasse àqueles dias. "Mas em casamento ele me pediu. Foi na cama de um motel... Ele me disse: 'Lilian, quero casar com você', e eu aceitei na mesma hora." Riu com vontade, ao se lembrar.

A paixão entre a menina loira e sorridente e o garoto moreno, magro e tímido foi arrebatadora. Após dois meses de namoro, casaram-se.

Lilian, de uma gaveta, retirou uma pasta cuidadosamente guardada. Havia uma certidão dentro dela. No documento, a oficialização daquele amor: em 10 de fevereiro de 1981, Lilian de Vasconcellos se casou com o até então desconhecido Ayrton Senna da Silva.

O casal morou nove meses na Inglaterra. O automobilismo sempre foi prioridade na vida de Ayrton, e Lilian acompanhava o marido em todas as provas. Viveram momentos difíceis. Uma gravidez indesejada. Um aborto espontâneo com menos de um mês de gestação.

"Lilian, é verdade que Ayrton chegou a considerar a hipótese de deixar o automobilismo?"

Ela balançou o rosto, assentindo. A expressão da ex-senhora Senna mudou.

"É, sim. Ele largou o automobilismo e veio para o Brasil. Foi trabalhar na loja de construção do pai, e eu montei o nosso apartamento, decorando-o. Inclusive coloquei todos os seus troféus na sala. Mas ele estava muito triste, era outro homem naquele momento. No dia em que terminei de arrumar o apartamento e que íamos nos mudar, ele me deu a notícia."

"Que notícia?"

Lilian baixou os olhos.

"Ele falou: 'Lilian, eu não vou conseguir. Vou voltar para a Europa. Cancele o aluguel do apartamento, devolva os móveis. Eu tenho que voltar pra Europa pra tentar... E eu vou sozinho'."

O casamento de Lilian e Ayrton chegava ao fim após dois anos. Eles se separaram, embora o divórcio oficial tenha saído apenas três anos mais tarde.

Ele seguiu em frente. Ela jamais deixou de sentir-se ligada ao ex-marido.

Dez anos após essa conversa, e vinte depois da morte do piloto, visitei a última namorada do Senna, Adriane Galisteu, em seu apartamento em São Paulo.

Adriane arregalou os olhos e ajeitou as pernas em uma cadeira de veludo confortável. Estávamos em seu luxuoso apartamento no aristocrático bairro de Higienópolis.

"Quando ele bateu, eu falei: 'Graças a Deus! Ele vai voltar mais cedo para casa!'. Eu me levantei, saí da sala e voltei para o quarto. Nem continuei vendo a corrida. Eu pensava 'Ah, ele vai ficar mal-humorado por um tempo, mas pelo menos o inferno daquela corrida tinha acabado'."

Um dia, a jovem, bela e desconhecida modelo encantou um homem consagrado que podia escolher entre centenas de mulheres. Foi justamente a simplicidade daquela loira divertida, recrutada para segurar o guarda-sol da Shell na semana do Grande Prêmio do Brasil em Interlagos – mas que nem sabia direito o que era Fórmula 1... – que o cativou. Totalmente diferente daquela mulher segura que me recebia anos depois em seu luxuoso apartamento no bairro nobre de Higienópolis, endereço de executivos e presidentes. Esta conseguiu estabelecer-se no entretenimento como uma das melhores apresentadoras de TV.

"Como foi a sua última conversa com o Ayrton?"

"Foi no telefone. Na casa dele, em Algarve, Portugal."

"Ele em Ímola?"

"Sim... Ele estava irritado, eu nunca vi o Ayrton tão bravo."

"Por quê?"

"Aquela corrida estava esquisita... Hoje a gente pode dizer que não era para ela ter acontecido."

Em determinado momento da entrevista, Adriane me fez um convite. Queria me mostrar algo lá na garagem de seu prédio. A voz por instantes lembrava a daquela garota marota que carregava guarda-sol em Interlagos.

"Vou mostrar a minha maior joia, que durante anos nunca quis deixar ninguém ver..."

Lá no fundo, um Fiat Uno bem velhinho, anos 1990, surgia diante de mim.

Ela me convidou a entrar e ganhou as ruas de um trânsito infernal da grande metrópole.

"Ele me entregou o carro com uma fita vermelha. E saímos para jantar, com ele dirigindo. Nós nos amávamos e tínhamos planos, muitos planos..."

A bordo do carro que ganhou de Ayrton, Adriane Galisteu o definiu:

"Eu acho que tem pessoas que deveriam ser proibidas de morrer, e ele era uma dessas. Era um cara do bem."

Então, segurou o meu braço e me fez observá-la.

"Cabrini, sei que você não gosta de confete, mas tenho que falar sobre o respeito e o carinho que o Ayrton tinha em relação a você. Ele apontava para você e falava: 'Olha, para esse garoto aí, eu faço questão de falar. Aconteça o que acontecer, ele faz de tudo para executar seu trabalho'. Ele achava você meio louco, mas o respeitava muito."

"Quanto à loucura, ele não estava muito errado, não. Quanto ao resto, não sei...", disse, e rimos juntos.

O cair da ficha

Nesses meus anos como repórter, já presenciei muitas situações inusitadas e lastimáveis. Uma delas, certamente, aconteceu cobrindo a morte de Ayrton Senna.

Uma hora após o anúncio da morte de Ayrton, vi o seu corpo passar, coberto por um lençol branco. Saindo da UTI em direção ao elevador, ia para o subsolo, onde um carro da funerária o esperava para transportá-lo ao Instituto Médico Legal (IML) de Bolonha.

A ficha demorou a cair. Foi difícil crer que alguém que sempre imaginei invencível tinha sido derrotado. A Itália foi tomada pela comoção. Milhares de fãs se dirigiram ao hospital e, depois, ao prédio do IML, como se também não acreditassem na mortalidade daquele brasileiro que mais se assemelhava à figura do herói universal. Palmas, choro, canções, declarações de amor eterno, reconhecimento de seu talento... Tudo carregado com muita emoção. Fãs se abraçavam, não arredando os pés dali. Italianos se misturavam a brasileiros e torcedores de outras nacionalidades.

No dia seguinte, fui para a frente do IML me preparar para uma entrada ao vivo no *Jornal Nacional*. Ali fui abordado por um italiano de meia-idade, barba por fazer, largos bigodes, terno surrado e hálito forte.

"O senhor é o jornalista brasileiro que acompanha o Ayrton Senna pelo mundo?"

"Sim, sou eu."

"Tenho um documento secreto muito importante sobre ele. Está interessado?"

"Claro. O que é?"

"Só posso mostrá-lo ali adiante."

Ele fez sinal para que eu o acompanhasse até uma pequena rua secundária, perpendicular à avenida do Instituto Médico Legal. O homem se certificou de que ninguém o observava e, então, ele me mostrou um envelope pardo.

"Tenho fotos preciosas do Ayrton depois do acidente. Um documento único e quero vender para você."

Ao ganhar minha atenção, ele tirou de dentro do envelope 3 fotos. Difícil descrever o que senti em relação àquilo tudo. Repulsa talvez seja a palavra mais apropriada.

Nas fotos, o corpo de Ayrton estava dentro do caixão. Provavelmente foram tiradas dentro do próprio IML, mediante propina paga a funcionários.

O corpo, vestido de terno escuro, tinha uma bandeira do Brasil na lapela do paletó. Era quase impossível identificar naquele rosto a imagem do Ayrton que todos conhecemos. Sua face, antes triangular, harmoniosamente afilada no queixo, agora estava totalmente circular – resultado do forte golpe na cabeça e a consequente liberação de líquidos.

"Isso não se faz!", gritei. "É falta de respeito com um ser humano! Exploração absurda! Isso é crime!"

Vendo a minha revolta, o homem se assustou e puxou abruptamente as fotos das minhas mãos. Cobriu tudo com o paletó que havia tirado e saiu correndo. Nunca mais tive notícias dele.

As fotografias nada acrescentariam no esclarecimento dos fatos: serviriam apenas para ofender a família e a legião de admiradores de Ayrton. Aparentemente, não foram compradas, pois jamais soube que tenham sido divulgadas por algum veículo de comunicação.

A reunião antes do treino

Três dias após a morte de Ayrton, recebi a ligação de uma fonte. Queriam me entregar uma fita com uma gravação realizada no fim de semana da corrida. Marquei de me encontrar com essa pessoa em Paris, concordando em não revelar seu nome. Recebi de suas mãos uma fita VHS, muito comum na época.

Queria logo poder conferir aquela fita. Voltei ao hotel La Concorde, na rua Cambon, onde estava hospedado.

"O aparelho de videocassete está à sua disposição na sala de reuniões do 1º andar", disse a loira alta do *concierge*, amistosa.

A fita deslizou no aparelho ruidosamente.

A imagem de Ayrton apareceu, agachado para ficar no mesmo nível dos outros que se sentavam à mesa. Dava para perceber que estavam dentro do *motorhome* da equipe Williams – espécie de acampamento coberto por uma tenda branca, montada sobre trailers, é uma estrutura muito utilizada pelas equipes de Fórmula 1 como base de apoio nos autódromos.

Tratava-se de uma reunião que antecedeu os treinos oficiais. Ayrton e Frank Williams, diretor da equipe, discutiam acirradamente com os técnicos da Goodyear, a fornecedora de pneus. Ayrton estava irritado, reclamava muito.

"Do jeito que vocês estão fazendo, não dá", dizia asperamente, pronunciando cada palavra bem devagar, realçando o quanto estava insatisfeito.

A frase que mais me chamou atenção foi a de Frank Williams, que idolatrava Senna e sempre sonhou em levá-lo ao seu time. O tom de voz dele se alterou ao falar com um técnico da Goodyear:

"Faça o que Ayrton quer, porque se ele sofrer um acidente, você terá um grande problema."

Durante muito tempo, não se soube a natureza dessa discussão, até que uma conversa que tive pelo telefone com Leo Mehl, então diretor esportivo da Goodyear, esclareceu a questão.

Naquele ano, tentando equilibrar a Fórmula 1, a Federação Internacional de Automobilismo (FIA) havia estipulado que cada equipe poderia utilizar apenas sete jogos de pneus por carro em cada fim de semana de corrida. Com o carro da Williams desequilibrado, esse número era impraticável para Senna, e a pressão de Frank Williams era para conseguir mais pneus. Foi o que o executivo acabou me revelando, após se negar a atender minhas ligações por meses a fio.

"Frank Williams e Senna faziam pressão para que declarássemos que um dos jogos de pneus estava com problemas. Assim, seria fornecido para eles mais um jogo, o que não era permitido pelo regulamento em condições normais", explicou.

Mesmo contrariado e com o propósito de mostrar que os pneus não tiveram influência no acidente, Mehl admitiu que os pneus extras foram entregues.

"Fizemos o que eles queriam."

Assim é a Fórmula 1. Regulamentos podem ser quebrados, mas isso apenas é admitido em casos como esse, em que o não cumprimento é mais honroso do que uma parcela de culpa em um acidente fatal.

Algumas respostas jamais saberemos

Durante os seis meses após a morte de Ayrton, a Fórmula 1 negou a existência de imagens do acidente que não fossem as registradas pelas câmeras externas do autódromo, aquelas mostradas na transmissão oficial. Procurei os técnicos e engenheiros da Williams para falar sobre o assunto, mas eles desconversavam.

"Não podemos falar sobre isso", diziam.

Eu sentia o desconforto deles. Minha intuição indicava que havia mais nessa história. Busquei essa confirmação até que a encontrei: o projetista Adrian Newey, após as negativas de costume, afirmou que existiam, sim, imagens *onboard* captadas pela câmera instalada no carro de Ayrton.

Fui atrás de Bernie Ecclestone, o todo-poderoso diretor da Foca.

"Senhor Ecclestone, sei que as imagens *onboard* existem. Já tenho essa confirmação."

Esperava uma resposta ríspida da parte dele, mas, para minha surpresa, ele apenas pensou por alguns segundos e então abriu um leve sorriso.

"Ok...", disse. "Vou mandar uma cópia delas para você."

Mal podia esperar para ver aquele material. Quando chegou às minhas mãos, três dias depois, constatei que eram quatro minutos e trinta e seis segundos de imagens contínuas. Nos primeiros dois minutos e trinta e nove segundos, a corrida estava sob bandeira amarela, com o carro-madrinha à frente. Senna passava em ritmo lento pela Tamburello, onde tudo terminaria na volta seguinte. Ele dançou na pista, aquecendo os pneus e, enfim, quando o carro-madrinha saiu de cena, a corrida recomeçou. Aqueles eram os últimos metros, os últimos segundos de uma trajetória. Schumacher vinha logo atrás, bem no retrovisor de Ayrton, fazendo de tudo para ultrapassá-lo.

Com um carro de qualidade inferior, Senna fazia de tudo para se manter na dianteira. Veio a curva Rivazza, à esquerda com duas pernas, a variante baixa, a entrada dos boxes… Pisando fundo, Senna se aproximou a 300 km/h na reta dos boxes. Estava chegando à Tamburello: podia-se avistar o célebre muro de uma das curvas de alta velocidade mais famosas da Fórmula 1. E então, misteriosamente antes do impacto contra o muro, a imagem virava um borrão negro. Escuridão. Nada se via.

Liguei para o escritório de Ecclestone em Londres.

"Por que a imagem foi cortada segundos antes do impacto?"

Foi um assistente de Ecclestone que me informou:

"Cortamos a imagem da câmera do Senna neste momento para captar o sinal de outro carro da Fórmula 1. Foi apenas uma terrível coincidência."

Consultei técnicos de televisão de várias partes do mundo. Todos consideraram essa hipótese como extremamente improvável. Muitas pessoas ligadas à Fórmula 1 que não quiseram ser identificadas me asseguraram que as imagens existiam (talvez ainda existam), mas foram estrategicamente cortadas para dificultar a compreensão dos motivos do acidente.

Revelei aquelas imagens ao mundo em uma reportagem feita para o *Jornal Nacional*.

A investigação do acidente promovida pela Procuradoria-Geral da Itália durou anos. Após recolher dezenas de depoimentos e realizar muitos estudos, chegou-se à conclusão de que uma falha mecânica foi a causa de tudo.

Senna havia feito um enorme esforço para se transferir para a Williams, que nos anos anteriores se destacara como a melhor equipe de Fórmula 1. Mas quando Prost se retirou para sempre das pistas em 1994, encerrando assim uma cláusula contratual na qual ele impunha não correr com o brasileiro na mesma equipe, o caminho estava aberto para Ayrton. O piloto finalmente entrou no time, mas recebeu um carro instável, o pior produzido pela Williams naquela época. Ele tentava poupar a escuderia, mas chegou a declarar sua insatisfação em uma entrevista concedida a mim em Aida, no Japão, a última antes do fatídico GP de Ímola.

Guardei comigo a gravação daquele desabafo.

"O carro está crítico. Qual é exatamente o problema, a gente não deve comentar. Vamos esperar um pouco. Estamos trabalhando nisso, a equipe está providenciando modificações", declarou ele com os músculos faciais visivelmente contraídos.

Segundo o relatório da procuradoria italiana, o carro de Senna se desgovernou em virtude de uma ruptura da coluna de direção, uma falha rara, quase inacreditável.

Senna reclamava da dificuldade para dirigir sua Williams. O *cockpit*, onde o piloto se alojava, estava muito apertado. A posição do volante pressionava as mãos do brasileiro contra a fibra de carbono, tornando as manobras ainda mais penosas.

Visando ao conforto do piloto, a Williams decidiu fazer uma emenda para levantar a posição do volante. Substituiu uma peça de 25 milímetros por uma de 18 milímetros. Esse remendo causou a fadiga do material e, consequentemente, a sua ruptura. Uma modificação artesanal aparentemente feita, em parte, no local da competição.

Os peritos apontaram que seria aconselhável substituir a barra por um cano de diâmetro inferior, e não usar uma peça de cano inteira menor. Os técnicos da Williams modificaram o cano, cortaram o de diâmetro inferior e, em seguida, fixaram a outra extremidade na parte que restou do cano, soldando os dois pedaços. Constataram também que o material do segundo pedaço estava diferente, desgastado.

A Procuradoria-Geral concluiu que aquela intervenção fora mal planejada e mal executada. A barra se rompeu exatamente onde havia sido feita a junção. Estudos na telemetria revelaram que, ao entrar na Tamburello, a barra de direção partiu em 70% de seu diâmetro. O volante começou oscilar, Senna percebeu que algo sério estava ocorrendo e reduziu a velocidade em 50%. Quando iniciava a tomada de curva, notou que a direção não respondia aos seus comandos. Desesperadamente tirou o pé do acelerador em uma manobra tão violenta que os sensores mostraram uma desaceleração de 4,3 G. Ele diminuiu sua velocidade de 310 km/h para 230 km/h. Aconteceu que, nos instantes derradeiros, a barra de direção quebrou totalmente, e Ayrton ficou com o volante na mão, dentro de um foguete cuja velocidade não diminuía mais. Um impacto brutal... A Williams jamais concordou com esse relatório.

Mesmo assim, tudo poderia não ter passado de um susto. Examinando o capacete de Ayrton, constatou-se marcas do impacto em várias partes, sempre do lado direito: na parte superior, acima da viseira e na própria viseira.

O trauma cerebral que matou o piloto foi provocado por um braço na suspensão que perfurou a viseira de seu capacete. A perfuração não chegou a ser tão grande, tinha apenas 6 centímetros de comprimento e espessura de 8 milímetros. No momento do impacto, o braço da suspensão se espatifou, e sua ponta se transformou em uma espécie de lança, que penetrou cerca de 2 centímetros na testa do piloto, logo acima do supercílio direito.

Uma lança que entrou e saiu em frações de segundos. Um acidente extremamente raro.

Ayrton não sofreu fraturas em outras partes do corpo, somente o golpe fatal em sua testa.

Com um pouco de sorte, teria saído andando, apenas muito atordoado.

Segundo a acusação, a quebra da coluna de direção do carro de Senna teria causado o acidente. A defesa sustentou que a coluna funcionava no momento em que o carro saiu da pista e que o acidente causou a ruptura.

Em 1999 – cinco anos após o acidente –, a Corte de Apelação de Bolonha absolveu os ex-dirigentes da Williams da acusação de responsabilidade na morte do piloto brasileiro Ayrton Senna. A Procuradoria-Geral havia pedido 1 ano de prisão, com direito a uma suspensão condicional da pena, para o ex-diretor técnico britânico, Patrick Head, e para o engenheiro responsável pelo projeto do carro de Senna, Adrian Newey. Em primeira instância, o próprio Frank Williams, dono da equipe, foi absolvido pelo tribunal de Ímola. Head e Newey, condenados a 1 ano, entraram com um recurso e acabaram sendo considerados inocentes.

Além de Williams, Head e Newey, foram também acusados Federico Bendinelli, administrador da Sagis (empresa responsável pelo circuito), Giorgio Poggi e o belga Roland Bruynseraede, representante da Federação Internacional de Automobilismo e encarregado da aprovação do circuito. Todos foram absolvidos.

Adrian Newey, considerado um dos maiores projetistas que a Fórmula 1 já produziu, sempre viveu incomodado pela morte de Senna. "A falha na coluna de direção foi a causa ou consequência do acidente?", questionou Newey em uma entrevista à BBC, dezenove anos depois do acidente. "Inicialmente, o carro derrapou quando a traseira ameaçou girar, mas Ayrton entendeu isso e apenas o manteve reto. Mas a primeira coisa que ocorreu foi a sobrevirágem, da mesma forma que às vezes você vai observar num circuito oval americano: o carro vai perder a traseira, o piloto vai corrigir, mas, então, ele passa reto e bate no muro externo, o que não parece uma quebra na coluna de direção."

Nessa mesma entrevista, também declarou: "Infelizmente, o carro de 1994 no início da temporada não era bom. Ayrton tinha um talento puro e uma determinação... Ele tentou levar o carro e fazer coisas de que não era capaz. É uma pena e muito injusto que ele estivesse nessa situação. E então, é claro, no momento em que melhoramos o carro, ele não estava mais conosco".

Algumas dessas respostas partiram para sempre junto com Ayrton.

Jamais saberemos.

Refazendo os passos de Senna vinte anos depois

San Marino, Itália.
Abril de 2014.

Estou em frente ao restaurante onde Senna teve seu último jantar, na noite anterior ao Grande Prêmio de San Marino.

"Está gravando?", perguntei ao cinegrafista Daniel Vicente.

Ele acenou, assentindo, então, comecei a falar.

"Era sábado, 9h da noite de 30 de abril de 1994. Ao fundo, a praça 20 de Setembro, aqui no centro de Castel San Pietro Terme. Estamos diante do restaurante onde Ayrton Senna jantou pela última vez, a Trattoria Romagnola. Senna já conhecia o restaurante havia pelo menos quatro anos. Naquela noite, veio aqui com um grupo de seis amigos."

Entrei na pequena e antiga *trattoria* e continuei gravando.

"A mesa para Ayrton Senna e seus amigos foi reservada no setor de sempre. O principal assunto naquele jantar foi a segurança das pistas. Ayrton Senna mais ouviu do que falou. Ele ainda estava profundamente chocado pela morte de Roland Ratzenberger. Como sua última refeição, Senna escolheu seu prato favorito neste restaurante: *spaghetti al torchio*."

Na cozinha, os segredos da preparação do último jantar de Ayrton. Lembrar é como matar um pouco as saudades do ilustre cliente. *Torchio* é o nome da máquina manual onde a massa é transformada em macarrão, feito na hora, momentos antes de ser preparado e degustado.

A câmera seguia gravando... Foi o próprio Paolo Liverani, um dos donos do restaurante, quem serviu Ayrton e seus amigos naquela noite.

"Paolo, do que você se recorda daquela noite?"

"Lembro que chegaram sete pessoas. O Senna e mais seis. Era tarde, falaram que o Ayrton tinha ido ao hospital ver o corpo de Ratzenberger."

"Como Senna estava naquela noite?"

"Estavam todos muito tristes, principalmente Ayrton. Estava pensativo, certamente por causa do que tinha acontecido durante os treinos do Grande Prêmio."

Na Itália, Paolo Liverani não fazia publicidade sobre a preferência de Ayrton pelo seu restaurante. O sorriso franco do brasileiro em sua mente — isso era tudo o que bastava para ele.

"*Spaghetti al torchio*. Senna sempre comia isso?"

"Geralmente como entrada. Às vezes começava com um antepasto de presunto e depois comia a massa com um pouco de salada."

Paulo retirou uma pasta de um armário. Lá dentro, guardados como relíquias, estavam um autógrafo de Ayrton e a nota fiscal da conta do jantar que naquela noite foi paga pelo empresário do piloto, o inglês Julian Jacobs.

"Às vezes me pego imaginando Ayrton entrando de novo pela porta do meu restaurante. Para mim, ele nunca saiu daqui", afirmou, guardando suas lembranças com o cuidado de quem protege um tesouro de reis.

Fui encontrar em São Paulo, no bairro do Morumbi, um dos participantes daquele jantar. Tratava-se do empresário Ubirajara Guimarães, sócio de Ayrton em negócios no Brasil.

Entrevistei-o em seu apartamento. Ele próprio abriu a porta, convidando-me a entrar. Assim que coloquei os pés na sua sala, percebi que só ali caberiam diversos outros apartamentos. O mármore e os finos cristais também chamavam atenção.

O cinegrafista Daniel Vicente e seu fiel escudeiro, Reinaldo – conhecido como Vavá –, rapidamente instalaram o "circo", jargão utilizado entre eles ao se referirem ao *set* de gravação de entrevistas.

Poltronas de camurça foram dispostas para uma conversa frente a frente.

"O que o Senna disse naquele jantar?", perguntei.

"Ele estava muito apreensivo, não queria que a corrida fosse realizada."

Lembrei o que Senna havia me confidenciado, e então questionei o seu ex-sócio:

"Senna me disse que Ratzenberger não tinha morrido no hospital, mas, sim, na pista. Divulgaram que morreu no hospital para não impedir o cancelamento da corrida. Ele comentou algo desse tipo com o senhor?"

"Sim, ele me falou a mesma coisa. Roland Ratzenberger morreu na pista."

Após conferir informações sobre o último jantar de Senna, fui atrás do local onde teve a sua última noite de sono. Percebi que refazer os passos do piloto, mesmo que vinte anos depois, de algum modo fazia com que eu me sentisse mais próximo dele.

Ao entardecer de um frio de outono europeu, voltei à pequena Castel San Pietro Terme, nas imediações de Ímola. Microfone ligado, câmera a postos.

"Este é o lugar..."

Apontei para a entrada do hotel, falando à medida que entrava nele.

"O lugar onde Ayrton Senna passou a última noite de sua vida. O Hotel Castelo, que fica na pequena cidade de Castel San Pietro Terme. A apenas 12 quilômetros do circuito de Ímola; portanto, conveniente para o piloto. Ayrton se hospedava aqui desde 1989. Em 1994, hospedou-se em uma suíte do 2º andar."

Entrei no elevador ainda gravando, quando as pesadas portas de aço se abriram no 2º andar.

"Saindo do elevador, a primeira porta à esquerda. Suíte número 200."

Nervosamente tirei a chave do bolso e levei mais tempo que o normal para abrir a porta. Ela fez aquele barulho de falta de lubrificação em suas ferragens.

No quarto, encontro três ambientes: uma pequena sala, um banheiro de torneiras antigas e o quarto com uma grande cama de casal, na qual ele dormiu sua última noite. Móveis italianos muito antigos e impecavelmente envernizados, as luminárias, o quadro com natureza-morta, a escrivaninha, o espelho de moldura dourada... Tudo como era em 1994. Apenas tinham sido trocadas a colcha e a cadeira.

As últimas horas de descanso de Senna antes da corrida fatídica tinham sido ali.

No dia seguinte, domingo, antes de entrar no carro, Senna ficou durante longos minutos na sua Williams – era como um toureiro olhando fixamente para o touro. A expressão de preocupação em seu rosto destoava de seu comportamento normal antes das largadas.

O circuito de Ímola e a curva Tamburello – 1994 e 2015

Ayrton Senna admirava o circuito de Ímola. Uma pista técnica, com curvas de alta velocidade. Por três vezes vencera corridas ali. Era fascinado pelo desafio que a pista representava. Sabia que a Tamburello, onde Piquet já havia sofrido um grave acidente, era uma curva arriscada, embora aparentemente fácil. Acreditava que seu campeonato começaria em Ímola. Vinha de duas corridas desastrosas em Interlagos, no Brasil, e em Aida, no Japão – saíra na *pole* em ambas, mas não havia completado as provas. E tinha em Michael Schumacher um rival de 25 anos, 9 a menos que ele, que o perseguia metro a metro.

"Ele é jovem, talentoso e agressivo." Assim Senna o definiu para mim em uma entrevista no Japão.

Em Ímola, o duelo se repetia. Só se falava nisso. O tricampeão contra a revelação. A Fórmula 1 se regozijava. Tinha tudo para ser uma era marcante.

Schumacher, com a ambição de sua juventude, pilotando um carro melhor logo atrás... O ídolo brasileiro se sentia pressionado a vencer porque, no ano anterior, a Williams havia se apresentado como carro invencível – mas o projeto da máquina atual continha falhas estruturais importantes. O piloto, entretanto, não queria criticar a própria equipe, e conseguia *poles* mais no braço do que no equipamento. Sabia que tinha um concorrente incômodo. Jovem, talentoso e destemido, Michael Schumacher surgia como a maior revelação dos últimos tempos. Além disso, seu carro, a Benetton, era melhor. Essa concorrência desleal revoltava Ayrton.

A Benetton de Michael Schumacher, que venceu as 3 primeiras corridas do ano – embora em todas elas Senna tivesse conseguido a *pole position* –, estava fora do regulamento que, naquela temporada, proibia o controle de tração eletrônico, tornando os carros muito mais "nervosos" e difíceis de guiar.

Algumas coisas são difíceis de explicar. Durante muitos anos, guardei em meu velho *laptop* um texto que escrevi três horas antes do acidente de Rubens Barrichello, na sexta-feira do GP de San Marino de 1994. Meu texto era justamente sobre o temor da curva Tamburello.

Vários acidentes já haviam acontecido nela. O de Nelson Piquet, em 1987, quando o brasileiro saiu de traseira na entrada da curva, ainda nos treinos de classificação para o Grande Prêmio de San Marino. Ou, ainda, o de 1988, quando a Ferrari de Gerhard Berger (um dos melhores amigos de Senna) bateu violentamente e pegou fogo. O austríaco apenas teve a vida poupada porque os fiscais de pista agiram rapidamente, apagando o incêndio.

"Os temores da Tamburello, uma curva aparentemente fácil, mas traiçoeira, que sempre flerta com a morte", dizia o meu texto.

Meu plano era falar com Senna sobre aquela curva no final do treino de sexta-feira. Precisava só encaixar sua entrevista em uma reportagem concebida para entrar no *Esporte Espetacular*, da Globo. O texto ainda estava inacabado. Havia parado justamente na frase "A curva que flerta com a morte...", quando, na sala de imprensa, escutei gritos de perplexidade e exclamação. Lá estava no monitor a imagem.

Na primeira sessão de classificação, Rubens Barrichello escapou em uma zebra na variante baixa a 225 km/h. Sua Jordan foi lançada em um voo cego, que durou segundos até colidir contra a barreira de pneus, capotando várias vezes antes de parar de cabeça para baixo. O impacto deixou o jovem piloto inconsciente. Ele foi levado ao centro médico de Ímola. Preocupado e trêmulo, Senna entrou feito louco onde Rubinho, de quem se sentia quase um mentor, estava sendo atendido. Na saída, consegui ouvi-lo.

"Como está o Rubinho?", perguntei.

"Ele está bem, está tudo bem. Ele tomou um susto. Está meio chocado, mas ele está bem."

Era um Ayrton de olhos arregalados e voz embargada, naquela que foi minha última entrevista gravada com ele.

Barrichello, em seguida, foi levado ao hospital da maior cidade próxima. E, em vez de falar com Senna sobre a Tamburello, tive de ir para o Hospital Maggiore, em Bolonha, onde Rubinho foi internado depois do acidente em que nasceu de novo.

Quando voltei àquele circuito de Ímola, em 2014, dirigi-me à sua célebre torre, e o filme de 1º de maio de 1994 continuava passando na minha mente. Tentei transformar memórias em palavras:

"No sábado, um dia antes da corrida, depois do acidente com a Simtek de Ratzenberger, Senna subiu na torre de controle de Ímola. Protestou sobre a falta de segurança que os carros nervosos projetados para aquela temporada traziam aos pilotos. Desceu da torre e, com uma aparência perdida, andou de um lado para o outro. Um homem transtornado. Buscava respostas para suas inquietações, mas não as encontrava."

Naquela visita em 2014, também pude dirigir o carro-madrinha, emprestado pela administração do autódromo. Tentava capturar cada detalhe, cada emoção:

"Gravando!", gritou o cinegrafista Daniel.

"A sensação é forte. Estamos no circuito de Ímola. Percorrer os quase 5 quilômetros da pista é como encontrar a trajetória, a carreira e o destino de Ayrton Senna."

"Valeu, passagem gravada!"

Em meus arquivos, encontrei um texto com um perfil dele. Lembrava-me de cada palavra. Aquele texto saiu fácil, estava impresso em minha memória. Suas habilidades como piloto me tornavam excessivamente poético, era difícil evitar.

"Nada parecia segurá-lo.

"Atacava cada curva como se fosse a última.

"Era sempre o que mais tardava a tirar o pé do acelerador e frear nas manobras mais arriscadas. O equilíbrio perfeito entre reflexo e coragem. E, fora das pistas, exibia um carisma do qual ninguém chegava perto."

A Tamburello da época de Senna não existe mais. Em seu lugar, foi construída uma *chicane*, sequência de curvas em formato de "s" para reduzir a velocidade. Ganhou em segurança, mas perdeu em tradição.

Anos depois, parte da verdade

Bolonha, Itália.
Abril de 2014.

Na região da Toscana, com o piloto italiano Nicola Larini, agora aposentado e próspero proprietário de uma loja de bicicletas importadas em sua terra natal, Lido di Camaiore. Larini não foi brilhante no volante, mas era respeitado pelo bom senso e grande poder de comunicação. Naquele domingo negro, pilotando uma Ferrari, ele conquistou justamente o melhor resultado de sua carreira: o 2º lugar, logo atrás do vencedor Michael Schumacher.

"Para você, onde morreu o Senna? Em Ímola ou em Bolonha?"
"Para mim e vários outros pilotos, Senna morreu na pista."
"Uma manipulação de informação?"
"Sim."

Vinte anos depois, chegara a hora de falar com os médicos.

Em uma pequena sala, eu me encontrei com a mesma chefe do departamento de reanimação do hospital, a dra. Maria Teresa Fiandri. Ao me ver, ela sorriu, demonstrando se recordar de minha presença naquele domingo. O mesmo rosto de traços delicados, cabelos longos e repartidos, olhos grandes e expressão afável. A entrevista não demorou a começar:

"Em que condições a senhora encontrou o Senna naquele domingo?"
"Em coma profundo. Ventilado com o respirador automático, a atividade cardíaca se sustentava, mas havia perdido muito sangue."
"Sempre houve a desconfiança de que ele morreu na pista, não no hospital."
"Posso afirmar que ele chegou aqui com vida. Teve parada cardíaca na pista, mas foi reanimado e reagiu. E só morreu aqui às 18h42."

Vinte anos depois, a assessora de imprensa de Ayrton da época de sua morte, Betise Assumpção, confirmou em uma entrevista à *Folha de S.Paulo* o que sempre defendi: antes de a corrida terminar, Bernie Ecclestone – chefão da Fórmula 1 – pediu a ela que traduzisse a seguinte mensagem para Leonardo, irmão de Senna: "*He is dead*" [Ele está morto]. Depois tentou retirar o que afirmara.

A despedida do ídolo

São Paulo.
4 de maio de 1994.

O avião com o corpo de Senna pousou no aeroporto de Cumbica, em Guarulhos.
De volta ao Brasil.
Milhões de fãs nas ruas. Algo jamais visto. A cidade traduzia seu sentimento em um gigantesco cortejo. O próprio Ayrton não imaginava o quanto era idolatrado.
No enterro, seu maior inimigo das pistas, Alain Prost, fez questão de ajudar a carregar o caixão, uma reverência aos sublimes momentos que a rivalidade produziu. E foi ajudado por nomes como Emerson Fittipaldi, Rubens Barrichello, Christian Fittipaldi e Gerhard Berger.
O país jamais havia experimentado tamanha comoção.

Como um cometa

Fundação Ayrton Senna, São Paulo.
Abril de 2014.

Dentro do elegante prédio da Fundação Ayrton Senna, começava a entrevistar a irmã dele, Viviane. Ela comanda o Instituto Ayrton Senna, um projeto que capacita 75 mil educadores para a tarefa de encaminhar 2 milhões de jovens carentes.
Viviane mal conseguia esconder a emoção.
"Quando você dá chance para alguém praticamente condenado a não ter oportunidade, é como ganhar uma corrida. É tudo que o Ayrton sonhava em fazer com o sucesso dele."
"Viviane, vinte anos sem ele. O que é que vem à cabeça?"
"É uma pessoa que passou muito rápido na vida", respondeu emocionada. "Como um cometa que passa muito rápido. Mas nem por isso ele deixou poucas coisas. Eu acho que, nesse período muito pequeno, ele deixou coisas que, às vezes, pessoas com o dobro do tempo não deixaram. Ele deixou um legado maior do que vitória em campeonatos; ele deixou um legado de valores, de atitudes, de posturas que inspiram pessoas no mundo inteiro."

O Senna fora das pistas

Em minha casa em São Paulo, remexendo antigas gavetas, atentei para uma em especial. Nela está escrito: "Material Ayrton Senna". Dentro, muitas fitas antigas, a maioria em formato VHS e beta. Resgatei cada uma delas... Junto, ia saindo também um Ayrton diferente daquele que o grande público conheceu.

Um cara descontraído, brincalhão, leve...

"*Tá* piscando essa porra! Acabou a bateria?", disse em uma de nossas entrevistas.

Nas imagens de meu arquivo pessoal, instantes que jamais foram ao ar.

"Já ouviu tanta abobrinha assim? Cada uma que eu quebro para você... É mole?!"

O homem que, entre um carinho, fazia brincadeiras.

"Cabrini direto da McLaren. SuperCabrini, direto da McLaren para o Brasil!"

O amigo que, quando queria tirar sarro, falava português errado.

"Cabrini..." Senna dirigia e eu estava ao seu lado. "O que seria de você sem 'eu'?"

Que aceitava qualquer desafio.

"Então, vamos correr?", propus.

"Eu não sei se você vai aguentar, e muito menos o cinegrafista."

Os dois saíram na frente. Eu, exausto, fiquei para trás.

"Balão de oxigênio para ele", Ayrton ria de mim.

Em uma das fitas, encontrei uma passagem (quando o repórter grava em frente à câmera) antiga, de 1993, época em que Senna fez suspense sobre participar ou não da temporada por uma McLaren – a equipe estava fragilizada após longos anos de domínio.

"Ayrton, você confirma a sua participação na Fórmula 1?"

Sua feição era de menino travesso, cara de Beco de Santana.

"Cabrini, fala mais devagar, mais baixinho... Faz de novo, faz de novo!", ri sem parar.

Em outra fita, via Ayrton dirigindo nas ruas de Mônaco após a sua sexta vitória no principado. Guiando um carro conversível, falava um pouco da corrida. Ao seu lado, no único espaço de passageiro, estava Adriane Galisteu e, para mim, sobrava ir sentado na carenagem do carro, de onde segurava o microfone. Foi o bastante para ele apertar o botão de "ligar" do Senna brincalhão.

"É hoje que eu vou me livrar do Cabrini! Hoje eu vou me livrar dele! Para sempre! De uma vez por todas, vou me livrar dele!", e começou a rir freneticamente.

Encontrei em meu arquivo mais uma pergunta para Ayrton logo após a conquista do tricampeonato no Japão em 1991.

"Como é que é essa ideia de ter filhos? É uma coisa muito grande em você?"

"Eu gosto de crianças, e à medida que o tempo vai passando, a necessidade ou a tendência de conviver com as crianças cresce em mim."

Naquelas fitas, também resgatei o que Senna pensava sobre os contrastes entre modernidade e miséria.

"Como é que um país capaz de produzir um Ayrton Senna também bate recorde em mortalidade infantil? Como é que você convive com essa contradição, quando você tem a oportunidade que suas declarações e atitudes tenham tamanho peso?"

Ele parou e pensou, demorando segundos antes de responder.

"Olha, o país é de todos nós. Ele hoje tem dificuldades, como sempre teve. E ele é o resultado da nossa própria sociedade. A gente tem que conviver com as dificuldades da melhor maneira possível. Em certos momentos, podendo dar alguma contribuição."

Coloquei outra fita, aquela onde tinha armazenado as brincadeiras dele.

Era final de 1993 e surgiam muitas especulações sobre seu destino. Era a bola da vez, o piloto que todos queriam.

"Estava pensando na Ferrari, mas a Lotus também parece uma possibilidade. Quem sabe a gente faça uma equipe de brasileiros na Jordan? Ou, então, vou para 'Tatuir'…". Um trocadilho com o nome da cidade de Tatuí, onde a família tinha uma fazenda. "Onde o trem faz 'piuir', a pedra que cai no rio 'tigur', e o ladrão fala: mãos ao 'arto', passa as nota de 'mir'!"

"Você se diverte com essas especulações?"

Senna gargalhou. Ele era assim. Quando queria brincar, era impossível falar sério com ele. E a mim só restava entrar no clima…

***

Ayrton Senna da Silva partiu fazendo o que gostava – acelerando fundo –, alimentando para sempre o imaginário de nossa eterna procura pelo limite humano.

Lembro que, em 2014, diante do muro da Tamburello, escrevi a seguinte passagem para a minha matéria:

"Ímola, Tamburello, vinte anos depois. É impossível não se contagiar. Cada detalhe, cada imagem… A curva não completada… A Williams desgovernada e o impacto inevitável. Aqui terminou a trajetória de um homem, aqui começou sua lenda. Esse foi o ponto do choque contra o muro, a 210 km/h. O local, hoje transformado numa espécie de santuário, tem flores e cartazes. A bandeira do Brasil, o boné azul, as mensagens dos fãs repletas de carinho… Também aqui Ayrton Senna vive."

2
E ASSIM DESCOBRI PC

Neste capítulo, Roberto Cabrini relata os bastidores de um dos maiores furos do jornalismo brasileiro: a localização do fugitivo da Justiça Paulo César Farias, tesoureiro do então presidente Fernando Collor de Mello e pivô de sua queda do poder. Cabrini o encontrou em Londres após muita investigação, e depois o entrevistou em uma reportagem que praticamente parou o país. Uma história com muitos detalhes, idas e vindas, determinação e adrenalina.

Caça aos fugitivos

O Natal de 1992 não estava tranquilo em Londres. Assim tinha sido naqueles últimos dez anos. O espírito natalino ficava parcialmente encoberto pela sombra do terror. Em 1983, uma bomba tinha destruído a sede da loja de departamentos Harrods, no centro da capital inglesa. Desde então, além das vitrines com decorações natalinas requintadas, era visível a apreensão nas ruas de Londres durante o mês de dezembro – a concentração de pessoas é sempre um alvo atraente para as ações terroristas. Em 1992, enquanto o Brasil vivia os momentos decisivos da votação do impeachment do presidente Fernando Collor de Mello no Senado, a Inglaterra discutia como se proteger dos atentados.

No dia 16 de dezembro de 1992, a discussão foi estrondosamente interrompida quando uma nova bomba explodiu no centro londrino, transformando em cacos a John Lewis, outra loja famosa. Fora isso, os jornais ocupavam seus melhores espaços criticando a política econômica do primeiro-ministro britânico John Major.

Eu acabara de chegar do Japão, onde tinha ido cobrir o primeiro título mundial do São Paulo. Como correspondente, voltava ao escritório da Globo em Londres com outra reportagem no bolso: o caso Maeda, relatando o drama de um brasileiro que foi trabalhar no Japão e acabou matando a vizinha. Ele ficou enlouquecido com o massacre cultural de uma sociedade que não conseguia compreender.

No dia 20 de dezembro, estava começando a trabalhar na edição dessa matéria quando Alberico Souza Cruz, diretor de jornalismo da Rede Globo, e Carlos Henrique Schroder, diretor-executivo, enviaram uma mensagem urgente para o escritório de Londres: Paulo César Farias – o PC – havia deixado o Brasil, ao que tudo indicava. O tesoureiro da campanha de Collor, acusado de práticas ilegais na arrecadação de verbas, saíra do país poucos dias antes da votação do impeachment de Collor. Não era, ainda, uma saída ilegal, como seria sua fuga espetacular no ano seguinte, mas se tratava de uma viagem misteriosa em um momento de alta tensão política no país.

No aeroporto de Maceió, confirmaram-me que seu avião particular, chamado por seus amigos de Morcego Negro, tinha decolado rumo à Europa. Como eu já possuía o prefixo da aeronave, isso me ajudaria bastante. Mas para onde, exatamente, ele estava indo? Comecei a disparar ligações para pessoas próximas a ele: credores, empresários, políticos, amigos e, principalmente, ex-amigos (esses são os que mais falam). A melhor pista foi a de que ele estava fazendo um tratamento de apneia do sono, enfermidade popularmente conhecida como "doença do ronco".

Tínhamos a indicação de que PC desembarcara em Barcelona, na Espanha, suspeita confirmada pelos contatos que fiz no aeroporto da cidade. Um ex-assessor me contou que, meses antes, ele tinha ido mesmo consultar um médico na cidade europeia e se hospedado no hotel Ritz, um dos mais luxuosos da Catalunha. Isso era o bastante para arriscar uma viagem até lá.

Na manhã de 22 de dezembro, eu e o cinegrafista Sérgio Gilz pegamos o primeiro voo rumo a Barcelona. Do aeroporto, fomos direto para o Ritz. O nome de Paulo César Farias não constava da lista de hóspedes, e a direção do hotel negava que ele estivesse lá. Decidi que só conseguiria investigar melhor se me hospedasse em um dos quartos.

Naquele momento, minha melhor tática era fazer amigos entre os funcionários. Esperei a saída do gerente que me monitorava com os olhos e puxei conversa com a funcionária que me pareceu mais simpática: Carmen, uma morena que trabalhava na recepção. Ela repetiu que tinha sido proibida de falar sobre esse assunto, mas, sorrindo, disse que só daria uma dica: as ligações de fora para uma das principais suítes do hotel estavam bloqueadas. O gerente se aproximava a passos largos, então Carmen se apressou e murmurou baixinho:

"É o que posso contar, Roberto. Deixe-me trabalhar, senão vou perder meu emprego."

Agradeci a ela pela informação, caminhei até o elevador e subi para meu quarto. De lá, ouvi passos no corredor. Abri a porta e vi a camareira arrumando o quarto ao lado.

É a minha chance, pensei alto. Eu me aproximei daquela mulher, uma senhora de meia-idade e expressão amistosa, e a cumprimentei.

"*Buenas tardes, señora.*"

Para quebrar o gelo, elogiei a qualidade do serviço, falei sobre a semelhança entre povos latinos, como espanhóis e brasileiros, e, quando senti ser o momento certo, contei sobre minha empreitada. Percebi ter ganhado sua simpatia e prometi que ninguém saberia daquela conversa. Ela pensou um pouco, sorriu e começou a me descrever como era o hóspede da suíte: careca, baixo, um pouco gordo, bigodes bem cuidados.

"Só pode ser ele. *Gracias, señora.*"

Subi até o andar da suíte e passei várias vezes em frente a ela. Silêncio. Vigiei a porta por algum tempo, e nada. Passos. Outros hóspedes do mesmo andar me viram, por isso decidi voltar para o meu quarto. Pensei no próximo passo. As ligações de fora estavam bloqueadas, mas as que fossem feitas de qualquer outro quarto do Ritz, não. Um catálogo no criado-mudo explicava como poderiam ser feitas as ligações internas no hotel: era preciso apertar o número 8 e o número do quarto desejado. Digitei rapidamente. O telefone tocou 3 vezes. Nada. Tentei novamente, e dessa vez uma voz masculina, sonolenta e com claro sotaque brasileiro, atendeu à ligação.

"Alô…"

Percebi que deveria ser a voz de PC e tomei a iniciativa.

"Senhor Paulo César Farias?"

"Pois não."

"Sei que o senhor está nesse quarto, pois também estou hospedado no Ritz. Meu nome é Roberto Cabrini, sou correspondente da Globo em Londres. Gostaria de falar com o senhor."

"Sei quem você é, jornalista. Como soube que eu estava aqui?", perguntou Farias, um pouco nervoso. Segundos depois, ele já demonstrava um tom mais amistoso: "Não tem problema, vou atendê-lo. Só não deixei meu nome na recepção porque não quero ser incomodado, mas eu saí do Brasil legalmente, ao contrário do que estão dizendo. E já que você está aqui, não quero que perca a viagem."

Quarenta minutos depois, PC estava à minha disposição no estúdio de TV improvisado em meu quarto. Era o primeiro exemplo de algo que tomei como regra: PC era assim – duro de encontrar –, mas uma vez capturado, cativava pela simpatia.

No primeiro contato, era difícil imaginar que aquele afável senhor fosse o frio e calculista articulador de uma das maiores redes de captação de dinheiro que o país já conheceu, um especialista em arrancar milhões de poderosos em troca da garantia de privilégios nos atos do presidente Collor. Alguns instantes com ele eram suficientes para se ter a certeza de que PC seria capaz de vender geladeiras para esquimós ou areia aos beduínos no Saara. Se o deixassem abrir a boca, PC iria para Roma e voltaria de lá com uma foto ao lado do papa.

A entrevista durou cerca de vinte minutos, mas consegui tudo o que precisava para aquele dia. Quando terminei a gravação, pensei lá na frente e tentei convencê-lo a conceder uma nova entrevista no dia da votação do impeachment de Fernando Collor, que aconteceria em 30 de dezembro. Embora tenha se recusado a dizer onde estaria naquela data, diante de minha insistência, PC Farias acabou concordando em dar pelo menos o nome e o telefone de um contato seu na Europa. Essa pessoa diria se a entrevista seria ou não possível. Tratava-se de uma pessoa chamada Raul, e o telefone dele tinha o código de Paris. Logo eu saberia mais sobre ele: Raul Gomes de Almeida, brasileiro, 40 anos, residente na França havia quase duas décadas. Era um dos sócios da Sanal, empresa que alugava limusines, cuidava de locações e pequenos serviços de despachante na Europa – uma espécie de facilitador de pessoas influentes que queriam permanecer incógnitas. Constatei que ele dispunha de uma clientela repleta de milionários brasileiros, entre eles Fernando Collor. Naquele dia, percebi que um sócio de Raul, o português Fernando Barbosa, acompanhava PC na Espanha. Ele estava hospedado em outro quarto do mesmo hotel.

Saí do Ritz satisfeito naquele final de tarde, pois tinha em mãos um material exclusivo com PC Farias. Não podíamos perder tempo, então fizemos uma pré-edição da entrevista na sede de uma produtora independente, no centro de Barcelona. A reportagem seria gerada via satélite, às 19 horas, horário da Espanha, direto de uma estação de televisão na periferia da cidade. Partimos com cinquenta minutos de antecedência, para fazermos um trajeto que teoricamente deveria levar vinte e cinco minutos. Mas a vida, às vezes, prega-nos uma peça: um acidente na única estrada que levava à emissora causou um enorme engarrafamento, e acabamos demorando uma hora e meia para chegar ao ponto de geração, que ficava fora da área metropolitana de Barcelona.

A ansiedade tomou conta de todos, e aconteceu o que mais temíamos: perdemos o horário previsto para o satélite. Tentei me acalmar, pois ainda faltavam quase três horas para o *Jornal Nacional* entrar no ar. Deveria ser o suficiente, mas, por uma inacreditável sucessão de desencontros técnicos, precisamos de muito mais do que o tempo normal para conseguirmos abrir outro canal de satélite – isso era necessário para gerar a reportagem para Londres, sede do escritório da Globo na Europa, e de lá para o Brasil.

A matéria ironicamente só foi transmitida para a central de jornalismo da Globo no Rio de Janeiro dez minutos depois de terminada a edição do *Jornal Nacional* daquela noite. Então, o diretor-executivo Carlos Henrique Schroder me ligou:

"Cabrini, você sabe se, além de você, algum outro veículo conseguiu falar com o PC Farias em Barcelona?"

"Que eu tenha visto, não, mas há três horas saí do hotel onde ele estava. Não dá para garantir."

Havia naquele momento duas opções: passar a matéria naquela noite mesmo, em edição extraordinária dentro de um plantão de emergência em um intervalo na programação, ou então esperar para exibi-la no *Jornal Nacional* do dia seguinte. Um debate entre diretores no Rio definiu que iriam esperar e mostrar a exclusiva no dia seguinte.

No entanto, no dia seguinte, a *Folha de S.Paulo* estampava em manchete que também tinha falado com PC. Minha reportagem foi ao ar, mas não causou o impacto que poderia ter tido. Fiquei arrasado. Tínhamos feito o impossível, mas, ainda assim, não conseguimos realizar o mais fácil.

Foi uma semana de noites maldormidas, de contrariedade, beirando a depressão. Esperei a poeira baixar e tentei marcar a entrevista com PC no dia da decretação do impeachment de Collor. Cheguei a falar duas vezes com o tal do Raul em Paris, mas PC sumira do mapa. Ele mandou seu intermediário dizer que nem ele sabia onde tinha se metido o sr. Farias. Depois de um tempo, PC reapareceu no Brasil como se nada de mais tivesse acontecido. Ele era assim: "liso" e surpreendente.

Fernando Collor de Mello sofreu mesmo o impeachment no fatídico 30 de dezembro de 1992, um dos capítulos mais dramáticos da história do país.

O ano virou. Quase sete meses se passaram. No dia 30 de junho, o Brasil inteiro comentava a espetacular fuga do tesoureiro de Collor, que agora tinha contra si um mandado de prisão. Não era apenas alguém que tinha desaparecido dos olhos da imprensa, como meses antes, em Barcelona: ele agora era um fugitivo da Justiça.

Iniciava-se a temporada de caça a PC. Com o passar dos dias e das semanas, o assunto se tornou uma febre nacional. Só se falava disso. Onde estaria PC Farias? Ele era agora o fugitivo mais procurado do Brasil, com o país inteiro em seu encalço.

Motivado inclusive pela frustração da experiência recente e munido de informações que tinha apurado meses antes, eu acompanhava os esforços da polícia brasileira na tentativa de encontrá-lo. Falavam em força-tarefa, centenas de agentes envolvidos, colaboração da Interpol etc. Quando me pareceu evidente que o empresário tinha deixado o Brasil e se refugiado em algum lugar do exterior, intensifiquei meus esforços, mesmo tendo de conciliar meu tempo com as matérias diárias como correspondente da Globo. Dormia poucas horas; acordava bem cedo e ia dormir bem tarde. Estava determinado a realizar o que centenas de policiais e outros repórteres tentavam: localizar o fugitivo que tinha sido figura central na queda de um presidente.

Escrevi as variáveis em um caderno. O ponto de partida precisava mesmo ser aquele contato que o próprio PC tinha me dado em Barcelona, no final do ano anterior. Sabia que Raul era uma espécie de despachante de PC Farias na Europa, então me aprofundei em seu papel. Confirmei que ele fazia um pouco de tudo, não só para PC como também para outros milionários e políticos brasileiros. Era motorista, secretário, acompanhante, agente imobiliário, escudeiro. Na sede da Sanal em Paris, Raul jamais era encontrado. Todos os funcionários que atendiam minhas ligações respondiam de imediato que ele não estava.

Lembrei-me do número do celular que tinha conseguido naquele encontro com PC em Barcelona, porém não conseguia encontrá-lo. Com raiva, tinha jogado o papel fora. Entretanto, minhas melhores ideias – e às vezes as piores também – surgem quando estou tomando banho. E foi no chuveiro que me lembrei: uma das ligações para o contato de PC, na tentativa de entrevistar o tesoureiro sobre a votação do impeachment, tinha sido feita da minha casa. Bastava encontrar a conta daquele mês, pois o número estaria impresso nela. Por sorte, a minha mulher, Renata, arquivava todas as contas. Lá estavam o número e a data da ligação: 27 de dezembro.

Durante o mês de agosto, fiz várias tentativas para localizar Raul. Mudava minha voz, pedia a outras pessoas que ligassem para a Sanal. Ele nunca estava e jamais retornava as ligações. Quem atendia o celular era sempre um brasileiro que se identificava como Francisco, e a resposta era sempre a mesma: "O Raul não está. Seria só com ele? Qual é o assunto?".

Raul tinha sumido do mapa, o que para mim fortalecia a ideia de que ele, mais uma vez, estava envolvido na fuga de PC. Eu já estava pensando em ir a Paris, para tentar localizar Raul pessoalmente, quando uma ligação mudou o curso da investigação.

Dia 8 de outubro, quase meia-noite. Eu estava sozinho no escritório da Globo, terminando alguns textos de reportagens recentes. Então, o telefone tocou. Era uma brasileira de sotaque paulista. Ela me disse que tinha uma suspeita da qual já havia falado com diversas pessoas, mas ninguém a levava a sério. Marcamos um encontro naquela noite mesmo, em sua casa.

Tratava-se de Beatriz Artero Floyd: paulista de Presidente Prudente, casada com um escocês, residente em Londres havia oito anos. Em seu apartamento, Bia, como era conhecida, foi clara. A história que iria me contar já tinha sido passada para um amigo em Campinas, para outros jornalistas e até para um funcionário da embaixada brasileira em Londres. Mas ninguém acreditava nela nem se interessava de fato pelo assunto. Era algo compreensível; afinal, nos últimos meses, tinham aparecido muitas denúncias sobre episódios em que PC teria sido visto em várias partes do Brasil, no Paraguai, na Argentina, na Alemanha. Todas notícias falsas. Supostos aparecimentos dele passaram a ser recebidos com ceticismo e desconfiança em razão das inúmeras frustrações anteriores. Naquela noite, antes de desistir, Bia simpatizou comigo e quis fazer uma última tentativa. Era a primeira de uma longa série de conversas entre mim e ela.

Bia era funcionária da filial londrina de uma agência de viagens portuguesa chamada Abreu Travel Agency. Ela contou que, dias antes, seu chefe – um português de nome José Barros – a chamara para um serviço. Ele tinha uma reserva que envolvia muitos cuidados: um cliente queria alugar um apartamento por algumas semanas em um lugar discreto da região mais nobre de Londres, a zona norte. O apartamento deveria ter bom sistema de segurança e, se possível, garagem com acesso interno. E o mais importante: o nome do cliente não poderia aparecer na reserva. Além disso, essa pessoa queria alugar uma limusine com vidro escuro, daquelas que não dá para reconhecer quem está dentro, e também um telefone celular. Na ficha, apenas um nome exótico: Kanaoni. Após o pedido, Bia comentou com seu chefe:

"Que reserva estranha, hein, seu Barros? Isso até parece coisa do PC."

Era apenas uma brincadeira de Bia, mas o português fez uma cara estranha e explicou:

"Pelo que sei, o cliente é um príncipe árabe que está vindo para ver diversos castelos britânicos e, talvez, comprar um."

Desde aquela conversa, irritado com o comentário da funcionária, o português tinha decidido assumir pessoalmente a tarefa de atender o misterioso cliente. Bia foi afastada da tarefa, sendo escalada para outros serviços. Ela nunca tinha ouvido falar de príncipes árabes na agência, e resolveu contar o fato a outras pessoas para ver se alguém se interessava em investigar o tal nobre amante de castelos medievais.

Ao terminar sua história, já na madrugada do dia 9 de outubro, Bia me perguntou se eu também achava que ela estava ficando louca:

"Acho que de louca você não tem nada, Bia", respondi. "Vou investigar."

Continuamos nossos contatos, e com o tempo ela conseguiu um dos endereços do tal cliente: 79 A. Randolph Avenue. Era um prédio de cor bege, 4 andares e 16 apartamentos, e ficava numa rua discreta e elegante em uma das áreas mais valorizadas de Londres – a Maida Vale. O edifício se chamava Europa House. Não tínhamos o número do apartamento do árabe suspeito, mas no dia seguinte ao relato de Bia (um sábado) passei cerca de três horas no local.

Assim, consegui decorar o panorama. Na vizinhança, havia uma garagem e, em seguida, um *pub* de clientela *yuppie*. O prédio tinha duas portas de vidro separando a rua do *hall* de entrada. Não havia recepção. A entrada era controlada por um sistema de câmeras. Para entrar, a pessoa apertava o número do apartamento desejado em um pequeno painel; assim, sua imagem era transmitida para o apartamento. As portas só eram destrancadas se a pessoa que estivesse dentro do apartamento identificasse o visitante e aceitasse receber quem estivesse do lado de fora. Consegui descer até a garagem, mas não havia limusines. Conversei com alguns moradores, porém ninguém tinha conhecimento de príncipes nem de carros com vidro fumê. Descobri também que não havia ligação entre a garagem e o prédio, diferentemente do que havia sido pedido à agência de Bia.

Apesar desses reveses, por alguma razão eu tinha me interessado definitivamente pela história. Sempre senti fascínio por missões difíceis. Elas me motivam. Já nessa época, aos 32 anos, tinha um respeitável currículo de empreitadas desafiadoras.

Ainda não atuava exclusivamente como repórter investigativo – o que aconteceria tempos depois –, mas já havia localizado um empresário foragido, conhecido como Todé (ele foi acusado de subornar juízes de futebol para a máfia da loteria); tinha ido a lugares proibidos, como a ilha do piloto Nigel Mansell e o iate de Nelson Piquet; fui o primeiro repórter brasileiro a entrevistar e mostrar a vida de Mike Tyson; o primeiro da América Latina a entrevistar o corredor Ben Johnson sobre o escândalo das drogas nas Olimpíadas de Seul (meu maior feito jornalístico até então); e consegui, ainda, uma entrevista exclusiva com os assassinos do seringueiro sindicalista Chico Mendes, logo após o célebre julgamento de Xapuri. Já nessa época, o *frisson* do grande furo me proporcionava energia extra. Nada comparado ao que aconteceria em reportagens futuras, mas experiências suficientes para que eu me sentisse preparado para a empreitada. Era preciso acreditar.

Quem seria o inquilino da Randolph Avenue? A pergunta vagava sem parar em minha mente. A princípio, não pensei que se tratasse necessariamente de um personagem do Brasil. Poderia ser o chefão colombiano das drogas, Pablo Escobar; Salman Rushdie, o escritor de origem indiana, autor do livro *Versos satânicos* – pelo qual foi jurado de morte pelo aiatolá Khomeini, irritado com o que lhe parecia uma blasfêmia; o terrorista venezuelano Carlos, o Chacal; um príncipe árabe, uma celebridade reclusa, um milionário que queria permanecer incógnito, ou qualquer pessoa que, por algum motivo, não queria ser identificada em Londres. Passou pela cabeça, sim, que poderia ser até o Paulo César Farias, mas eu procurava me controlar para não ficar iludido e sugestionado pelos desejos do inconsciente. Deveria ir atrás, mas com a razão sendo meu fiel da balança.

Na noite daquele sábado, liguei para a Bia e contei que não tinha visto nada, mas que precisávamos continuar tentando descobrir outras informações. Pedi que ficasse atenta a tudo. Qualquer detalhe poderia ser importante. Tentei conseguir, junto à Westminster Agency – a imobiliária que administra o edifício Europa House –, o número do apartamento do "árabe" Kanaoni. A secretária quase atendeu ao meu pedido, mas na última hora resolveu pedir uma carta explicando as razões da minha curiosidade. Após dias de investigações, o entusiasmo de Bia diminuía.

Londres, lugar perfeito para se esconder

"Estou com dó de você", disse ela. "Você não sai desse endereço. Talvez seja melhor esquecermos essa história."

Contei a ela que minha vida, entretanto, não se resumia a investigar o Europa House. Eu estava em ritmo normal de trabalho, pois continuava fazendo outras matérias, então ela se acalmou. Bia parecia uma velha amiga, com quem já tinha falado mais do que falava com Ayrton Senna em um ano – e olha que nessa época eu cobria a temporada inteira da Fórmula 1.

Raul continuava sumido, mas aos poucos a outra ponta da investigação ia esquentando. No dia 12 de outubro, terça-feira, descobrimos que a Almar Travel, empresa que aluga limusines em Londres, tinha sido procurada pelo português José Barros para atender o inquilino da Randolph Avenue. Procurada, mas rejeitada, porque tinha em seu quadro de funcionários motoristas brasileiros e portugueses.

Depois disso, mais uma descoberta: uma pessoa aparecera na agência Abreu querendo saber onde poderia encontrar jornais brasileiros. Talvez fossem para o "árabe" oculto, que parecia cada vez mais ocidental. Por mais que eu vigiasse a entrada do edifício, nunca tinha visto qualquer árabe entrando naquele local. Foi uma lufada de energia. A história parecia, enfim, realmente brasileira.

Na tarde de quarta-feira, dia 13, eu não tinha qualquer pedido especial da Globo. A essa altura, a única pessoa da emissora que sabia das minhas investigações era a nossa gerente financeira, Jerusah Salgado. Não era o momento de alarmar ninguém com apenas uma suspeita.

O inverno chegara mais cedo à Inglaterra. O termômetro nesse dia marcava 3 ºC, algo incomum para o mês de outubro. E o pior era que o aquecedor do meu carro não estava funcionando. Por isso, pedi um carro em uma das companhias que transportavam nossas equipes de reportagem, a Belsize Car. O motorista que me levou ao Europa House foi Michael Daly, um simpático senhor inglês. Pedi que estacionasse seu Land Rover a uns 30 metros do edifício e contei a Michael o que estava procurando. O velhinho, que lembrava um detetive da Scotland Yard, se interessou de imediato pelo meu trabalho. Ele também achou o local perfeito para quem queria se esconder. Não só o local, mas também a cidade. Em Londres, cada um vive a sua vida. Ninguém se preocupa com o vizinho.

Vigiar um prédio em Londres, entretanto, era bem difícil. Não era aconselhável ficar parado por muito tempo em um mesmo lugar; inevitavelmente, apareceriam policiais perguntando por que você estava ali havia tanto tempo. O jeito era circular. Além disso, era uma tarefa extremamente chata, monótona.

Foram sete horas de observação e mais um dia perdido. Nem sinal de limusines, príncipes ou senhores calvos. As ligações para a empresa Sanal, em Paris, ou as direcionadas ao celular de Raul continuavam recebendo a mesma resposta:

"Ele não está. Qual seria o assunto?"

Eu precisava de outras pessoas para revezar comigo na tocaia. Convoquei para a missão dois amigos em Londres: o produtor do nosso escritório, Edson Nascimbeni, e o arquivista Antônio Silva. Eles eram perfeitos para a missão, pois PC nunca os tinha visto. Contei a eles minhas suspeitas e combinamos que, sempre que possível, alguém ficaria à espreita na Randolph Avenue. Escolhemos também um código, uma senha para falar do assunto secreto: bacalhau. Naquele momento, ainda não havia bacalhau na mesa.

Em 14 de outubro, resolvi comentar com Carlos Henrique Schroder sobre as pistas de PC. Naquele dia, ele me dispensou de fazer uma matéria e disse: "Vai fundo."

No dia seguinte, sexta-feira, levantamos uma informação decisiva. No processo de locação do imóvel, aparecia, escrito a lápis, o nome de um homem. Aparentemente, ele tinha deixado o número do cartão de crédito para saldar um valor da reserva da Randolph Avenue. E qual era esse nome? Um bem familiar: Raul. Respirei fundo, pois para mim era coincidência demais. Pelas experiências em duas frentes, eu conseguiria associar tudo e montar o quebra-cabeça; entretanto, ainda faltava o principal: conseguir ver o morador do Europa House.

Como já contei, nem só de investigações é feita a vida de um correspondente. Aproximava-se o Grande Prêmio do Japão, e eu teria de cobrir o evento. Acometido por uma forte gripe, não tinha ido vigiar o esconderijo "árabe" no domingo, 17 de outubro. Meus amigos, escalados para trabalhar no escritório, também não conseguiram dar plantão na Randolph Avenue após o expediente.

Minha viagem para o Japão estava marcada para a segunda-feira, 18. Aproveitando a gripe, pedi a Silio Boccanera, o então chefe do nosso escritório em Londres, que adiasse o embarque para o dia seguinte. No entanto, eu sabia que não poderia mais usar esse recurso. Deveria me expor ou não? A responsabilidade era grande demais. Poucas semanas antes, correram boatos sobre a presença de PC em Frankfurt, na Alemanha. Não queria entrar na lista de mais um alarme falso na já conturbada caça ao tesoureiro de Fernando Collor.

Era tudo ou nada. Meu voo saía às 13 horas

Na tarde de 18 de outubro de 1993, eu e o arquivista Antônio fomos até o endereço suspeito, que já estava virando uma segunda casa para nós. O frio parecia penetrar os ossos. Por volta de 18h30, lembrei-me do Raul. O número de seu telefone estava em minha casa, a cinquenta minutos daquele local. De um telefone público, liguei para Renata, minha mulher. Pedi que ela tentasse falar com o Raul. Uma hora depois, às 19h30, telefonei para ver se havia alguma novidade, e ela disse que sim: havia acabado de conversar com o Raul. Era a primeira vez em meses. E mais: ele prometera esperar uma ligação minha entre 20 horas e 20h30 na sede da Sanal, em Paris. Deixei Antônio na Randolph Avenue e fui para o escritório da Globo, em Candem Town, de onde poderia falar mais calmamente. Às 20 horas em ponto liguei para o número da Sanal. Quem atendeu foi Fernando Vidal, outro português que trabalhava com Raul:

"Um momento. Raul já vai atendê-lo."

Enfim, Raul na linha.

"Como vai, Raul? Aqui é o Roberto Cabrini, o repórter da Globo que ligou para você duas vezes no final do ano passado. Você se lembra de mim?"

"Lembro, sim. Como vai?", disse Raul, com seu sotaque paulista de Marília já afrancesado pela longa permanência em Paris.

"Eu vou bem. Estou tentando falar com você há bastante tempo. O que está acontecendo?"

"Nada", respondeu Raul. "Apenas muito trabalho. Mas em que posso ajudá-lo?"

"Vamos lá. Gostaria de saber se você tem alguma informação a respeito de Paulo César Farias..."

Raul mudou o tom, demonstrando irritação.

"Roberto, caro jornalista. Desde aquela época em que você me ligou, em dezembro, não tenho notícias dele", garantiu. "Você não para de me ligar, e isso já está causando comentários entre meus funcionários. Estou tão curioso quanto vocês. Em todo caso, se ele me ligar, eu falo que você está à procura dele. Mas volto a dizer: não tenho mais nada com esse sujeito. Inclusive, ele não me pagou pelos serviços prestados daquela vez em Barcelona."

"Mas se você não tem mais nada com ele, por que nunca me atende?"

"Eu sei. Você tem razão. Vamos fazer o seguinte. Só há um horário bom para você conseguir falar comigo aqui na Sanal: das 7 horas às 9 horas, antes de os funcionários chegarem. Fora desse horário, não atendo mesmo. Mas, por favor, só me ligue quando for muito importante. Ontem mesmo, um empregado me perguntou por que o repórter da Globo precisava tanto falar comigo. Fica ruim para mim, entende?"

"Ok, Raul. Entendo. Só ligarei quando for muito importante."

Ao voltar para a Randolph Avenue, onde Antônio me esperava, fui repassando a conversa com Raul. Ele tinha negado, mas o tom parecia estranho. Lembrei também que, no dia seguinte, às 13 horas, precisava embarcar para Tóquio.

Eram 9h da noite. Lá estava Antônio em seu posto, bem em frente ao Europa House, a uns 10 metros de distância e por trás de seus óculos de lentes grossas. Antônio tinha visto dois homens saindo do Europa House. O primeiro – um senhor calvo e de óculos que vestia um pesado casacão – entrou no táxi e ficou imóvel. O segundo deu um endereço ao motorista e, em seguida, entrou no carro. Antônio não podia julgar se tratar de PC Farias, mas achou o sujeito calvo parecido com o homem das fotos que tinha visto nos jornais brasileiros da redação.

O relato de Antônio me deu ainda mais esperanças. Se aqueles homens tinham saído para jantar, teriam de voltar em algum momento. Só havia uma alternativa: esperar. Durante horas, eu e Antônio ficamos andando de esquina em esquina. Já conhecíamos aquela quadra como a palma da mão ou a planta do pé.

Madrugada de terça-feira, 19 de outubro. Passava um pouco de 1 hora da manhã, quando notei a chegada de dois homens. Eles caminhavam na esquina da Randolph Avenue com Warrington Crescent, direção oposta de onde estávamos. Achei que um desses homens correspondia às características de PC: gordinho e calvo.

Em nossa caminhada para espantar o frio e não atrair muitos suspeitos, estávamos a uns 50 metros do Europa House. Atravessei rapidamente a rua, mas, quando cheguei à entrada do prédio, os dois já tinham passado pelas duas portas de vidro. O primeiro homem, magro e alto, tomou o caminho do corredor. O segundo, o calvo, antes de entrar, virou a cabeça em direção à rua (eu estava a cerca de 10 metros deles). Nesse curto espaço de tempo em que vi o rosto do homem – não mais que cinco segundos –, fiquei com a forte impressão de que se tratava de PC Farias. Eu diria que tinha 80% de convicção. Ficamos mais uma hora na frente do prédio, mas não houve mais nada que chamasse nossa atenção.

Foi com uma dúvida na cabeça que dei carona a Antônio naquela madrugada. Quando cheguei em casa, encontrei minha mulher ainda acordada. Contei a ela tudo o que tinha ocorrido naquela noite e tomei uma decisão.

"Meu voo sai daqui a pouco, às 13 horas. Agora é tudo ou nada."

Precisava viajar para o Japão, pois estava escalado para isso. Então decidi dar o xeque-mate. Era agora ou nunca. Resolvi usar a tática de jogar verde para tentar colher maduro.

Disse a Raul: "Você precisa parar de mentir"

Dormi menos de quatro horas. O despertador tocou às 7h30 daquela manhã de 19 de outubro de 1993. Lavei o rosto e liguei para o Raul. Torci para que ele tivesse dito a verdade: só atendia o telefone das 7 horas às 9 horas da manhã. Minha tática já estava definida na cabeça. O telefone tocou poucas vezes, e o próprio Raul atendeu. Cumprimentos matinais e fui logo perguntando:

"Você já tem alguma notícia de Paulo César Farias?"

"Roberto", suspirou ele. "Você me perguntou isso ontem, e a situação é a mesma. Não tenho a mínima ideia de onde ele esteja."

"Ok, Raul, se você não sabe, eu vou lhe dizer. Ele está aqui na Inglaterra! Tenho uma matéria pronta sobre ele, com imagens e tudo, como fugitivo em Londres, mas acho que ele deve ter a oportunidade de se manifestar em um clima de respeito."

Tinha arriscado tudo. Claro que não havia uma única imagem, apenas suspeitas e pistas, mas não dava mais para esperar. Tinha de ser agora. Do outro lado da linha, Raul respondeu:

"Na Inglaterra!", repetiu, demonstrando repentino interesse. "Então, você me diga onde ele está, pois eu gostaria de vê-lo."

"Quer dizer que agora você está interessado?" Esperei um segundo e continuei: "Raul, sejamos francos. Você precisa parar de mentir! Eu já sei de tudo. Chega de farsa! Se você quiser falar com ele agora, é só discar o número do celular que você mesmo alugou para ele. Mas você pode fazer melhor. Pode ir direto ao endereço do apartamento alugado por você aqui em Londres."

Raul ficou um tanto agressivo.

"Então me diga o endereço", rebateu secamente.

"7 A, Randolph Avenue. Europa House." No calor do momento, eu disse 7 A – e não 79 A, que seria o correto –, mas o nome do prédio não deixaria dúvidas.

Consegui ouvir sua respiração do outro lado da linha. Raul perdeu a voz por alguns segundos, e eu pensei: *bingo!*

"Qual o telefone em que você está?", perguntou Raul. "Eu já ligo para você." E desligou.

Minha tensão foi ao ponto máximo. PC vai fugir, pensei. Minha casa estava longe demais do Europa House. Além disso, precisava ficar para atender o telefone. Liguei para o produtor Edson Nascimbeni, que morava a quinze minutos do Europa House. Um Edson sonolento atendeu a ligação. Faltava pouco para as 8 horas da manhã.

"Edson, se você está tomando banho, saia molhado. Se está transando com sua mulher, saia transando. O PC está mesmo naquele endereço. Eu acho que ele vai fugir. Corra para lá com seu carro, e se ele sair, vá atrás. Não o deixe escapar."

"Certo!", respondeu Edson, já bem acordado. "Estou levando o bipe comigo. Você tem o número", ele completou.

Àquela altura, eu andava de um lado para o outro na minha sala. Adrenalina total. Se o piso da minha casa em Londres fosse de terra, e não de carpete, fatalmente eu teria escavado uma enorme cratera. Minha mulher acompanhava tudo em silêncio, ou orando bem baixinho.

Meia hora depois, Raul ligou de volta.

"Roberto, o Paulo César não está atendendo o telefone. Ele deve estar dormindo. Mas fique tranquilo, pois vou colocá-lo em contato com ele. Só peço que não ponha essa matéria no ar."

"Está bem. Mas quero vê-lo ainda hoje. Tenho gente vigiando o prédio."

Desconfiei de uma manobra, então bipei o Edson (nessa época, usávamos bipes, ou *pagers* – dispositivos eletrônicos de texto, muito utilizados nos anos 1990 para contatar pessoas através de uma rede de telecomunicações). Dois minutos depois, ele me retornou com novidades: uma loira acabara de sair do prédio. Ela tinha andado nas imediações e caminhado até a esquina. Era como se estivesse à procura de algo, por isso olhava para todos os lados. Depois de um tempo, voltou para dentro do prédio.

Às 10 horas, tocou o telefone. Era Raul.

"Roberto Cabrini, acabo de falar com o Paulo César. Ele está nervoso e abalado. Disse que não entende como isso pôde acontecer. Mas disse também que se lembra de você de Barcelona, quando deixou uma boa impressão. Ele me garantiu que vai vê-lo, contanto que, em hipótese alguma, essa matéria vá ao ar antes de ele falar com você. Ele pede quarenta e oito horas."

"Eu posso até dar um prazo, mas com uma condição. Preciso vê-lo hoje. Então, gravamos e colocamos no ar amanhã."

"Eu estou, neste momento, falando do telefone do meu carro", explicou Raul. "Estou indo para o aeroporto de Paris. Vou tomar o primeiro avião para Londres. Chegando aí, acerto esse encontro."

"Que garantias eu tenho de que o PC não vai fugir?", perguntei.

"Eu vou jurar pela minha família", disse Raul, seriamente. "Eu sou um homem de bem. Você tem agora a minha palavra de que esse encontro vai acontecer. Paulo César não pode deixar a Inglaterra por dois motivos: ele está esperando o julgamento do pedido de *habeas corpus* no Brasil; e tem também outro motivo importante, mas esse eu não posso revelar."

Mais tarde, descobri que esse segundo motivo era a saída da família dele do Brasil, algo que estava para acontecer. PC temia algum embaraço se a sua presença na Inglaterra fosse divulgada naquele momento.

Raul prometeu que, assim que estivesse com o cartão de embarque na mão, ligaria para mim a fim de informar o número de seu voo e a hora da chegada.

Resolvido: não vou para o Japão

Onze horas da manhã. Liguei para a casa de Silio Boccanera e expliquei ao chefe do nosso escritório o que estava acontecendo. Concluí: não posso ir para o Japão. Silio se recuperou do impacto da notícia e, minutos depois, comunicava os fatos a Alberico Souza Cruz e a Carlos Henrique Schroder, os dois homens mais importantes do jornalismo da Globo naquela época. Alberico me deu apoio total e imediatamente escalou o repórter Hermano Henning, correspondente da Globo em Nova York, para ir ao Japão em meu lugar.

Onze e meia da manhã. Raul na linha. Ele explicou que o aeroporto Charles de Gaulle, de Paris, estava em greve. Disse que já estava na estrada para Bruxelas, na Bélgica, a quatro horas de Paris. Era a única opção para conseguir chegar a Londres naquele mesmo dia. Mais uma vez, pediu que eu ficasse tranquilo, pois ele estaria em Londres naquela terça-feira para acertar tudo. Quando Raul desligou, disquei imediatamente para a British Airways, para checar a história da greve no aeroporto. Era verdade, então a confiança foi restabelecida.

Percebi que tinha uma boa posição naquele perigoso tabuleiro: a tática estava funcionando muito bem. A revelação do endereço fora fatal. Se durante várias semanas eu tinha tentado em vão falar com ele, naquele momento a posição se invertia: era Raul que agora me ligava de hora em hora, preocupado. Eu não podia deixá-lo desconfiar de que não tinha uma única prova da presença de PC em Londres. Tinha, agora sim, certeza absoluta dessa informação. Precisava documentar para o mundo minha descoberta.

Raul, sem pressa, ainda foi comprar xampu

Uma hora da tarde. Edson Nascimbeni, ainda na porta do Europa House, me lembrou de que precisava ir trabalhar no escritório da Globo. Analisando os últimos acontecimentos, concluí que PC estava em nossas mãos. Disse a Edson que não precisava mais ficar ali plantado.

"Vai ser um encontro civilizado", disse a Edson. "Deixe um cinegrafista preparado para esta noite. Só não diga o assunto."

Seis da tarde. Recebo a ligação de Fernando Vidal, o assistente de Raul, informando que ele estava embarcando em um voo da British em Bruxelas. Chegaria ao aeroporto de Heathrow, em Londres, às 19h30. Falei para Fernando que eu não conhecia Raul pessoalmente, mas Vidal disse que eu não precisaria esperá-lo com uma plaquinha com o nome escrito, pois Raul conhecia o meu rosto.

Aeroporto de Heathrow. Sete e meia da noite. Um após outro, foram saindo os passageiros do voo de Bruxelas. Eu e o motorista Chris Chatwin ficamos esperando até que o último passasse. Ninguém nos procurou. Preocupado, liguei para minha casa, e minha mulher disse que Raul tinha me ligado e que estava à minha procura no aeroporto. Não consegui entender o motivo. Não tinha arredado o pé um minuto sequer do portão de desembarque. Então pensei no serviço de alto-falante do aeroporto. Minutos depois, era anunciado.

"Attention please, Mr. Raul, please report to the information desk."

A funcionária do aeroporto repetiu duas vezes a chamada de Raul. Cinco minutos depois, um homem de meia-idade atarracado, com o cabelo preso num rabinho de cavalo, estendia a mão para o meu motorista:

"Olá, Roberto. Como vai?"

Nesse instante, eu me adiantei.

"Esse aí é meu motorista. Roberto sou eu."

Raul pensava que me conhecia, mas tinha me confundido com outra pessoa. Ele procurava, agora, demonstrar tranquilidade. Eu queria saber imediatamente se poderia ver o fugitivo naquela noite, mas tive de esperar Raul subir até o andar de embarque para comprar xampu e pasta de dente. Quando ele pagou sua loção para cabelos oleosos, não pude mais resistir, mas procurei falar em tom simpático:

"E então, vamos direto para a Randolph Avenue ver o seu cliente?"

Porém, Raul disse que, antes, precisava conversar comigo em algum lugar. Naquele momento, senti um frio na barriga. Não deveria ter dispensado Edson da tocaia na Randolph Avenue. Mas pensei comigo: Raul não precisava saber que não tinha ninguém vigiando o Europa House.

Para demonstrar boa-fé, sugeri levá-lo para minha casa, onde teríamos certeza de não ser incomodados. Minha proposta foi aceita e ajudou a quebrar o gelo.

Minha residência ficava no bairro de Harrow on the Hill, a trinta minutos do aeroporto. Raul perguntou se o nosso motorista falava português. Respondi que não, e assim não foi preciso esperar chegar à casa para que Raul abrisse o jogo e revelasse seus planos.

Ele contou que, naquele momento, Paulo César Farias estava completamente desorientado. A primeira reação dele tinha sido fugir, mas seus assessores o desaconselharam, apesar de não concordarem plenamente entre si. Todos temiam a reportagem que supostamente eu já teria preparado, provando a presença de PC em Londres. Pelo que percebi, Raul e o advogado que PC contratou na Inglaterra achavam que a melhor solução era permanecer ali, pois sua estada no país era legal. PC tinha entrado na Inglaterra no dia 10 de outubro, com passaporte brasileiro em seu nome e visto britânico. Tudo dentro da lei. Na opinião de Raul, ele levaria muito tempo para conseguir uma situação confortável em outro país. Já o outro auxiliar de PC, o português Fernando Barbosa, temia bastante a divulgação do endereço do tesoureiro de Collor.

PC tinha sido apanhado de surpresa. Ele sonhava com uma decisão favorável do seu pedido de *habeas corpus*, que seria julgado no Brasil dentro de uma semana. Se ganhasse, não voltaria de imediato para o Brasil, mas poderia revelar seu paradeiro, para acompanhar a repercussão e decidir seus próximos passos. O plano tinha sido abruptamente desfeito pela minha descoberta.

Como PC estava convencido de que a presença dele em Londres seria divulgada e comprovada por mim, concluiu que era melhor reaparecer no noticiário não como um fugitivo criminoso, mas como um empresário foragido. Achava que, assim, não queimaria suas fichas junto ao departamento de imigração britânico. Enfim, esse era o panorama até então. As informações eram resultado de extensas conversas pelo celular entre Raul e PC, durante as horas de viagem de Paris a Bruxelas.

Ao chegarmos, Raul já tinha terminado 90% de sua explicação. Em meu apartamento, ele só concluiu que PC tinha concordado em me ver no dia seguinte, desde que eu segurasse minha reportagem por vinte e quatro horas. Procurei ser claro e definitivo, ocultando ao máximo minha ansiedade:

"Ok, vinte e quatro horas! Nenhum segundo a mais. Quero vê-lo amanhã de qualquer maneira; caso contrário, a matéria vai ao ar agora mesmo. Ele receberá tratamento imparcial e terá a oportunidade de se manifestar. Mas que garantia você me dá?"

"Sou um homem de bem", repetiu Raul. "Deixei meus negócios em Paris e estou aqui ajudando o PC. Você agora sabe meu nome e o meu endereço. Estou na sua mão. Se estou dizendo que você vai vê-lo, é porque isso vai acontecer."

Raul passava confiança. Parecia um cara leal, correto à sua maneira.

Apenas seis pessoas sabiam do segredo

Raul deixou meu apartamento dizendo que iria encontrar Paulo César Farias naquela noite. Prometeu me ligar de madrugada para combinarmos os detalhes do encontro.

Àquela altura, a notícia da descoberta de PC Farias em Londres era um privilégio de apenas seis pessoas na Globo: eu, o produtor Edson Nascimbeni, o arquivista Antônio Silva, o chefe do escritório da Globo em Londres, Silio Boccanera, o diretor-executivo Carlos Henrique Schroder e o diretor-geral de jornalismo, Alberico Souza Cruz. Internamente, evitávamos ligações para o Brasil falando sobre o assunto, temendo telefones grampeados. Usávamos o sistema de computação – mas ainda assim não escrevíamos "PC". Nos contatos com a direção de jornalismo, a senha usada era Harrison. Bacalhau tinha virado Harrison, e estava quase na mesa.

Duas horas da madrugada de 20 de outubro. Raul ao telefone. Ele disse que tinha acabado de conversar com Paulo César Farias:

"Eu gostaria de encontrá-lo ao meio-dia, no bar do hotel Le Méridien, no centro de Londres", disse Raul. "Vou acertar os detalhes do seu encontro com o PC."

Hotel Le Méridien. 12h15. Raul já estava atrasado, e eu já começava a me acostumar com a alta tensão daquela matéria. Mas Raul chegou, e saímos para almoçar em um pequeno restaurante perto do hotel. No almoço, ele colocou as novas regras do jogo:

"Vou ligar para a sua casa às 10 horas da noite. Consiga um telefone celular e me dê o número nesse horário. Então vou dizer onde você deverá estar às 23h30. Você terá de ir sozinho."

"Puxa, sozinho? E o meu cinegrafista?"

"Inicialmente, precisa ser assim."

"Garanto que o trabalho vai ser totalmente imparcial. Por mim, o encontro pode ser em qualquer lugar aqui em Londres. No apartamento da Randolph Avenue, por exemplo. Mas precisa ser hoje. Não espero mais, pois tenho de dar a informação."

No final da tarde, Silio me ligou, perguntando se eu tinha certeza absoluta de que PC estava em Londres.

"Você já o viu?", perguntou.

"Não, mas tenho certeza de que está aqui. Confie em mim", disse ao chefe, relatando também que o encontro aconteceria naquela noite, mas que, pelo combinado, teria de ir sozinho.

9h da noite. Meu bipe tocou. No luminoso, um recado: "ligar urgente para a redação". Percebi, então, que minha filha Gabriela, de 3 anos, tinha andado brincando com o telefone de casa, deixando-o fora do gancho. Retornei imediatamente. Edson atendeu e contou que estava com Raul na outra linha. Raul tentava falar comigo havia meia hora, mas o telefone só dava ocupado. Ele tinha ficado preocupado; afinal, com quem eu poderia estar falando?

"Ok! Diga a ele que meu telefone já está disponível", pedi. "Minha filha estava brincando de fazer ligações."

Raul ligou em instantes.

"Quer dizer que era sua filha?", ele perguntou, aliviado e convencido de que esse era mesmo o caso.

E completou:

"Roberto, atenção. Esteja às 23h30 no bairro Kensington. Vá somente com um motorista."

Imediatamente, contatei a mais confiável empresa de transporte que atendia a Globo: a frota de Chris Stock. O motorista me apanhou em casa. Levei comigo um pequeno gravador de bolso e uma máquina fotográfica. Custasse o que custasse, eu registraria a presença de PC em Londres. Às 23h15, já estávamos na Kensington Street esperando a ligação de Raul.

Exatamente às 23h30, o telefone celular tocou: Raul me deu o endereço de um pequeno apart-hotel da Old Brompton Street, a dez minutos do local onde estávamos estacionados. Raul voltou a perguntar se eu estava sozinho.

"Só estamos eu e o David, nosso motorista. Levarei dez minutos para chegar aí."

Aberta a porta, lá estava o homem

23h40. Estacionamos em frente ao endereço que Raul tinha nos dado, 121 Old Brompton Road. Agora tudo ficara claro. Ele tinha dois endereços em Londres, e o da Randolph Avenue era usado esporadicamente. Por essa razão não conseguia vê-lo no longo monitoramento feito na propriedade. Fiquei dez minutos em pé, ao lado do nosso carro. Naquele momento, deveria estar sendo observado.

23h50. Raul apareceu para me levar ao apartamento 790 do apart-hotel. Em poucos segundos, eu desvendaria o mistério. Raul abriu a porta, e lá estava ele – logo na sala, acompanhado pelo português Fernando Barbosa, sócio de Raul na Sanal.

"Como vai, Roberto?", cumprimentou-me Paulo César Farias, bem mais abatido do que o homem que eu tinha encontrado em Barcelona dez meses antes. Ele estava 10 quilos mais magro e sem o conhecido bigode. Mas em um aspecto não tinha mudado nada: a lábia. Essa, sim, continuava a mesma.

"Fiquei sabendo que você espreitou o prédio onde eu estava", disse PC. "Não precisava fazer nada disso. Eu o teria atendido com o máximo prazer."

PC tinha um inseparável amigo nas mãos: o velho *scotch on the rocks*, 16 anos. Ele então apressou-se em dizer que estava na Inglaterra legalmente. Afirmou que o departamento de imigração tinha acabado de entrar em contato com ele, e não havia o que esconder. Em vista disso, imediatamente peguei o telefone do seu apartamento e, ao lado do próprio PC, passei um *flash* para o *Jornal da Globo*, comunicando minha descoberta e dando as primeiras informações sobre as mudanças na aparência do fugitivo. PC já tinha pronta uma carta onde me cumprimentava pelo furo jornalístico ao localizar o seu endereço em Londres e dizia que, em respeito ao julgamento do pedido de *habeas corpus* no Brasil, não daria entrevista. Aliás, não admitia nem mesmo ser filmado.

"Em televisão, carta não funciona", expliquei a ele em tom firme. E continuei: "Senhor Paulo César Farias, recebi a incumbência de fazer uma longa matéria sobre o senhor nessa sua fuga. O país espera por isso. Sejamos razoáveis", argumentei. "Não dá pra fazer isso com uma carta!"

Ele ficou em silêncio e pareceu assentir.

Com a insistência, PC acabou concordando em ser filmado brevemente. Era o que eu precisava para telefonar para Sérgio Gilz, o mesmo cinegrafista que estivera comigo em Barcelona. Eu me entendia com ele, um carioca comunicativo e esperto. A pessoa ideal para uma situação delicada como aquela, onde manter um bom ambiente era fundamental para o sucesso da missão. Pedi ao motorista que estava comigo que buscasse Gilz e o equipamento de filmagem. Tinha agora a certeza de que a presença de PC em Londres seria provada e documentada. Ele desejava ser filmado na entrada do apart-hotel.

Era 0h10 da madrugada de 21 de outubro, quando o cinegrafista Sérgio Gilz chegou ao local. Chegara o momento de voltar a argumentar:

"Estamos falando da História do Brasil", ressaltei. "Nós não o encontramos saindo do apart-hotel. Eu o encontrei aqui dentro, e é aqui que temos de filmá-lo."

Na hora de filmar, PC sumiu com os copos

PC estava relutante, mas Raul concordava comigo. Foi o suficiente para PC ceder. Ele limpou a área, tirando todos os copos da sala, cheios ou vazios. Em seguida, vestiu um paletó. Estava pronto para ser filmado pela primeira vez desde que fugira do Brasil. O combinado era que a gravação fosse feita com PC conversando comigo no sofá. Seriam apenas imagens.

Meia-noite e meia. Tocou o telefone. Era Carlos Henrique Schroder falando que o *Jornal Nacional* daquela quinta-feira, 21 de outubro, queria dez minutos de matéria sobre minha descoberta. Era a deixa que eu precisava.

"Preciso falar dez minutos a seu respeito", disse a ele. "Preciso pelo menos de informações sobre sua fuga."

PC finalmente cedeu e concordou em me dar informações. E, na base do bate-papo, foi falando, falando.

Eu confiava no meu grande entrosamento com o cinegrafista Sérgio Gilz, e, embora não pudesse pedir na frente de PC Farias e de seus assessores que ele filmasse toda a conversa, sabia que Gilz daria um jeito de registrar tudo. Sérgio já tinha feito as imagens combinadas e consentidas. Eu, agora, conversava com PC, que respondia às diversas perguntas feitas por mim informalmente. O clima era de cordialidade. A câmera não estava no ombro de Sérgio Gilz, como PC estava acostumado a ver nas inúmeras entrevistas que tinha dado até então. Gilz apoiou a câmera na perna, apagou a luz que indica que ela está em funcionamento e, para disfarçar ainda mais, pedia água o tempo todo e conversava com Raul e com Fernando Barbosa – estes também foram focados várias vezes sem desconfiar de nada. O microfone estava na mesa e, como a luz que normalmente seria usada para a entrevista foi deixada de lado, PC também não desconfiou de que nossa conversa estivesse sendo gravada. Para que PC não percebesse, durante todo o tempo, eu o chamei de "você". Eu sabia que, caso começasse a chamá-lo de "senhor", o comportamento mais formal poderia denunciar nossa gravação.

O que importava era registrar tudo o que fosse possível de nossa descoberta. PC achava que estava me passando informações para que eu as anunciasse no telejornal com a minha própria boca. Assim, conseguimos gravar mais de duas horas de conversa com o fugitivo mais procurado do Brasil. Depois, resolvi contar a ele que tínhamos gravado tudo, que era impossível deixar de registrar aquela conversa. Ele não me contestou. A matéria que foi ao ar alcançou a maior audiência da história do *Jornal Nacional*: cerca de 80 pontos.

A matéria foi anunciada por Cid Moreira, então apresentador do *Jornal Nacional*.

"De Londres, Roberto Cabrini conta como localizou o fugitivo mais procurado do Brasil."

O país praticamente parou para assistir à matéria.

Já passavam das 6 horas da manhã quando saímos do apart-hotel. PC estava até bem-humorado. Era como se tivesse desabafado. Ele deixou o prédio de Old Brompton acompanhado de seus dois assistentes e a bordo de um tradicional táxi preto londrino. No fim, nenhuma limusine foi usada em seu refúgio na capital da Inglaterra. Ele e seus amigos desistiram da empreitada ao concluir que isso chamaria atenção, mas o interesse demonstrado nos primeiros dias já tinha produzido seus estragos. Ao subir no táxi, PC tomou o rumo do apartamento da Randolph Avenue, aquele cujos arredores eu tão bem conhecia.

Um dia após o anúncio da descoberta, Bia me ligou, preocupada com a possibilidade de perder o emprego por ter me ajudado.

"Não precisa se preocupar", tentei acalmá-la. "Seu nome não será revelado."

Durante esse episódio, Bia se tornou grande amiga minha, além de ter sido peça-chave para a reportagem. A ajuda do Edson, do Antônio, do Gilz e de minha esposa também foram imprescindíveis. Um repórter vive de suas fontes; ninguém faz nada sozinho.

Quando a situação se acalmou, fui até a sede da agência Abreu para conversar com o português José Barros. E aí foi ele quem me tranquilizou, garantindo que Bia continuava sendo uma funcionária querida no emprego e que ele também ficara surpreso com a notícia.

"Durante todo o tempo, acreditei que o inquilino da Randolph Avenue fosse mesmo um príncipe árabe", jurou o seu Barros.

Pelo que apurei depois, a ideia de usar a figura imaginária de um príncipe árabe como despiste foi do português Fernando Barbosa – no passado, ele havia trabalhado com árabes.

Nos primeiros dias após a minha descoberta, PC gozou das delícias da legalidade em Londres. A polícia britânica chegou a protegê-lo de uma passeata de estudantes brasileiros em um de seus endereços. O clima só mudou quando o governo britânico aceitou o pedido de extradição do governo brasileiro, uma semana após o nosso encontro e como consequência da própria reportagem. O que aconteceu depois disso? PC se desesperou com o mandado de prisão britânico e deixou o país, embora tudo indicasse que, se tivesse permanecido na Inglaterra, conseguiria adiar sua extradição por vários meses.

PC foi parar na exótica e longínqua Tailândia, onde acabou denunciado, preso e deportado. Assim que a notícia chegou ao Brasil, na segunda-feira, 1º de novembro, a direção de jornalismo da Globo foi extremamente ágil. Alberico Souza Cruz ligou para Silio Boccanera em Londres e, menos de duas horas após o anúncio oficial do Itamaraty, eu já estava embarcando para a Tailândia com o cinegrafista Paulo Pimentel e a experiente produtora Bel Bicalho.

Antes disso, no entanto, nosso produtor Gonzalo Gomes conseguiu o número do hotel Sheraton em Bangkok. Liguei de Londres para lá imediatamente. Eram 23h30 na Tailândia. Uma voz feminina atendeu, identificando-se como dona Elma e dizendo não saber nada sobre a prisão do marido. Quando cheguei a Bangkok, na tarde do dia seguinte, dia 2, as ligações para o quarto dela estavam bloqueadas. Na recepção, informava-se que a família Farias saíra do hotel na véspera, ao meio-dia.

"Vocês não precisam mentir", afirmei à subgerente do hotel. "Conversei com eles ontem, às 23h30. Tenho um assunto urgente para tratar com essa família. Por favor, me transfira para o quarto deles."

O pedido veemente funcionou. Da recepção do hotel, eles ligaram para o quarto da dona Elma e me passaram o telefone. Quem atendeu foi a vidente Vera Moreira, acompanhante de dona Elma. Tinha sido de Vera, e não de dona Elma, a voz feminina que eu ouvira na noite anterior. Vera foi gentil, mas disse que não podia me revelar o número do quarto onde ela e a esposa de PC estavam. Disse que me chamaria quando pudesse, e desligou.

Não era um momento para espera. Tinha de pensar em algo rapidamente. Chamei a subgerente e disse que estava tudo bem, que a ligação tinha caído. Ela concordou em ligar de novo; então, enquanto digitava, eu prestei bastante atenção nos números. Porém, eu precisava ter certeza de que tinha decorado o número do quarto, e, quando ela me entregou o telefone, eu "acidentalmente" desliguei. Ela ligou novamente, e assim pude ver claramente o número: 72807. "Sete" era o número da extensão interna; 2807, o número do apartamento. Antes que a ligação se completasse, agradeci à subgerente e disse que não precisava mais.

O desabafo de dona Elma nos corredores

Subi para o meu quarto e de lá testei o número. Vera atendeu. Eu disse que já sabia em qual quarto elas estavam, e momentos depois bati na sua porta com o cinegrafista Paulo Pimentel ao meu lado. Entrevistei Vera, e no dia seguinte consegui uma chance para falar pessoalmente com dona Elma. Era aniversário dela. A esposa de PC estava emocionada e revoltada com a situação do marido, mas acabou concordando em gravar uma entrevista. Chamei Paulo Pimentel, que esperava no corredor, e registramos um desabafo histórico. Ela mostrou o sofrimento da família Farias e acusou o ex-presidente Collor, chamando-o de mandante das operações do marido e traidor. Entre lágrimas, perguntou também onde estavam os empresários que, antes, tanto procuravam PC Farias. Dona Elma temia também pela vida do marido, segundo ela o maior arquivo vivo do Brasil. Admitiu ainda ter uma grande reserva de dinheiro no exterior, mas disse que entregaria tudo para não passar por aquele sofrimento.

Consegui também falar com PC na prisão da Tailândia. Ele estava entre dois policiais tailandeses com expressão de poucos amigos. Era um lugar sujo e acanhado para um homem que mandava e desmandava no Brasil. Ele voltou para seu país em um voo que durou 24 horas, escoltado por agentes da Polícia Federal. Eu estava no mesmo avião, registrando tudo – conseguimos inclusive a primeira imagem dele a bordo.

Os seguranças de Paulo César Farias o encontraram morto na manhã de 23 de junho de 1996. Ele vestia pijama e estava na cama, ao lado de sua então namorada, Suzana Marcolino, em sua casa de praia em Guaxuma, Maceió. Cada um levou um tiro no peito.

A primeira hipótese sustentava que Suzana tinha comprado um revólver Rossi, calibre 38, matado PC e depois se suicidado, pois ela não estaria aceitando as tentativas de PC de acabar com o relacionamento. No entanto, sempre houve sérias discrepâncias e contradições nesse relato oficial.

Em 9 de agosto de 1996, o legista Fortunato Badan Palhares endossou a versão de crime passional sobre a morte de PC Farias. Em 17 de dezembro de 1996, a equipe que investigou o caso descartou o suicídio de Suzana Marcolino e indiciou oito ex-funcionários de PC Farias. O Ministério Público denunciou Adeildo dos Santos, Reinaldo Correia de Lima Filho, Josemar dos Santos e José Geraldo da Silva – ex-seguranças de PC – pelo duplo homicídio. Em 25 de junho de 2011, o STF negou o último recurso da defesa dos réus, que foram a júri popular. Em 10 de maio de 2013, o júri considerou que houve duplo assassinato, mas não apontou os autores dos crimes. Os quatro réus foram absolvidos por clemência.

Minha última conversa com PC Farias foi em outubro de 1995, meses antes de seu assassinato. Na época, eu tinha feito a bombástica entrevista com Fernando Collor de Mello, a primeira depois de seu impeachment, e por isso fui ouvir a versão de PC Farias. Ele cumpria prisão domiciliar em sua casa em Maceió e precisava se recolher no Corpo de Bombeiros todas as noites.

PC me recebeu em sua casa. Ele contou que, sendo representante de um presidente, recebeu, sim, dinheiro diretamente de empresários, a efeito de colaboração de campanha. Embora entendesse que se tratava de uma ação ilegal, afirmou que isso fazia parte da normalidade do contexto da política brasileira. Também me confidenciou, pela primeira vez, que estava contrariado com pessoas do grupo, incluindo o ex-presidente e, principalmente, seu irmão, Augusto Farias. Achava injusto ser o único preso e, ainda assim, não ter recebido nenhuma compensação financeira pela lealdade posta à prova, inclusive durante os meses de prisão. Tinha desavenças sérias sobre o dinheiro que estava no exterior e deu algumas indiretas na entrevista, a ponto de muitos entenderem que PC Farias estivesse mandando mensagens em código. Ou existia uma distribuição justa dos "recursos", como ele mesmo chamava, ou não teria valido a pena ter sofrido tanto e ficado em silêncio.

Dona Elma Farias, mulher de PC, morreu de edema pulmonar agudo e insuficiência cardíaca em 20 de julho de 1994, aos 44 anos, em Brasília. Antes de morrer, dona Elma se recusou a depor sobre o caso PC à Polícia Federal. Ela planejava sair do país por ter sido ameaçada de morte. Eu sabia que ela pedia ao marido que denunciasse os envolvidos em esquemas de corrupção e deixasse de ser "bode expiatório":

"Por que só meu marido? Onde estão os empresários que viviam atrás dele?"

A frase, dita naquela noite em Bangkok, sempre ecoou em muitas mentes, inclusive na minha. Sempre houve a suspeita de que dona Elma fora, na verdade, envenenada por um chá servido a ela no mesmo dia de sua morte. Mais uma queima de arquivo contra quem dava sinais de que abriria o jogo sobre os bastidores do funcionamento de uma quadrilha que tinha muito dinheiro depositado em contas no exterior.

A descoberta de PC Farias foi o início de um ciclo em minha vida profissional. Decidi continuar por um tempo nesse tipo de missão. Aprendi que fugir da Justiça é algo muito caro; demanda dinheiro e disciplina. Se o fugitivo tiver reservas e não cometer erros, é praticamente impossível encontrá-lo. A localização só é possível quando o dinheiro rareia, ou quando, na certeza da impunidade, o criminoso comete erros: volta a procurar antigos aliados ou familiares e retoma os antigos hábitos. Foi o que aprendi em longas buscas.

Em 1997, descobri o paradeiro da maior fraudadora do INSS, Jorgina de Freitas Fernandes, que estava na Costa Rica. Essa reportagem rendeu um *Globo Repórter* inteiro e o Prêmio Previdência Social de telejornalismo. Para alcançar essa façanha, fiquei meses infiltrado na Baixada Fluminense, mapeando seus contatos e ganhando a confiança de pessoas próximas a ela. Em determinado momento, sabia tanto sobre essa mulher que, às vezes, seus próprios parentes me perguntavam detalhes da vida dela, ou então acabavam me passando informações vitais, acreditando que, na verdade, eu já tinha conhecimento do que me falavam.

Seres humanos não são ilhas; eles se relacionam. Portanto, nessas relações, encontra-se a chave das descobertas. O que mais chama a atenção é: por que um jornalista, que não pode grampear telefones nem interceptar correspondências, consegue algumas vezes chegar até essas pessoas, mas a polícia não. O próprio Paulo César Farias me confidenciou, em Maceió, em nosso último encontro, que pagava uma mesada a setores contaminados da PF (não se pode jamais generalizar, é claro – trata-se de uma minoria) para não ser encontrado e saber com antecedência onde seria procurado.

É preciso lembrar também que um repórter encontra e investiga pessoas com o objetivo de, além de apurar informações, saber o lado delas da história, e não de prendê-las – uma vantagem de nosso ofício.

Em 1998, localizei, entre a África do Sul e Moçambique, no continente africano, o fugitivo Roberto Osório, que tinha sido diretor do Depósito Público do Rio e se aproveitou do cargo para saquear tudo o que estava sob sua guarda.

No ano seguinte, encontrei, no interior de Santa Catarina, o fugitivo da polícia americana Márcio Scherer, modelo gaúcho e eventual garoto de programa de luxo que roubou e assassinou o antiquário paraense João Saboya – o crime aconteceu em uma suíte do tradicional hotel Waldorf Astoria, no coração de Manhattan, em Nova York. Depois disso, decidi que a fase de caça a fugitivos da Justiça tinha chegado ao fim. Era hora de me dedicar a outras coberturas.

3

O SEGREDO DA SACRISTIA

Neste capítulo, Roberto Cabrini conta em detalhes a histórica investigação jornalística que expôs abusos sexuais cometidos contra crianças e jovens por importantes sacerdotes brasileiros. A denúncia levou à condenação de dois monsenhores e um padre católicos, além de ao inédito reconhecimento do Vaticano sobre a existência de pedofilia contra coroinhas no Brasil. Este relato eletrizante, repleto de bastidores, revela como setores do alto clero da Igreja usavam seu poder para manter uma lei de silêncio e impunidade. A série de reportagens venceu o Prêmio Esso, o principal do jornalismo brasileiro, e foi considerada pelo Ministério Público como decisiva para a investigação e condenação dos padres que abusavam sexualmente de menores.

**

Município de Arapiraca, interior do estado de Alagoas.
Final de janeiro de 2010.

O muro alto e impecavelmente pintado de branco comprovava que eu estava no lugar certo: na casa paroquial, residência de monsenhor Luiz Marques, o padre mais respeitado de Arapiraca. Antes de tocar a campainha, contemplei uma estratégia. Como abordaria alguém tão proeminente e respeitado em sua cidade para falar sobre de uma grave acusação? Como confrontá-lo com algo que ia de encontro às suas atividades eclesiásticas e, inclusive, às suas pregações que tanto condenavam mulheres em vestidos curtos ou qualquer modo de pensamentos libidinosos? Aquele homem tinha a fama de ser duro e enérgico, e eu teria que ser inflexível em minhas perguntas:

"Como alguém de aparência tão moralista se transformou, segundo suas vítimas, em um pedófilo que se aproveitava da imagem de padre impecável a fim de abordar jovens indefesos, coroinhas de sua própria igreja?"

Lembrei-me de minha formação católica, de minha primeira comunhão e de tantas boas lições de minha infância. Também veio à minha mente a luta pelos direitos humanos de tantos padres brasileiros exemplares, como dom Paulo Evaristo Arns, dom Helder Câmara, e até o idealismo de José de Anchieta, cuja dedicação deu origem à fundação de São Paulo, maior cidade do país. Então concluí: é exatamente pela honra deles que preciso continuar.

Certamente, nada transcendia em importância o clamor das vítimas aterrorizadas e mantidas em silêncio durante tantos anos.

Toquei a campainha e, sem demora, o imponente portão se abriu. Recuar não era mais uma opção. Mesmo assim, uma questão martelava na minha cabeça: o que e quem eu encontraria pela frente?

* * *

São Paulo, outubro de 2009.

A voz do outro lado da linha revelava um misto de ansiedade e desconfiança. Identifiquei também um nítido sotaque do agreste nordestino.

"Preciso falar com o Roberto Cabrini."

Eu estava na redação do SBT e já sabia que havia alguém insistente à minha procura.

Àquela altura da minha carreira, eu já era editor-chefe e apresentador do *Conexão Repórter*, programa televisivo de cunho jornalístico, com reportagens investigativas. Desse modo, era comum receber denúncias das mais variadas maneiras e conteúdos.

Em muitas ocasiões, pessoas perdem a confiança na Justiça convencional e em suas instituições, e veem o jornalismo como uma alternativa para a elucidação de casos, a luta contra injustiças, o combate a abusos ou, em alguns casos, uma tentativa de seu uso para interesses próprios.

Ao longo dos anos, aprendi a jamais desprezar qualquer informação. Fontes não podem ser julgadas pela classe social, nível cultural e, às vezes, nem pela ficha corrida. O relacionamento com elas é, em geral, complicado, mas há dois mandamentos essenciais que cunhei ao longo de tantas investigações jornalísticas: primeiro, nunca prometa o que não pode cumprir; e segundo, jamais deixe de cumprir o que prometeu. Fontes, em princípio, merecem lealdade. No entanto, não podemos esquecer que há um muro entre o jornalista e o seu informante, e o preço de uma boa matéria não deve ser tornar-se refém de uma fonte, especialmente se esta estiver envolvida com atos ilícitos. Um furo de reportagem não vale o silêncio da omissão ou da conivência.

"Bom dia, pode falar", respondi ao telefonema. "Aqui é o Roberto Cabrini."

"É o senhor mesmo?", perguntou a pessoa, receosa.

"Sim, sou eu."

"Ah, verdade... Estou reconhecendo a sua voz", hesitou por um instante. "Me desculpe, mas é que tenho muito medo."

"Com quem estou falando? E pode me dizer do que tem medo?"

"Olha, não vou me identificar...", afirmou. "Mas quero enviar para você um vídeo que pode ser o começo de uma investigação. Vou mandar hoje mesmo. Vou escrever 'cidadão de Arapiraca' no remetente."

O homem nem me deu tempo de perguntar qualquer coisa mais – eu já escutava o som de ligação encerrada. Ele havia desligado. Agora, apenas me restava esperar pelo tal material.

Assim que recebi um envelope amarelo, três dias depois, procurei pela informação de remetente e lá estava: "Cidadão de Arapiraca, Alagoas". Abri a correspondência cuidadosamente lacrada. Dentro dela, havia um DVD com a inscrição: "Aos cuidados de Roberto Cabrini. Confidencial".

Não havia motivo para esperar. Tratei de inserir o disco no computador de minha sala.

Na tela diante de mim, apareceram imagens fortes de um ato sexual.

Expulsei qualquer tipo de juízo de valor da minha cabeça e analisei a imagem de modo objetivo, sem julgamentos. Vi um jovem nu, moreno, praticando sexo oral em um homem de cabelos grisalhos e pele muito branca – claramente, idoso –, vestindo uma camiseta branca e despido da cintura para baixo. Este último controlava a situação, comandando os atos do rapaz. Ao fundo, havia a imagem de um altar, com uma grande cruz de madeira e um crucifixo pendurado. O sexo em primeiro plano, e a fé em segundo. Após alguns segundos, o homem idoso esticou o pescoço e virou-se em direção à câmera, demonstrando notar alguma movimentação estranha.

"Quem está aí?", perguntou em tom suave, quase sonolento, embolando as palavras.

Nenhuma resposta.

"Quem está aí?" Dessa vez, a voz transparecia certa irritação e autoridade.

Ele insistiu em querer saber, enquanto o jovem parceiro se levantava, ainda sem roupa. Nesse momento, foi possível ver o rosto do homem mais velho.

"Quem está aí na janela, hein?"

A gravação terminava nesse ponto.

Levando em consideração o ambiente e os detalhes, a cena sugeria um religioso em ato sexual com um jovem. Pensei comigo mesmo: *Se for apenas um ato sexual consentido, não há matéria, pois embora possa se tratar de um sacerdote, seria algo considerado invasão de privacidade.* Por outro lado, eu sabia que podia ser a ponta de um *iceberg*, um abuso sistemático. Após muito ponderar, cheguei à conclusão de que não era caso de exibicionismo – afinal, o homem mais velho mostrava desconhecer que era flagrado.

Pouco sabia sobre a situação. Na verdade, àquela altura, tinha certeza apenas do nome da cidade onde a cena havia sido filmada. *É o bastante*, pensei, decidindo ir até Arapiraca para uma investigação inicial.

No dia seguinte, recortei digitalmente a imagem do homem mais velho, de modo a excluir o ato sexual, e a imprimi. Com a fotografia de seu rosto, poderia descobrir sua identidade sem revelar necessariamente a ação íntima.

"Se for sexo consentido, ninguém mais precisa saber dessas imagens", comentei com Roberto Munhoz e Bruno Chiarioni, meus principais auxiliares no programa naquela época.

Durante dias, eu me dediquei à tarefa de levantar informações sobre as duas pessoas que apareciam na imagem. Usei a internet e fontes em Alagoas de outras reportagens – conhecia muita gente do tempo em que investiguei o então fugitivo Paulo César Farias, tesoureiro do presidente Collor.

À medida que apurava os fatos, eu os confrontava. Sim, tratava-se mesmo de um religioso, um monsenhor. Além disso, tudo indicava que o jovem filmado era, possivelmente, um de seus coroinhas. Quando obtive dados suficientes me indicando estar diante de algo importante, montei um pequeno núcleo para averiguarmos esse caso. A equipe era composta pelo cinegrafista Márcio Ronald, o produtor José Dacau e o auxiliar Reinaldo Dantas, o Vavá. Lembrei a todos que discrição era o nome do jogo.

*　*　*

Aeroporto de Cumbica, Guarulhos, São Paulo.
Dezembro de 2009.

"Tenho uma reserva de um bilhete eletrônico para Maceió no próximo voo."
"Nome?"
"Francisco Roberto Cabrini. Aqui está meu documento."
"Ah, o jornalista. Aqui está. O voo será chamado em vinte minutos."

Ao entrar na aeronave, a diversidade chamou a minha atenção. Jovens em férias, fazendeiros – percebia-se por seus grandes chapéus de palha –, famílias, crianças e, inclusive, uma mãe com bebê de colo viajavam naquele voo.

Passava pelas poltronas, em busca do meu lugar, quando senti uma mão me puxando pela camisa e me voltei para trás.

"Qual matéria você vai fazer em Alagoas, Cabrini?", indagou um homem de bigode pronunciado.

"Obrigado por acompanhar o meu trabalho, mas na verdade essa é apenas uma viagem a lazer. Quero descansar e curtir o sol alagoano", respondi-lhe. Sempre aprendi a jamais dizer o que estou indo fazer. O segredo é a alma das boas investigações.

"Ah, sim…", sorriu. E completou em seu típico jeito alagoano: "Pois admiro muito seu trabalho".

Aproveitei para perguntar-lhe o seu nome, no que respondeu: "João Octávio". Agradeci novamente pelo carinho. Ao me acomodar na minha poltrona algumas fileiras atrás, notei que o voo estava com apenas metade de seus lugares tomados. O homem que puxou conversa comigo sentava sozinho. Decidi me instalar ao seu lado.

"Percebi pelo seu sotaque que o senhor é de onde estamos indo, não é?"

"Sou sim, seu Roberto. Moro em Maceió, mas tenho umas terrinhas no interior."

"Onde?" Fiquei curioso.

"No agreste."

"Na região de Arapiraca?"

"Isso mesmo. Já andei por lá. Você está bem informado!", disse ele ao mesmo tempo que me dava um tapinha no braço.

Durante boa parte da viagem falamos sobre a sua família, os seus sete filhos, a cultura do tabaco, o poder dos Collor de Mello no estado e até sobre o futebol de Alagoas. Quando senti que o homem estava mais à vontade, abri a minha pasta. De dentro dela, tirei a foto com o rosto do senhor idoso.

"O senhor conhece este homem em Arapiraca?", perguntei ao fazendeiro.

Ele tirou os óculos do bolso, olhou a foto e emendou:

"Mas é claro! Qualquer um lá pelos lados de Arapiraca o conhece!"

"É mesmo? Quem é ele?"

"É o monsenhor Luiz Marques Barbosa, o religioso mais respeitado da cidade. Mas por que você tem essa foto dele aí?"

"É apenas uma pesquisa sobre religiosos influentes no Nordeste", procurei passar a maior naturalidade possível.

"Ah, certo, entendi. Pois ali em Arapiraca ele é como Deus na Terra!"

Era inevitável supor um relacionamento entre um líder religioso e seus comandados na paróquia. Restava saber a natureza de tal ligação.

Foi com esse pensamento que desembarquei no aeroporto de Maceió, capital de Alagoas. Tentei ganhar a área de desembarque me misturando a um grupo de passageiros. Não queria ser notado. Uma passada de olhos nos arredores e encontrei o setor de locadoras de carros.

"Quero alugar um carro por alguns dias, por favor."

"Pois não, senhor."

E lá fui eu. Cento e vinte oito quilômetros separam Maceió, no litoral de Alagoas, de Arapiraca, no interior. Uma estrada sinuosa e estreita que partia da bela costa alagoana em direção à região do agreste, estado adentro.

O que me reserva esse caso? O que está por trás daquele vídeo?

As perguntas martelavam minha mente enquanto eu apreciava a esplêndida mudança de paisagens e vegetação pelo caminho. Uma hora e meia depois, ao horizonte, surgia Arapiraca, no coração do agreste.

O nome da cidade tem origem em uma árvore relativamente frondosa da região, também encontrada em partes do sertão nordestino. Foi embaixo de uma arapiraca, às margens do riacho Seco, que o fundador da cidade, Manoel André Correia dos Santos, encontrou abrigo do sol escaldante.

Manoel – genro do capitão Amaro da Silva Valente de Macedo, dono de extensas propriedades na região – fora enviado para tentar contornar disputas na terra do capitão. A cidade começou com uma cabana erguida por ele para renovar as forças, uma construção rústica que, tempos depois, tornou-se a capela Santa Cruz. Era o ano de 1864, e a fé católica dava origem a um povoado impulsionado principalmente pela cultura do tabaco, tão bem adaptado ao solo daquela área. Segundo uma tradição popular, a palavra "arapiraca" tem origens indígenas: significa "ramo que arara visita". Pelo jeito, nem só as araras começaram a se estabelecer lá...

Percorri as simpáticas ruas, muito bem arborizadas e de chão de paralelepípedo. Sabia que Arapiraca era a segunda maior cidade do estado, com mais de 200 mil habitantes. No entanto, naquele instante, mais importante era ter certeza de ter sido ali o município onde as intrigantes imagens remetidas a mim haviam sido feitas.

Se deseja conhecer a alma de uma cidade, visite a sua feira. Sempre acreditei nisso, e foi essa a nossa primeira parada. Pessoas diversas, produtos locais, um entra e sai movimentado, muitas conversas, informações... Precisei apenas de alguns minutos para confirmar o nome do jovem que aparecia nas imagens. Claro que tomei o devido cuidado, revelando às pessoas apenas o rosto dele e afirmando-lhes tratar-se de um amigo que não encontrava havia algum tempo.

"Sei quem é esse moço, sim. Ele se chama Fabiano", disse um rapaz magrinho que vendia galinha na feira.

Ali, como em tantos lugares do interior do Brasil, a Igreja Católica exercia colossal influência na vida da comunidade. Naquela feira, entre uma barraca e outra, pude confirmar que o homem mais velho que aparecia na gravação que eu havia recebido era um dos religiosos mais poderosos do estado, o monsenhor Luiz Marques Barbosa. A frase que o plantador de tabaco me dissera no avião foi repetida por mais de uma dezena de pessoas ali:

"Ele é como Deus por aqui."

Estrategicamente, Dacau e Márcio chegaram a Arapiraca dias antes, a fim de que permanecessem incógnitos, aproveitando o fato de não serem reconhecidos por aparecerem na TV como eu. Junto com eles, montei um perfil ainda mais completo do monsenhor: era natural de Anadia, tinha 82 anos à época, cinquenta e oito anos de sacerdócio e vinte à frente da famosa paróquia de São José. Havia se aposentado fazia pouco tempo, com as muitas homenagens divulgadas inclusive por um portal de vídeos na internet. Mesmo assim, pelo enorme prestígio e liderança que tinha, continuava celebrando missas e casamentos na mesma paróquia de São José onde se tornara símbolo de fé aos olhos da população. Uma escola da cidade levava seu nome, e ele não se cansava de posar na frente dela: monsenhor Luiz, o homem santo de Arapiraca.

Outra foto sua predileta foi tirada com o papa João Paulo II em sua visita à região. Fazia questão de afirmar a todos que cada passo de Sua Santidade pelo agreste teve seu dedo. Como retribuição, a comunidade de Arapiraca formou um mutirão para construir a residência de seu descanso, pomposamente denominada "casa paroquial". Cada pessoa que ajudava na obra recebia uma camiseta com a inscrição: "Ajudei na construção da casa para a terceira idade do monsenhor Luiz".

Os fiéis do agreste o enxergavam como uma verdadeira entidade. Ele costumava intercalar sorrisos com extremos discursos moralistas em suas pregações. Clamava com veemência ser um sacrilégio à fé cristã o uso de roupas curtas ou decotes ousados pelas mulheres.

"Quem se vestir assim que não passe perto de minhas missas!", dizia sempre empedernido, na arrogância de quem se sentia inatingível. Outra vez, celebrando um casamento, ele exigiu que o noivo tirasse o próprio paletó para encobrir o decote da noiva.

"Se não fizer isso, não vou prosseguir com esse casamento!", advertiu, irritado.

Essas atitudes contrastavam com sua voz suave nos sermões, quando pregava a necessidade de humildade de todo bom cristão. Mas, como eu logo descobriria, havia ainda outra visão de seus atos...

A casa era antiga, com apenas seis cômodos, a pintura estava desgastada e o telhado, falho. Aparência de uma construção que já havia sido mais bem cuidada e que com o tempo cedia devido à falta de recursos.

Minha equipe e eu batemos à porta de madeira e pudemos sentir que parte dela estava à mercê da fome dos cupins.

"Bom dia", cumprimentei o rapaz assim que ele nos atendeu. "Você é o Fabiano, não é?"

"Sim", respondeu, hesitante. "Sou eu."

Em seus 19 anos, o jovem mulato-claro ainda tinha espinhas no rosto. Filho de um pedreiro, Fabiano vivia só com o pai e uma irmã mais nova. A mãe, a vendedora de perfumes Quitéria, foi morar em outra casa com seus outros quatro filhos após a separação do marido.

"Você foi coroinha do monsenhor Luiz, não foi?", perguntei-lhe.

"Não sei se devo falar com o senhor..." Sua dicção e modos educados chamavam atenção. Seu português era correto, e seu olhar, terno. "Desculpe, mas estou ocupado."

Ele, então, fechou a porta lentamente, tentando não ser rude.

Com os vizinhos dele, soubemos que o jovem andava triste. Segundo eles, por estar desempregado.

No dia seguinte, vimos o rapaz saindo apressado para mais uma via-sacra em busca de trabalho. Apertei o passo e o abordei quando já estava a uns 5 metros dele.

"Fabiano!", eu o chamei. "Bom dia!"

Ele se voltou para mim.

"Desculpe, senhor, mas estou atrasado."

"Posso ao menos lhe fazer uma pergunta? Podemos conversar?"

"Conversar sobre o quê?"

"Pode confiar em mim. Só estamos à procura da verdade. Suponho que você já tenha sofrido muito…" Ao afirmar isso, procurei contemplá-lo com respeito, como se lhe dissesse: "Confie em mim, é seguro".

"Conheço o seu trabalho, Roberto Cabrini. Realmente, preciso ir. Conversamos depois."

Fabiano mudou a rota e voltou para a sua casa. No entanto, antes de entrar, afirmou:

"Eu já venho falar com o senhor."

Esperei-o durante dez minutos, o que pareceu uma eternidade. Cheguei a cogitar que ele tivesse desistido, mas então a porta se abriu e de lá saiu o jovem vestindo uma camiseta azul, tênis e bermuda, ganhando as ruas de Arapiraca em minha direção.

"Pode falar", disse o menino, agora parecendo ansioso.

"Você sabia que está em um vídeo, digamos, íntimo… com o monsenhor Luiz?"

Sua convicção me surpreendeu ao me responder:

"Sei, sim. Sou eu mesmo. Queríamos nos proteger."

"Você disse 'queríamos'… Então, quem é a outra pessoa? Seria a que filmou?"

O rapaz confirmou a informação e ainda me forneceu um nome: Flávio.

"Ele também sofreu as mesmas coisas que eu", completou. "Mas sempre tivemos muito medo. Sabemos que o monsenhor tem muito poder."

"Esse Flávio também é coroinha?"

"Eu ainda sou, e ele foi."

"Entendo…" Ponderei por instantes antes de continuar: "Bem, o que eu quero dizer é que você pode confiar…"

"Confiar?", interrompeu ele. "O monsenhor é muito poderoso aqui. Ele não vai pressionar o senhor ou coisa assim?"

"Não temo nada desse tipo", falei com calma, mas minha voz se manteve firme. "Fique tranquilo, Fabiano."

"E... o que você sugere?"

"Primeiro, vamos conversar melhor. Talvez possamos gravar uma entrevista", disse com cuidado, para não o assustar. "Certamente ouviu falar que 'A verdade vos libertará', se você acredita na palavra cristã."

Ele concordou.

"Vamos mostrar essa verdade", afirmei. "Vamos gravar uma entrevista na qual você possa abrir o coração? Não precisa necessariamente se identificar. O principal é que não quero ser leviano, acusando alguém indevidamente. Quero a verdade do que aconteceu."

"Olha, prometo que vou pensar com carinho. Me liga amanhã depois do almoço", ele me pediu.

O rapaz atravessou a rua apressadamente, sem olhar para trás, e se perdeu entre becos e vielas na capital do fumo no agreste.

Para mim, parecia claro que ele abriria o jogo. Era como se existisse algo que havia muito tempo ele quisesse botar para fora.

Dacau, assim que não víamos mais o menino, me consultou:

"Vamos atrás do tal de Flávio?"

"É melhor esperarmos a resposta do Fabiano."

Saindo dali, soubemos que havia na praça próxima um restaurante de comida típica. Concordamos que merecíamos um bom jantar. Durante a refeição, viajamos pela culinária local, a minha maneira preferida de tentar entender a cultura de um povo. Sarapatel, quebra-queixo, pé de moleque, cocada, beiju e bolo de milho... Arapiraca sendo desvendada em nossas mentes.

No dia seguinte, na hora combinada, liguei para a casa de Fabiano. Ele mesmo me atendeu.

"Fabiano? É o Roberto Cabrini. Já pensou sobre nossa conversa de ontem?"

"Pensei, sim, e tomei a decisão de falar tudo para o senhor."

Marcamos o nosso encontro em um hotel em Maceió. Não queríamos correr o risco de alguém vê-lo em um carro de reportagem em Arapiraca. Isso certamente provocaria falatórios na cidade, podendo nos prejudicar adiante.

Naquela mesma feira, fonte de tantas informações, descobrimos onde morava Flávio, o outro coroinha: rua Santa Rita. Uma rua de pessoas simples e de aparência aconchegante, visto o bom estado de seus paralelepípedos.

Quem atende a porta é dona Amparo, uma senhora de rosto redondo e sorriso largo, costureira de sangue indígena.

"Boa tarde, o Flávio está?"

"O meu filho está na casa de um amigo aqui perto. Vou chamá-lo. O senhor quer entrar?"

"Obrigado, mas o esperamos aqui fora."

Ela nem nos conhecia, mas assim é a hospitalidade alagoana: bem calorosa. Dona Amparo saiu de casa e dobrou a esquina. Não demorou muito e apareceu com um rapaz magro e alto, muito parecido com ela.

Flávio nos cumprimentou amistosamente. Notei que ele era um pouco mais informal do que Fabiano e senti que podia avançar no assunto. Expliquei-lhe que sabia da gravação que ele fizera e do quanto tinham medo de falar sobre o assunto. Disse que eu estava procurando a verdade, pois sentia que possivelmente estava diante de um grave caso de abuso.

"Olha, se virem que nós estamos falando com o senhor, vamos ser perseguidos aqui", disse o rapaz. "O monsenhor é muito importante e conhece todo mundo em Arapiraca."

"Por que então não falamos com mais calma em um hotel em Maceió?", sugeri a ele, mesmo ainda não tendo lhe contado que eu já combinara de gravar com o Fabiano lá. "Você se sentiria mais seguro na capital?"

"Aí, sim. Isso seria o ideal", ele sorriu, aliviado. Sair de Arapiraca produzia maravilhas em sua autoconfiança.

"Então, amanhã às 2 horas da tarde, mando um motorista buscar você. Tudo bem se o Fabiano for também?", aproveitei para lhe informar. "Já conversei com ele sobre isso."

Flávio concordou.

Era notório o fato de que os dois viviam acuados, e eu sabia que a qualquer momento podiam simplesmente desistir de falar comigo. Eu estava preparado para tudo.

Na tarde do dia seguinte, alguém bateu à porta do quarto do hotel onde eu me hospedava em Maceió. Ao abri-la, vi dois jovens agitados, divididos entre o medo e o desejo de justiça.

"Sentem-se e tomem uma água", ofereci-lhes, antes de dizer em tom sereno: "Chegou a hora pela qual sinto que esperavam. Desabafem. Contem o que tanto os incomoda".

Os dois sorriram – primeiro, timidamente, e segundos depois um pouco mais relaxados.

"Estamos prontos", declararam quase ao mesmo tempo.

Cinco minutos depois, a entrevista começava. Atendendo ao pedido dos rapazes, eles seriam entrevistados sem mostrar o rosto, pois temiam represálias.

"Gravando", avisou o câmera Márcio, que também pressentiu a importância dos depoimentos que estavam por vir.

Então, Fabiano começou seu relato se apresentando e afirmando que era o jovem que estava com o monsenhor Luiz naquela gravação. O rapaz afirmou que o conheceu aos 12 anos, quando entrou na igreja para ser coroinha da paróquia de Nossa Senhora do Carmo, da qual aquele monsenhor era o responsável. Em poucas semanas, o menino já era considerado coroinha. Isso era motivo de alegria para sua família e também para o garoto. No Nordeste, todos os pais sonham ter um filho padre. No entanto, aquele sonho logo virou um pesadelo:

"Poucos meses depois que entrei na igreja, comecei a sofrer abusos", disse, com olhos arregalados.

A história do outro rapaz, Flávio, então com 21 anos, era muito parecida. Ele entrou para a igreja atendendo ao sonho da avó, dona Possidone. Flávio nunca esqueceu os afagos dela que, de certa maneira, arranhavam seu rosto. A avó tinha as mãos calejadas, maltratadas de tanto tirar o talo do fumo nas grandes lavouras da região. Ela sempre repetia para quem quisesse ouvir:

"Esse sofrimento tem que acabar, nem que seja para os que vêm aí no meu sangue..."

Seu neto haveria de ser um homem dedicado à fé, um padre, o orgulho da família. E não parecia existir caminho melhor do que pelas mãos de um homem tido como santo, o sacerdote de impecável reputação que ela via nas missas de domingo. O "monsenhô", como ela mesma dizia.

De fato, o padre em questão era alguém que não se cansava de lembrar a todos na cidade que ele carregava o título eclesiástico de monsenhor – resultado de um ato papal em reconhecimento aos seus serviços prestados à Igreja.

Flávio não tinha nem 10 anos e era pressionado pela família para ser coroinha na paróquia de São José, sob a liderança do famoso monsenhor Luiz. Aos 12 anos, o menino já recebia treinamento na igreja. E foi justamente aquele padre que aparentava tanta sabedoria quem decidiu que a prática de poucas semanas era o bastante.

"Parabéns! A partir de hoje você já pode se considerar um coroinha!"

Que felicidade escutar aquelas palavras! Nem parecia verdade! Neto e avó ficaram nas nuvens durante semanas.

Logo nos primeiros dias, o menino notou que o grupo era grande. Os quase 50 garotos entre 11 e 17 anos disputavam ferozmente o posto de ajudante do monsenhor na concorrida missa de domingo à noite. Era o chamado horário nobre, aquele que parava parte da cidade. O monsenhor estava à frente de 16 capelas em Arapiraca. As duas principais igrejas eram as de São José e a de Nossa Senhora do Carmo.

No começo, o único aborrecimento era ver o seu nome na escala para ajudar na secretaria e não na prestigiada missa. Ser escalado para a missa dominical na semana seguinte compensava tudo. Era especial demais vestir a túnica e auxiliar o sacerdote, com pais, parentes e amigos observando. Os mesmos colegas que antes o desprezavam agora o olhavam com respeito, e os pais recebiam cumprimentos de familiares que até então os ignoravam.

"Quanta honra ter um filho coroinha do monsenhor!"

Bastou um mês para os dois perceberem que havia outro lado nessa honraria.

De volta ao quarto do hotel onde os dois rapazes, com lágrimas nos olhos, abriam o coração diante de mim. As imagens do dia em que foram molestados pela primeira vez ainda permaneciam frescas na memória, como fantasmas que os assombravam.

Fabiano tomou a frente, continuando o relato:

"O monsenhor me chamou pelo nome, me olhando de modo diferente. Ele segurou a minha mão e começou a me tocar. Dizia: 'Não se preocupe, não há pecado algum nisso'. Então, tentou beijar a minha boca. Mesmo eu virando o rosto, ele insistia. Queria vomitar, mas ele usava sua força e me mantinha em seus braços."

Soluços e lágrimas de dor intercalavam a fala do jovem.

"Não era mais o homem bom das missas", continuou ele, ora falando mais baixo, ora quase gritando, como se tentasse mudar seu próprio passado. "Eu queria sumir e não conseguia…"

Um longo gole de água. Puxou o ar, que demorou a vir…

Fabiano prosseguiu o depoimento. Afirmou que o monsenhor tirou a sua camisa e calça, e depois também se despiu. Em seguida, começou a fazer sexo oral no jovem.

"Você se sentia obrigado a isso?"

"Sim, totalmente. Ele me dizia: 'Você tem que me obedecer. E olhe: não fale nada para ninguém. Isso é algo entre nós dois. Se não fizer o que eu digo, vai ser muito ruim tanto para mim quanto para você!'. Quando ele via a minha cara de choro, intercalava as ameaças com presentes."

"Que tipo de presentes?"

"Brinquedos e doces, que minha família não podia comprar", explicou, e continuou a história: "Quando ele sabia que os pais do coroinha iam à igreja, ele dizia: 'Não fale nada para ninguém, nem para os seus pais. Para ninguém mesmo! Se você contar, isso vai ser muito ruim para você!'. As ameaças eram renovadas."

Flávio aproveitou a pausa de Fabiano e começou a se lembrar da primeira vez que o monsenhor o chamou para ir ao quarto da casa dele. O homem pediu que o jovem pegasse algumas garrafas de vinho no escritório.

"Quando cheguei com as garrafas, ele me abraçou e começou a me beijar. Com 12 anos, eu não entendia o que acontecia. Ele me dizia para eu não me assustar e fazer tudo o que mandava, pois eu era o amor de vida dele. Em seguida, fui obrigado a tocar seus órgãos genitais..." Mais lágrimas verteram dos olhos do jovem. "Depois, ordenou que eu passasse creme em suas costas e nádegas. Nem sabia direito o que era sexo e estava ali à mercê dele..."

Flávio virou o copo de água de uma só vez, tentando se recompor.

Os dois rapazes lembraram que a mesma cena e as mesmas ameaças se repetiram durante anos. Eles ainda tinham que aguentar piadas dentro da igreja: "Ah, já vai dar um trato na mamãe, né?".

Com o passar do tempo, o padre ficava mais ousado, chegando a tocá-los nos momentos mais solenes na sacristia.

"Lembro dele me acariciando, me abraçando, me beijando." Os olhos de Fabiano fixaram-se num ponto qualquer, como se ele viajasse, sendo transportado àquela época. "Ele me fazia juras de amor: 'Eu te amo, gosto muito de você. Você é uma das razões da minha vida. Quero você para sempre'. Até mesmo durante a celebração litúrgica, na hora da paz de Cristo, da confraternização, ele sussurrava essas coisas nos nossos ouvidos, e por baixo da casula dele colocava a mão nas nossas genitálias. Aliás, não éramos os únicos que sofriam abusos. Depois, ficamos sabendo que ele fazia o mesmo com outros meninos também."

"Mas isso acontecia até mesmo durante as missas?", questionei-lhe.

"Para ele, não tinha hora, muito menos respeito à missa. Ele fazia essas coisas na igreja, na casa dele, na de outras pessoas. Meu pai me via chorando, mas eu tinha medo de falar com ele sobre o que acontecia. Então, comecei a me isolar de tudo. O mundo passou ser um lugar ruim, nojento... Eu me sentia culpado. Ele queria que a gente se sentisse assim, e eu acreditava no que ele me falava. Até hoje acordo no meio da noite com essas lembranças."

Fabiano relatou também que todos na igreja sabiam o que acontecia, mas ninguém tinha coragem de protegê-los.

"Motorista, secretários, todo mundo que trabalhava na igreja sabia!" Seu rosto exibiu uma expressão de revolta, ódio.

"A gente não tinha como se defender", completou Flávio.

Se o coroinha ousasse contar para alguém, seria visto como mentiroso, resultado da falta de fé e obra do demônio. Até mesmo os pais dele duvidariam. Flávio explicou que por isso pensou em fazer a filmagem. Ele não aguentava mais ser tachado como uma criança má e mentirosa. Contou o seu plano para Fabiano, que a princípio recusou, mas depois mudou de ideia.

"Naquele dia, quando vi a porta semiaberta, pensei comigo mesmo: *É hoje ou nunca*", disse Flávio. "Peguei uma câmera emprestada e comecei a gravar. Estava tão apavorado que fiquei com medo de não ter filmado nada. Mas quando conferi, estava tudo lá..."

Inicialmente, o plano era enviar a gravação para o bispo de Penedo, dom Valério Breda, responsável por toda a diocese e a quem todos os sacerdotes católicos da região estavam subordinados.

Um amigo dos rapazes ajudou-os a encaminhar a filmagem, mas o bispo não se pronunciou a respeito. Os abusos continuaram.

"Tínhamos desistido", afirmou Flávio. "Mas agora vejo que esse amigo mandou a gravação para você também, pois uma vez comentamos que você era um dos poucos jornalistas com coragem para investigar o caso. Que bom que estávamos certos."

Era início de 2010 e eu estava diante de uma denúncia grave. Sabia, é claro, que levar adiante essa investigação drenaria minhas forças e me submeteria a muitas pressões. Abusos sexuais cometidos por padres sempre foram assunto proibido dentro da Igreja Católica. Havia barreiras quase intransponíveis, em um agressivo jogo de poder que se perpetuou ao longo dos séculos. Quando casos semelhantes vinham à tona, o procedimento padrão era pedir calma, consolar as famílias e, no máximo, transferir os padres de uma paróquia para outra. Uma prática recorrente mundo afora, e o Brasil não era exceção. Frequentemente, denunciantes eram malvistos e marginalizados pelas comunidades.

Precisava encontrar mais testemunhas. O adversário era a lei do silêncio, o medo de represálias de religiosos tão poderosos. Durante semanas, conversamos com coroinhas. Muitos dos 50 jovens sob influência do monsenhor fugiam quando eu tentava abordá-los sobre aquele assunto. Aos poucos, porém, o cenário foi mudando. O medo cedeu, e a confiança se fez presente. Um a um, vários perceberam que podiam confiar na nossa investigação e que era uma oportunidade única de acabar com aquele flagelo moral. Conversamos com pelo menos 20 coroinhas que já haviam sofrido abusos semelhantes. A maioria confirmava o seu sofrimento com muito receio, mas se negava terminantemente a gravar entrevista. Até que um dia um deles nos ligou.

"Meu nome é Anderson e também fui coroinha do monsenhor Luiz."

No dia seguinte, o garoto contou a mesma história de Fabiano e Flávio. Ameaças, constrangimentos, presentes e abusos...

Ele acusou o mesmo monsenhor e ainda outro religioso de fala mansa e muito vaidoso: monsenhor Raimundo Gomes, então vigário-geral da diocese. Uma figura também admirada e acima de qualquer suspeita. Um homem poderoso. Acima dele, só o bispo.

Percebi que se tratava de uma confraria do silêncio. Na paróquia de São José, Fabiano era frequentemente abusado pelo monsenhor Luiz, mas não era exclusividade do comandante das 16 capelas. Não demorou muito para ser abusado por outro sacerdote, o padre Edílson. Mais um a participar de orgias e impor o silêncio...

Quatro anos depois de Flávio e Fabiano se tornarem coroinhas, surgiu mais um personagem em cena. Um monsenhor subitamente transferido de Penedo para Arapiraca, onde assumiria a paróquia Nossa Senhora do Carmo, até então na esfera do monsenhor Luiz.

"Monsenhor Raimundo Gomes ficará provisoriamente na paróquia de São José, até que terminem as reformas de Nossa Senhora do Carmo", monsenhor Luiz deu a notícia aos coroinhas.

Quem tinha esperança de que a chegada de um novo religioso pudesse acabar com as pressões sexuais não tardou a descobrir que, na verdade, a situação piorara. Monsenhor Raimundo logo começou a cometer os mesmo abusos do monsenhor Luiz.

Fabiano não caiu nas graças do novo sacerdote, mas Flávio e Anderson não tiveram a mesma sorte. Meninos transformados em objeto.

Já havia conhecido a barreira emocional daqueles jovens ao se lembrarem de como eram forçados a manter relações sexuais com os sacerdotes. Com Anderson, na época aos 19 anos, a história não foi diferente. O rapaz, de pele muito branca e cabelos de cantor pop, era filho de um agricultor.

O garoto me revelou que desde os seus 14 anos o monsenhor Raimundo o chamava diversas vezes à sua casa, a fim de que lhe fizesse companhia. No entanto, a atitude do sacerdote extrapolava, molestando o jovem verbalmente e oferecendo-lhe presentes. Algum tempo depois, Anderson começou a receber ordens que, se não fossem cumpridas, causariam a sua expulsão da igreja. Teria de enfrentar o olhar crítico do próprio pai.

"Com o tempo, o assédio foi ficando mais pesado", relatou o rapaz. "Acontecia a qualquer hora, em qualquer lugar. O monsenhor começou não só a me assediar, mas também a forçar algo físico comigo. Desejava a todo custo manter relações sexuais comigo, chegando ao ponto de me pegar à força, brutalmente, usando palavras indecentes, segurando os meus órgãos genitais fortemente. Eu era obrigado a me submeter àquilo, o que produziu um trauma muito grande na minha vida. Até hoje sofro as consequências disso."

Em muitos pontos, o depoimento de Anderson coincidia com os que eu ouvira dos outros dois coroinhas.

"As investidas do monsenhor aconteciam na sua casa paroquial, no seu escritório e no seu quarto. Às vezes, até durante a celebração da missa ele me dizia palavras indecentes. Queria segurar a minha genitália, afirmando que eu era bonito, que sentia uma atração muito forte por mim e queria namorar comigo. Ele disse que não queria me ver conversando com qualquer outra menina, pois sentia ciúme de mim."

Os padres eram condescendentes uns com os outros, e, quando os meninos conversavam entre si, questionavam-se quem poderia acreditar neles.

Eu acreditava naqueles rapazes. Já possuíamos fortes indícios do chamado *modus operandi* – nós, jornalistas, gostamos dessa expressão latina, que significa "modo de operação". O abuso daqueles sacerdotes se mostrava um fenômeno recorrente e planejado, cometido por um grupo fechado que se aproveitava de seu poder para perpetuar o crime e sua impunidade. Os pormenores daquela rede criminosa estavam em dezenas de relatos que ouvira em *off*. A maioria dos meninos tremia só de pensar em gravar entrevista. Assim, a possibilidade de deporem na Justiça estava, naquele momento, tão distante quanto o planeta Marte da Terra. No entanto, eu havia entrevistado três coroinhas, além de ter o depoimento de um motorista da paróquia confirmando as histórias dos meninos. Esse motorista me forneceu detalhes de como os padres assediavam os jovens e usavam o corpo deles para satisfazer as suas fantasias:

"No começo, os padres davam muitos presentes aos garotos. Agiam como um pai para ganhar a confiança deles, mas depois vinham as ameaças. Quando algum dos coroinhas não cedia à pressão, o menino era afastado e até expulso da paróquia. O monsenhor, ao celebrar missa nas homilias, dizia: 'Aquele rapaz não faz mais parte desta equipe porque ele não presta. É maloqueiro, gosta de festa, farra, jogo. Precisa de penitência'."

Sacerdotes como o monsenhor Luiz participavam diretamente da educação dos coroinhas. Eles se aproximavam dos pais e garantiam que, em suas mãos, fariam dos jovens pessoas de bem, tementes a Deus, diferentes de tantos meninos perdidos por aí.

Decidi que as denúncias e relatos estavam suficientemente consistentes. Era hora de falar com os acusados – o que ajudaria na obtenção de mais provas. Como previ que eles se comunicariam entre si e poderiam fazer ameaças, montei um plano. Calculei que, a partir do momento que conversasse com os monsenhores Luiz e Raimundo, uma reação em cadeia entre os envolvidos aconteceria na cidade, e eu tinha de estar preparado para documentar tudo.

"Um passo de cada vez", comentei com Márcio, meu cinegrafista, que engolia mais um hambúrguer gigante sob os olhares críticos do esbelto e parcialmente carequinha Dacau.

Esse primeiro passo seria falar com o sacerdote que costumava paralisar Arapiraca com seu magnetismo nas eloquentes pregações.

* * *

Hora de, novamente, ir para final de janeiro de 2010 e continuar o relato de quando confrontei o primeiro dos acusados, o monsenhor Luiz. Eu deixei uma pergunta no ar: o que e quem eu encontraria pela frente?

Agora é o momento de respondê-la.

***

Toquei a campainha do interfone da bela casa paroquial, aquela residência do monsenhor Luiz construída com a ajuda da população.

Não tardou e uma voz de mulher atendeu o interfone. Eu me apresentei pelo meu primeiro nome, afirmando que precisava falar com o sacerdote. A pessoa solicitou que eu esperasse um instante, e minutos depois a porta da casa foi aberta. Diante de mim, uma mulher morena, de meia-idade e aparência humilde se apresentou como Maria. Ela me olhou por um momento, como se estivesse decidindo se me faria ou não alguma pergunta. No fim, apenas me convidou a entrar.

"Boa noite, tudo bem? Prazer, sou Roberto Cabrini."

Maria se preparava para fechar a porta quando a lembrei de que estava acompanhado por um amigo logo atrás de mim.

"Ele está comigo também." Apontei para o meu cinegrafista Márcio.

Ela concordou com a cabeça, e fiz sinal para que Márcio entrasse. Sabia que ele já estaria com a câmera ligada. Enquanto acompanhava os passos de Maria, procurei manter uma conversa trivial para diminuir desconfianças. Perguntei-lhe havia quanto tempo trabalhava naquela casa – sete anos, ela me respondeu.

Atravessei um pequeno e bem cuidado jardim, avistando, ao fundo dele, um homem sentado em uma cadeira de balanço bem em frente à casa. Ele vestia roupas comuns, uma camisa verde, calça social cinza e usava óculos de armação dourada. Apesar disso, não havia dúvidas de que eu já o vira antes. Primeiro, na filmagem e em fotos, e agora, pela primeira vez, pessoalmente: monsenhor Luiz Marques Barbosa.

Cumprimentei-o, perguntando como estava. Ele prontamente me respondeu que estava muito bem. O monsenhor, então, percebeu a presença do cinegrafista com câmera em punho, mas não demonstrou nenhum incômodo. Como eu previa, ele gostava de dar entrevistas para reforçar sua autoridade na região. A imprensa local costumava venerá-lo.

A minha estratégia ali era entrar aos poucos no assunto. Se o começasse bruscamente, além de outras consequências, perderia a oportunidade de traçar um perfil mais detalhado do sacerdote. Era preciso calma e autocontrole para chegar à delicada questão com a máxima suavidade possível.

"Estamos fazendo uma série de levantamentos aqui na região, ouvindo várias pessoas. Gostaríamos de ouvir o senhor também", expliquei-lhe e aproveitei para ganhar espaço. "Posso sentar aqui?"

"Sim, pode", disse com a voz calma.

"Monsenhor, nesses cinquenta e oito anos de sacerdócio, qual a palavra mais importante para o senhor?"

Ele se ajeitou na cadeira e respondeu com dicção perfeita e voz serena:

"Sinceridade e caridade. Sem isso, o mundo não funciona."

"É o que está faltando hoje no mundo?"

"Sim. Tem muita mentira, muita mentira... Por toda parte, estão tentando nos enganar."

"Em Arapiraca tem muito problema desse tipo?"

Ele me observou e aumentou levemente o tom da voz:

"Em toda a parte do mundo há problemas do tipo."

"Que tipo de mentira mais incomoda o senhor?"

"A mentira de as pessoas pensarem que estão agindo corretamente quando, na verdade, não estão."

O monsenhor gesticulava amplamente com as mãos, como se isso o auxiliasse a completar o raciocínio. Parecia sentir algum perigo no rumo que a conversa tomava e arriscou um cunho social.

"Por exemplo, a mentira do salário, a mentira da casa para o povo..."

"O senhor quer dizer falsidade?"

Quando ele respondeu positivamente, o grande crucifixo balançando em seu pescoço me prendeu a atenção por segundos.

"O que significa para o senhor esse crucifixo?", questionei-lhe.

Naquele momento, ele se transformou no monsenhor dos sermões da missa de domingo.

"Jesus Cristo... Meu Senhor e Mestre. O Senhor da caridade está aqui nesse crucifixo, né? Significa dar a vida pelo outro. Sou padre católico, de formação cristã, e agradeço a Deus essa vocação. Quando um padre realiza seu ministério, ele tem que estar com o povo! Então, aprendemos com os sofrimentos humanos. Há muito progresso, mas também há muita desumanidade."

Senti que aquele era o momento ideal de começar a dar a virada na entrevista. Respirei fundo e mandei ver.

"Padre também tem que ter autocrítica pelos seus atos?"

"Certamente. Ele é homem, e uma pessoa inteligente tem que ter discernimento."

"O senhor acha que já cometeu pecados também?"

O monsenhor me olhou fixamente, parecia querer me reprender pela ousadia da pergunta.

"Quem nunca cometeu pecados? Como está escrito, atire a primeira pedra quem nunca os cometeu."

"Isso também se aplica a um padre?"

"Como disse, padres são humanos. São homens antes de tudo."

Naquele momento, meus sólidos princípios católicos de infância pesavam e se tornava dolorido fazer aquelas perguntas. Lembrei a mim mesmo que estava em uma missão. Pensei na dor das vítimas e no quão importante e benéfica essa investigação poderia ser para a própria Igreja Católica. O pensamento bíblico de separar o joio do trigo veio à minha mente. Eu precisava continuar.

"Que pecados o senhor já cometeu?"

Ele abriu os punhos, tentando demonstrar contrariedade.

"Confessar pecado só no confessionário."

Senti que era hora de pôr as cartas na mesa.

"Padre, viemos aqui porque estamos investigando uma denúncia de que haveria uma série de casos de pedofilia nessa região."

"Olha, a gente ouve coisa do tipo em toda a parte", tentou desconversar.

"O que o senhor sabe sobre isso? Tem muitos casos de pedofilia aqui?"

"Não tantos como há mundo afora. Arapiraca ainda é pequena, né?", murmurou, esboçando um leve sorriso.

"Mas o problema de pessoas que abusam de crianças é muito sério aqui na região?"

"Eu acho que é mais homossexualismo do que pedofilia."

Por um segundo, me vem à mente que, já naqueles dias, homossexuais não admitiam mais se falar em "homossexualismo", mas sim em "homossexualidade".

O ambiente começava a ficar tenso.

"Que tipo de pecado está cometendo um padre que pratica pedofilia?"

"Pecado mortal." Sua resposta é contundente, mas ele completa: "Ele, porém, pode se arrepender disso."

"Pode se arrepender?"

"Claro! Tem cachaceiro que, quando vem aqui dizendo, 'Ah, eu bebo muito', eu lhe digo: 'Conheça um cachaceiro para depois dizer que é um'."

"O senhor sabe de algum caso que envolva padres aqui na região? Padres que abusam de crianças? De coroinhas?"

"Não sei nada sobre isso."

É agora!, pensei. Procurei demonstrar a maior tranquilidade possível. Segurança é tudo nessas horas.

"Nos seus cinquenta e oito anos de sacerdócio, o senhor já abusou alguma vez de um coroinha?"

O padre gesticulou com os braços e, em seguida, me fuzilou com os olhos.

"Não posso dizer isso! Qualquer pecado que eu tenha cometido, só posso falar ao meu confessor. O senhor não tem esse direito!"

"Eu sei, mas o senhor já praticou algum ato desse tipo?", insisti.

"Não posso dizer ao senhor. E nem admito que venha à minha casa para saber disso. O senhor está entrando na minha privacidade!"

Àquela altura, não havia mais volta. Tinha de completar a missão. Para mim, quanto maior a adrenalina, maior a segurança. Sempre fui assim.

"É que recebemos uma denúncia que diz respeito ao senhor..."

"Qualquer um pode fazer uma denúncia", retrucou ele. "Eu não posso dizer mais nada sobre esse assunto!"

"Mas o senhor admite ou nega essa informação?"

"Não posso admitir, nem negar nada. É caso de confessionário!"

Se fosse apenas um caso de calúnia, ele teria negado prontamente, pensei comigo mesmo.

"O senhor nunca abusou de coroinhas?"

"Não posso dizer nada para o senhor!"

"Então a sua consciência está tranquila?"

"Nada posso dizer a esse respeito."

"Mas em relação à sua consciência..."

"Não admito que venha à minha casa falar sobre esse assunto!", interrompeu-me o monsenhor, levantando-se da cadeira. "É melhor o senhor sair daqui."

"Apenas estamos querendo esclarecer as coisas. Como eu disse, pessoas fizeram denúncias."

"Não, nada disso. Há muitos pecados no mundo que vocês deveriam cuidar... Muito mais sérios do que isso."

"Que tipo de pecados?"

"Não sei, já basta. Conversa encerrada."

"Uma última pergunta para o senhor..."

"Eu já encerrei essa conversa", interrompeu-me novamente.

"Se soubesse de um caso desse na sua paróquia, o senhor apuraria o fato ou não?"

"A questão está encerrada, por favor! Ô, Maria!", gritou procurando a empregada. Ela apareceu, assustada.

"Está bem, padre. Obrigado", eu disse. "O senhor, por favor, desculpe o assunto, mas é que eu recebi a denúncia e tenho que apurá-la."

"Tenha muito cuidado ao fazer essas perguntas na casa das pessoas. Acho melhor cuidar da sua vida. Evite fazer qualquer pecado no mundo, está bom?"

"Está certo, padre. Boa noite para o senhor."

Saí da casa paroquial ainda mais convencido de que algo de muito grave acontecia nos intramuros das paróquias de Arapiraca.

Já na rua, olhei para o céu aberto, de começo de noite, e encontrei a lua cheia. Enigmática, como a mostrar o poder de seu brilho de iluminar trevas.

Não havia tempo a perder. Provavelmente, monsenhor Luiz comentaria a minha visita com o monsenhor Raimundo e também com o padre Edílson Duarte. A distância entre a igreja de São José e a de Nossa Senhora do Carmo não era grande.

Ouvi os sinos da paróquia da Nossa Senhora do Carmo dobrando. Por instantes, parei para admirar o momento. Ao som dos sinos, a construção chamava ainda mais a atenção, especialmente pela pintura impecável em tom vermelho-claro. A casa paroquial ficava ao lado da igreja. Ambas protegidas por altos portões de ferro, tinham sido construídas havia menos de quatro anos. A igreja em si não era imensa, mas mantinha um bom estado de conservação. Planejei como pretendia abordar o monsenhor Raimundo, vigário-geral da diocese de Penedo e também acusado de abusar de coroinhas, garotos que sempre confiaram nele.

Mais uma campainha é acionada. O interfone deu sinal de que alguém o atendeu. Ouvi uma voz de mulher, em estilo semelhante àquela que me atendera na casa paroquial do monsenhor Luiz.

"Alô, quem é?"

"Alô, boa noite. Por gentileza, o monsenhor Raimundo está?"

"Por favor, um momento. Vou verificar."

Passaram-se longos segundos, até que a mulher voltasse com a informação.

"Ele não está, mas quem gostaria?"

"É o Roberto, de São Paulo. Como faço para falar com ele, por gentileza?"

"Ele não está no momento."

Ou o monsenhor realmente não estava, ou tinha ordenado que tentasse me despistar – àquela hora, já devia ter recebido uma ligação do monsenhor Luiz contando-lhe a presença de um repórter que perguntava sobre abusos contra coroinhas.

Perguntei a quem atendeu o interfone a que horas eu poderia falar com ele. Em vez de me responder, sugeriu que deixasse recado. Informei-lhe, então, que precisava conversar com o monsenhor pessoalmente.

"Olha, ele saiu cedo e até agora não chegou. Está em reunião", a mulher me respondeu.

"Está bem, volto mais tarde."

Eu me afastava do interfone quando um vizinho sinalizou para mim. Ao me aproximar daquele senhor baixo, de bigodes amplos, ele me disse:

"Não diga que fui eu que falei, mas sei que o monsenhor Raimundo está aí, sim."

Um carro prateado se aproximou de onde estávamos e dele desceu um homem moreno, usando camisa branca e uma gravata vermelha fixada por um reluzente prendedor dourado. Ele caminhou em nossa direção. Queria saber o que fazíamos ali.

"Quem é o senhor?", tomei a iniciativa.

"Meu nome é Jordão Vieira. Sou paroquiano." Ele procurou ser amistoso, pelo menos no início. "O prazer é grande. Estou reconhecendo você da televisão."

"Eu queria falar com o monsenhor Raimundo."

Jordão balançou a cabeça.

"Ele não está", disse. "A menina que trabalha para ele me ligou, dizendo que havia um pessoal procurando o monsenhor, e me pediu que o ajudasse."

Ao mesmo tempo que fui educado, mostrei firmeza no meu propósito:

"Como faço para falar com o monsenhor Raimundo, por gentileza?"

"Ah... A-a-a gente tem que ver", gaguejou para responder. "Ele viajou hoje..."

Perguntei ao Jordão se ele sabia se o monsenhor voltaria ainda naquele dia, mas ele não tinha certeza. Completei dizendo que queria falar com o sacerdote porque talvez ele pudesse me ajudar em uma reportagem.

"Não quer me falar do que se trata para eu conversar com ele?"

"É um assunto meio pessoal", afirmei ao Jordão. "A conversa tem que ser com ele mesmo."

"Entendo."

Naquele instante, dois coroinhas apareceram, trazendo uma bandeja com copos e uma jarra de água.

Pedi a ele que me mostrasse a paróquia, a fim de quebrar o gelo e observar melhor o ambiente na casa paroquial. Jordão sorriu. Abriu as portas e, com os braços, sinalizou que éramos bem-vindos. Entrei, e logo na primeira sala observei fotografias fixadas em uma parede branca: fotos do papa Bento XVI, de dom Valério Breda – o bispo de Penedo –, de monsenhor Luiz Marques e de monsenhor Raimundo Gomes. Em outra sala, reparei nos bancos impecavelmente envernizados e no altar de mármore aos fundos. Três mulheres rezavam fervorosamente uma Ave-Maria, sem se importar com a presença de visitantes. O som da oração não me impediu de ouvir o barulho de outro carro chegando. Dei passos apressados em direção à rua, a fim de checar o que ocorria. Vi um homem de óculos e gestos educados, vestindo camisa social bem cortada de cor branca e calça social cáqui. Ele caminhou em direção à entrada da casa paroquial. Quando nos encontramos no portão, ele se identificou:

"Prazer, Roberto Cabrini. Sou Daniel Fernandes, advogado de monsenhor Raimundo." Depois, também informou representar o monsenhor Luiz. "Sei que você quer falar com o monsenhor Raimundo. Solicito que nenhuma gravação seja feita neste momento. Primeiro, preciso de uma conversa preliminar para saber se autorizo ou não que se faça a reportagem. As condições são essas. Você pode tirar o microfone?"

Ele reparou no pequeno microfone na lapela de minha camisa.

"Sem problemas. Recebemos denúncias extremamente sérias e graves de pedofilia na igreja e queremos conversar com ele para ver se as acusações procedem ou não."

"Perfeito, tudo bem."

"Mas insisto no uso do microfone, pois isso precisa ser documentado", declarei de modo firme. "Chegou ao nosso conhecimento que há vítimas, pessoas sofrendo, abusos..."

O paroquiano, que estava ao nosso lado, riu debochadamente. Percebi que precisava mostrar a seriedade da ocasião e me impor como profissional.

"Do que o senhor está rindo? Considera isso engraçado?"

O paroquiano Jordão diminuiu o riso do rosto:

"Rapaz, estou rindo porque são denúncias vazias."

"Então o senhor acha isso engraçado?", insisti.

"Não, de modo algum", o advogado se adiantou.

"Há acusações, e queremos saber se isso procede ou não", reafirmei.

O advogado me fitou demoradamente.

"Mais uma vez, reitero... Vocês devem ter, acredito eu, uma assessoria jurídica. Devem saber como proceder com relação à divulgação de imagens, respeitando obviamente a lei de imprensa."

"Esperamos que o mesmo tipo de respeito que religiosos têm com a comunidade, eles tenham com coroinhas. O senhor concorda comigo?"

Ele deu um passo atrás, um tanto surpreso com aquele golpe da argumentação.

"Concordo plenamente. Me espere aqui fora, que eu vou falar com o monsenhor."

Uma hora depois, o advogado Daniel reaparecia na entrada da casa paroquial.

"O monsenhor Raimundo aceita falar, mas impõe uma condição: não podem gravar seu rosto, apenas sua voz."

"Ok, combinado."

Em cinco minutos, recebi autorização para entrar em um pequeno escritório. Sentado atrás de uma mesa, vi a figura de monsenhor Raimundo Gomes. Homem bem-apessoado, ele tinha cabelos grisalhos caprichosamente penteados, como os de galã de filme norte-americano. Vestia uma túnica, e levava um grande crucifixo no peito.

"Boa noite, senhor Roberto Cabrini. Estou à sua disposição", disse em tom grave, separando cada palavra, a fim de dar-lhes um ar solene.

"Obrigado por me atender, monsenhor."

Em questão de minutos, Márcio deixou a câmera apontada apenas para mim, com microfones instalados no entrevistador e no entrevistado. E então começamos a gravar.

"Estamos aqui, na paróquia Nossa Senhora do Carmo, e o monsenhor Raimundo Gomes pediu que sua imagem não fosse registrada."

Voltei-me então ao sacerdote:

"Monsenhor, há denúncias de abuso sexual contra coroinhas, menores de idade, envolvendo padres da sua paróquia, inclusive o senhor. Essas denúncias procedem?"

"Padres da diocese?", respondeu-me ele com outra pergunta.

"Não, da sua paróquia."

"Mas eu sou o único da minha paróquia…"

"O monsenhor Luiz não é da sua paróquia?"

"Ah, sim. Verdade", admitiu o monsenhor Raimundo.

Aposentado, monsenhor Luiz era figura de honra da paróquia. Monsenhor Raimundo me testou, tentando apostar em uma possível desinformação de minha parte… E percebeu que aquele não era o caso. Ele, então, respondeu a questão novamente, escolhendo cuidadosamente cada palavra.

"Não tomei conhecimento de tais fatos. Todos sabem da minha índole, do meu trabalho pastoral, de evangelização nesta comunidade. Assim, desconheço a procedência de tais denúncias e fatos neste momento. Essas denúncias são uma surpresa nesta comunidade paroquial."

O vocabulário rebuscado do monsenhor Raimundo chamou a minha atenção. Ele gostava de impressionar usando palavras formais, que iam além do que o momento requeria.

"Para que fique totalmente claro, monsenhor… O senhor algum dia cometeu abuso sexual contra coroinhas de sua igreja?"

Ele respirou fundo e respondeu em um tom mais alto:

"De jeito nenhum! De jeito nenhum…"

"Que tipo de explicação o senhor encontra para essa denúncia?"

"São apenas calúnias para deturpar a imagem do sacerdote, sobretudo neste ano sacerdotal."

"Jamais aconteceu algo que desse margem a esse tipo de acusação?"

"Jamais", confirmou. "Os próprios coroinhas estão aí para dizer quem é o monsenhor Raimundo."

Sem mais perguntas a serem feitas, agradeci ao monsenhor – que ainda me deu a sua bênção – e deixei a paróquia. Saí de lá com a sensação de que os próximos desdobramentos mostrariam se os abusos de fato aconteciam sistematicamente, alimentados pela lei do silêncio.

Naquela mesma noite, fui ao encontro dos coroinhas em um posto de gasolina afastado. Revisamos a estratégia da investigação e os nossos próximos passos. Se tudo não passasse de uma invenção das supostas vítimas, os acusados não abordariam os coroinhas que os denunciavam. Se tudo fosse verdade, no entanto, os garotos seriam procurados rapidamente, como uma última tentativa de abafar o caso. Expliquei aos meninos que provavelmente teríamos uma ótima oportunidade de iluminar os acontecimentos. Alertei que a partir daquele momento eles precisariam registrar todos os diálogos entre eles e os acusados ou seus representantes. O teor dessas conversas poderia fornecer provas preciosas sobre o que de fato aconteceu, além de me ajudar a entender melhor as particularidades do caso. Os rapazes entenderam todas aquelas questões e concordaram, afirmando que eu podia contar com eles.

Era tarde da noite no agreste, e o complicado jogo de poder estava em curso. Começava o cerco às testemunhas. A lua cheia prometia revelações.

Os coroinhas, àquela altura, estavam equipados com gravadores nos telefones e microfones escondidos em suas roupas, prontos para registrar eventuais encontros... A indumentária fora fornecida por nós.

Se meus cálculos estivessem certos, eles seriam procurados em pouco tempo. Não demorou muito e pude constatar que eu tinha razão. O estridente toque de celular ecoou. Vinha do aparelho do Flávio, o coroinha que gravara o vídeo do monsenhor Luiz fazendo sexo com Fabiano.

O responsável pela chamada insistente era o advogado dos padres, Daniel Fernandes, com quem eu falara havia pouco tempo. Em tom duro, ele exigiu que Flávio fosse até seu escritório. Nervoso, o coroinha encerrou a ligação.

"Você precisa ter calma, Flávio. Estamos gravando tudo", disse a ele na voz mais serena que pude.

"Ok, vou tentar."

Novamente o telefone tocou.

"Alô? Cadê você?"

Daquela vez, o coroinha seguiu à risca as minhas orientações.

"Estão me seguindo, dr. Daniel. Não vou poder ir aí, não. Estou morrendo de medo."

"Quem lhe disse que o estão seguindo?", o advogado se mostrou surpreso e irritado.

"A minha mãe me falou que estão me filmando..."

"Filmando você? Só tem um carro deles aqui, e eu já estive com eles hoje. Venha ao escritório!"

"O que eles querem?"

O advogado hesitou por instantes antes de lhe responder:

"É sobre aquele assunto..."

Flávio mais uma vez disse-lhe estar com medo, dizendo que nós, da equipe, podíamos estar vigiando o advogado. Daniel declarou que aquilo não era possível – afinal, seu carro nem possuía placa. O coroinha não deu o braço a torcer e propôs um encontro no dia seguinte, mas o representante dos monsenhores foi ainda mais incisivo. Repetiu, de modo autoritário, que precisava falar com Flávio naquele instante. Ordenou que o jovem fosse ao seu encontro e que pensariam juntos em como lidar com aquela situação. Por fim, o rapaz concordou em ir ao escritório de Daniel, ao que o advogado advertiu:

"Não conte a ninguém que você está vindo para cá!"

O coroinha se encontraria com Daniel devidamente equipado com um microfone escondido, é claro. O escritório, em um prédio da área nobre de Arapiraca, não era muito longe dali.

Quando chegamos ao local, estacionamos na calçada oposta do prédio, a 20 metros de distância. Pudemos ver que a luz do escritório do advogado no 2º andar permanecia acesa, contrastando com o restante do prédio e com a vizinhança que àquela hora repousava solenemente. Avistamos o representante dos padres de perfil, a mão segurando o queixo, à espera de seu visitante.

Flávio caminhou para o reduto de Daniel. Com a autorização do coroinha, filmávamos o encontro e acompanhávamos toda a conversa, graças a um radiotransmissor acoplado ao microfone.

"Mas o que eles realmente querem?", o jovem se aproximou do advogado, perguntando-lhe de pronto.

"Alguém enviou para aquele repórter uma denúncia de que havia casos de abuso de menores na paróquia daqui. E que isso envolvia os monsenhores Luiz e Raimundo, e também outros dois padres. A acusação só pode ter partido da própria comunidade."

"E o que o monsenhor fez com as fitas?"

"Destruiu tudo!" Daniel gesticulou nervosamente. "Já não existe mais nada daquele pacote que você me entregou, acho que com dois ou três DVDS, né? Foi tudo triturado e queimado!"

O rumo da conversa começou a assumir tons mais ameaçadores.

"Pensem bem até onde vocês vão levar essa história, porque se isso desandar, será difícil botar freio... E tem mais: todo mundo sai prejudicado. Vocês, muito mais! Ainda tenho fé de que isso não vai dar em nada, vai acabar esfriando. Mas vocês carregarão a culpa por algo sem sentido pelo resto da vida."

De longe, vi Flávio assentindo. O jovem ainda perguntou por que a nossa equipe foi atrás tanto do monsenhor Luiz quanto do Raimundo, e o advogado lhe respondeu que ambos haviam participado "daquele acordo".

Assim que o garoto deixou o escritório de Daniel e, com a certeza de que já estava longe dos olhos do advogado, foi ao nosso encontro duas quadras adiante, questionei-o:

"Que acordo é esse que vocês falaram na conversa, Flávio?"

"Amanhã vou lhe mostrar o documento", afirmou.

Arapiraca não dormia. As pressões contra as testemunhas prosseguiam. Depois de Flávio, era a vez do coroinha filmado fazendo sexo com o monsenhor ser chamado ao escritório do advogado Daniel.

Fabiano foi até lá. Mais uma vez mediante autorização do coroinha, acompanhávamos gravando tudo. Assim que a porta do escritório se fechou, o advogado foi direto ao ponto, dizendo-lhe que eu estive na casa do monsenhor Luiz e, depois, na do monsenhor Raimundo. Nesta última, ele havia chegado a tempo e intermediara a conversa.

"É a história que a gente sabe...", completou Daniel. "É sobre aquilo que o padre faz... Bem, você sabe..."

Então, passou a orientar o coroinha sobre como proceder caso fosse abordado por mim.

"Quando perguntarem a você o que tem a declarar sobre o assunto, diga-lhes: 'Não! Jamais! Comigo o monsenhor não fez, e eu não tenho nada para falar sobre isso'."

"Então é para negar tudo?"

Novamente a técnica de repetir as mesmas frases várias vezes...

"Não dê conversa ao repórter. Ele tem um jeito de fazer perguntas, mas logo na primeira você diz: 'Isso não é comigo, não tenho nada a falar sobre isso. Não é comigo! Nada tenho a falar sobre isso'."

Em seguida, a postura ameaçadora do advogado veio à tona:

"Tome cuidado, rapaz. Se entrarem nessa, o prejuízo para vocês é maior do que para todo mundo", disse apontando o dedo em direção ao coroinha. "Se essa investigação for um pouquinho adiante, tomarei as providências que eu já devia ter tomado desde o início!"

Quantas descobertas para um dia e uma noite! Era hora de descansarmos, mas antes combinei com os coroinhas:

"Amanhã vocês me mostram o tal documento do acordo."

Na manhã do dia seguinte, encontrei-me com os dois em frente à casa de Flávio. De uma pasta, ele tirou a cópia de um documento oficial, com firmas reconhecidas em cartório.

Tratava-se de um termo de compromisso entre os coroinhas e o monsenhor Luiz. Nele ficava acertado que o vídeo em que o sacerdote aparecia fazendo sexo com Fabiano não seria divulgado. Em troca, o monsenhor se comprometia a pagar uma dívida de 32.250 reais. O documento, assinado pelos coroinhas e pelo monsenhor Luiz, continha ainda outra importante informação: mencionava que uma cópia do vídeo das relações sexuais fora entregue a dom Valério Breda, justamente o bispo da diocese de Penedo, à qual as paróquias de Arapiraca estavam subordinadas.

Quando terminei de ler o documento, observei os coroinhas. Fabiano se adiantou:

"Eles nos pressionaram para que lhes entregássemos a gravação. Que não era para mexermos nesse assunto de modo algum. Foi um cala-boca. O monsenhor Raimundo estava presente na negociação e nos perguntou: 'Vocês querem dinheiro para acabar com isso?'"

"Afinal de contas…", falei pausadamente, "o padre Luiz foi extorquido?"

"De maneira alguma!", os dois garantiram.

No dia seguinte, soube que a defesa dos padres planejava alegar que nunca houvera abuso, apenas relações homossexuais consensuais. E que os meninos estariam tentando extorquir os religiosos.

Voltei àquele assunto, mas com Flávio. Perguntei-lhe se fizeram aquela filmagem com a intenção de extorquir os padres, ao que ele negou. Lembrei ao rapaz que havia sido paga aos coroinhas a quantia de mais de 30 mil. Ele relatou que o valor era para cobrir uma dívida de cartão de crédito e que o advogado representante dos padres foi o responsável por quitar o montante. Pelo acordo, os coroinhas teriam de entregar a gravação, a fim de que fosse destruída – mas, sem ninguém saber, decidiram ficar com uma cópia, por segurança.

"Caso um dia eles nos fizessem algum mal, essa era a minha prova!", explicou Flávio.

Depois daquela conversa, eu tinha muito o que pensar. Se, em algum momento, a intenção dos meninos tinha sido a de ganhar algum dinheiro, isso, naquele momento, era quase irrelevante diante do fato central: o uso de poder para cometer abusos contra garotos menores de idade sob intensa influência dos religiosos.

O documento, que deveria ser uma garantia para os padres, era, na verdade, uma prova contundente de que os abusos de fato ocorreram e que tentavam escondê-los a qualquer custo. Refleti que a reação daqueles rapazes foi uma consequência do meio que lhes era imposto.

A partir daquele dia, passamos a ser seguidos por carros estranhos em Arapiraca. Tínhamos sempre que nos dividir e várias vezes mudar de hotel.

Repassei com Dacau, Márcio e Vavá tudo o que já sabíamos sobre o caso, e lembrei-me de que havia ainda outro padre envolvido naquela história.

Procurei Fabiano e o chamei em um canto.

"O que você me contou brevemente outro dia é verdade? Você era abusado por outro padre também?"

"Sim, pelo padre Edílson Duarte."

"Em que situações aconteciam os abusos?"

"Na frente da minha mãe mesmo. Ele me elogiava, dizendo: 'Quero esse menino para mim'. Minha mãe nem percebia o que ele queria dizer com aquilo, mas bastava ele ficar sozinho comigo que logo começava me acariciar e pedir sexo, sem aceitar um não como resposta."

O padre Edílson Duarte era o mais novo dentre os sacerdotes acusados. De físico atlético, aquele padre moreno de cabelos fartos, com 40 e tantos anos, era um dos responsáveis pela igreja mais importante de Arapiraca: a Catedral de

Nossa Senhora do Bom Conselho. Angariou aquela posição após ter ficado sob o comando de monsenhor Luiz em outra paróquia.

Minha equipe e eu decidimos que Dacau iria até a catedral à procura do padre Edílson, levando consigo uma câmera muito bem escondida. Chegando lá, ele se apresentou como um jornalista de São Paulo em busca de esclarecimentos sobre supostos abusos de padres contra coroinhas.

"Não sei quem levantou essas denúncias", respondeu o sacerdote logo de cara.

O padre mostrou-se desconfiado. Bateu no peito de Dacau, checando se havia algum microfone escondido, além de perguntar a todo instante se ele estava gravando.

"Cadê o microfone? Onde você o escondeu?"

Ele voltou a apalpar o corpo do jornalista, mas não conseguiu encontrar nada. *Comportamento estranho para alguém que garante ser inocente*, pensei.

No final, ele se despediu com um sorriso irônico:

"É o seu trabalho, sua pesquisa. Deus lhe abençoe..."

Outros coroinhas me contaram sobre a participação do padre Edílson naquele esquema sistêmico de abusos, inclusive um menino de 10 anos.

"Fui confessar e o padre me abraçou, dizendo que eu era bonito."

A mãe me contou que o filho voltara para casa transtornado.

"Ele estava muito nervoso. Quando se sentou do meu lado, eu lhe perguntei: 'Filho, não vai rezar? Não vai fazer a penitência que o padre pediu?'. Ele me respondeu: 'Não, mãe. Eu quero ir embora'. Então o questionei sobre o que havia acontecido. Ele me contou quando estávamos fora da igreja. Fiquei revoltada. Como pode uma pessoa que representa Cristo agir assim? Confiávamos nele..."

Em todos os casos, o monsenhor Luiz aparecia como a porta de entrada para a ação dos outros padres. Eles tinham tudo na mão: a confiança inicial dos pais dispostos a entregar a eles seus próprios filhos; uma posição de prestígio tanto para os meninos quanto para as famílias; o respeito da comunidade; e um padre agindo para defender aquele terrível segredo. Se o silêncio fosse mantido, ninguém sairia perdendo. Até que um dia dois deles se revoltaram. E outros perderam o medo...

Tínhamos material mais que suficiente para um primeiro programa sobre os abusos. Calculei também que, após o programa inicial, provavelmente outras vozes apareceriam, incentivadas pela matéria e convencidas de que era preciso superar o medo. Minha experiência em tantas outras investigações apontava nessa direção.

Quando me despedi de Fabiano, ele tirou do bolso uma foto. Lá estava um menino de 12 anos, exibindo um sorriso forçado ao ser abraçado por monsenhor Luiz, vestido para a missa de domingo. Reconheci os traços do rapaz ao lado de um monsenhor mais vigoroso do que eu tinha visto dias antes. Após me desejar uma boa viagem a São Paulo, o jovem segurou o meu braço, pedindo a minha atenção.

"Este homem acabou com minha vida, com a minha infância, Cabrini. Não consigo superar isso…"

E chorou copiosamente.

* * *

Na noite de 11 de março de 2010, foi ao ar em rede nacional pelo SBT, numa edição do *Conexão Repórter*, o primeiro documentário *Sexo, intrigas e poder*. Comecei o programa desta maneira:

"Boa noite. Durante semanas, investigamos denúncias de abuso sexual contra coroinhas de uma das principais cidades do Nordeste brasileiro. Abusos cometidos em nome de Deus. Os acusados: padres da igreja local. Mais grave ainda são as tentativas orquestradas para encobrir o caso."

Tudo o que tínhamos documentado até então foi mostrado em detalhes em uma reportagem de cinquenta minutos, com depoimentos, documentos e várias provas. O vídeo mostrando o monsenhor em ato sexual com o coroinha foi incluído com ressalvas: a imagem embaçada por efeitos chamados tecnicamente de *blur* sugeria o ocorrido, mas preservava os detalhes gráficos mais íntimos. A filmagem, as declarações dos coroinhas, das testemunhas, as entrevistas com os dois monsenhores e as gravações das tentativas de manipulação do caso chocaram a população. Uma bomba atômica para milhões em todo país. E não só nele. A repercussão foi mundial. Os maiores veículos de comunicação do mundo abriram grande espaço para falar da investigação e da denúncia do *Conexão Repórter*, como a rede CNN e os jornais *The New York Times* (Estados Unidos), *Le Monde* (França) e *El País* (Espanha).

Em Arapiraca, então, não se falava em outro assunto. O povo da cidade ficou escandalizado e, em um primeiro momento, dividido.

"Queremos justiça! Esses padres safados não podem fazer isso", dizia uma parte dos fiéis, revoltada com as coisas que tinha tomado conhecimento.

"A culpa é dos meninos que querem ganhar dinheiro em cima dos padres", defendia a outra metade, manifestando certo apoio aos sacerdotes.

Dois dias depois da exibição do programa, o bispo da diocese de Penedo, dom Valério Breda, anunciou durante a celebração da missa de sábado que os dois monsenhores e o padre denunciados haviam sido afastados de suas funções, e que fora aberto processo administrativo penal nos termos do Código Canônico.

Lembrei-me imediatamente de todos os indícios de que o bispo já tinha conhecimento dos fatos e nada fizera.

A diocese ainda emitiu uma nota distribuída em caráter de urgência: "Reprovamos de forma irrestrita, e com o coração despedaçado pela vergonha e pela tristeza, os fatos mesmo que ainda não provados, veiculados na referida reportagem, que revoltam a sã consciência humana e cristã". O texto ainda acrescentava: "Se há jovens vítimas como a apresentação dos fatos parece aludir, sentimo-nos mais consternados e no dever da reparação".

A posição era dúbia. Falava em reprovação dos atos, mas, ao mesmo tempo, insistia que eram fatos ainda não provados.

Cinco dias após a veiculação da reportagem, foi a vez de o Vaticano, em ato histórico e inédito até então, reconhecer a existência de abuso sexual de menores cometidos por sacerdotes no Brasil.

"Eram padres", declarou o porta-voz da Santa Sé, o padre Federico Lombardi. Ele ressaltava que não eram bispos os envolvidos, e acrescentou, referindo-se aos religiosos envolvidos: "Um deles foi afastado da paróquia e será julgado pela Justiça civil. Os outros dois foram suspensos de suas tarefas eclesiásticas e estão sendo submetidos a um processo canônico por suspeita de pedofilia, mas até agora negam tudo".

O caso ganhou ainda maior dimensão por se integrar a um contexto de ajuste de contas de dezenas de vítimas de abusos praticados por padres católicos em outros países, com destaque para o Reino Unido. Denúncias que incluíam até mesmo suspeitas de que o papa Bento XVI teria encobertado casos do tipo, o que ele sempre negou. Até no Brasil alguns veículos de imprensa tentaram defender os padres. A Igreja mantinha seu poder de abafar crises. Mas eu sabia que a investigação não pararia ali.

Recebi uma enxurrada de *e-mails*, ligações e cartas me incentivando a continuar a investigação. E também fui alvo de ameaças anônimas e críticas. Dentro da Igreja no Brasil, críticas veladas ou mais abertas se intercalavam com apoio de setores que consideravam fundamental a apuração – para o bem da própria Igreja.

Eu tinha consciência do que estava em questão. O que se denunciava era um comportamento de uma minoria, mas uma minoria que não podia comprometer a maioria honesta e íntegra. Passei muitas horas refletindo sobre o assunto, e no final reforcei a convicção de que era preciso avançar.

Continuava acreditando que, após a exibição da primeira denúncia, outras vítimas e testemunhas perderiam o medo e forneceriam mais informações. Era hora de voltar a Alagoas – hora de retornar ao agreste.

* * *

Uma cidade à procura de respostas. Essa era Arapiraca um mês depois das denúncias.

Na primeira reportagem, os coroinhas eram apenas sombras. Agora, eles ganhavam rostos, nomes e ainda mais coragem. A essa altura, contávamos com um importante acréscimo na equipe: a produtora Bruna Estivalet, que passara a participar do sigiloso trabalho de identificação de vítimas dos religiosos.

O coroinha filmado em ato sexual com monsenhor Luiz Marques Barbosa e também o que realizou a gravação eram pessoas em transformação. Ganharam confiança, perderam o medo e decidiram gravar novas entrevistas comigo – mas agora sem esconder suas faces. De certo modo, Fabiano e Flávio respiravam um pouco mais aliviados.

O depoimento de Fabiano começou com ele informando seu nome completo. Quando perguntado por que aceitara se identificar e fizera questão de mostrar o rosto, respondeu:

"Quando a gente quer mostrar a verdade, não há outra maneira de manter a palavra e mostrar a minha pessoa. Não tenho medo, não sou bandido... A única coisa que eu fiz foi contar uma verdade que aconteceu na minha vida."

"Se você for confrontado com os padres, você confirma que os abusos ocorreram?"

"Com certeza."

Em outra sala, Flávio prestava o mesmo tipo de testemunho, permitindo ser identificado ao mostrar o rosto e fornecer o nome completo.

"Desta vez, fiz questão de mostrar o rosto porque muitas pessoas estavam falando que somos 'extorquistas', que somos covardes porque não mostramos a nossa face. Então agora estou revelando a minha identidade para que todos saibam o que passamos e que em nenhum momento extorqui padre algum, nem muito menos tentei fazer qualquer safadeza com eles. Pelo contrário, eu sou vítima de tudo isso o que está acontecendo."

Procurei reafirmar depoimentos. Medir convicções. Apurar mais detalhes. Flávio confirmou que foi abusado pelos dois monsenhores denunciados.

"Com o monsenhor Raimundo, os abusos aconteceram de 2003 até 2005. Ele sempre vinha querendo fazer algo comigo... Ele me segurava, me dava perfume e depois ligava para mim, pedindo que fosse à igreja conversar com ele. Quando eu chegava lá, ele dispensava a empregada e ficávamos só nós dois na casa. E aí ele começava os abusos. Eu não tinha como dizer não a ele. Tinha medo de que, se eu falasse a respeito do que estava acontecendo, eles fariam alguma maldade comigo."

Flávio ainda confirmou que os monsenhores sabiam dos atos abusivos um do outro.

Na entrevista com Fabiano, pude esmiuçar a gravação do vídeo de ato sexual que deu origem à investigação. O rapaz relatou que fez a filmagem em uma tarde.

"Eu estava na igreja São José. O monsenhor Luiz me chamou para ir à casa paroquial para que o ensinasse a usar o computador. Chegando lá, usamos o computador. Ele visitou alguns *sites* pornográficos e depois me levou para o seu quarto, onde aconteceu o ato que foi filmado."

Flávio afirmou que não se arrependia de ter gravado tudo, completando que gostaria de ter feito aquilo antes, mesmo tendo sido acusado de invadir um domicílio. Segundo o jovem, aquela era a única maneira de dar um basta na situação. Nunca acreditariam neles, se não fosse a gravação.

Em determinado momento da entrevista, mostrei para Fabiano as imagens gravadas por Flávio. No momento em que apareceu o monsenhor Luiz perguntando "Quem está aí?", questionei o rapaz se aquilo era uma montagem. Ele negou.

"Quem é monsenhor Luiz para você hoje?", questionei-lhe.

"É um demônio vestido de batina. Porque uma pessoa que se aproveita de mentes fracas, de jovens, de crianças, com certeza só pode ser um demônio."

Sabia que era preciso eliminar qualquer dúvida. Então, já havia submetido as imagens ao perito Ricardo Molina, da Universidade Estadual de Campinas, considerado a referência nesse assunto.

"Comparando todos os elementos passíveis de análise em identificação facial, a conclusão é positiva", declarou o perito. "E alguns deles seriam muito raros de acontecer. A conformação dos lábios é exatamente a mesma. A da boca, do nariz, o desenho do lóbulo da orelha, também exatamente iguais. Assim como a inserção capilar, quer dizer, o desenho que o cabelo faz na sua inserção do topo da cabeça. E o mais importante de tudo: há certas manchas na face que estão localizadas exatamente na mesma posição. A probabilidade de isso acontecer por acaso é praticamente nula, até mesmo no caso de gêmeos idênticos. Então pode-se afirmar, acima de qualquer dúvida razoável, que se trata da mesma pessoa. A pessoa filmada no vídeo original é a mesma entrevistada pelo Cabrini."

Na minha conversa com Fabiano, ele esclareceu que na época da gravação tinha 18 anos. Questionei se, por ser maior de idade, poderia ter declarado ao monsenhor que não desejava ter aquele tipo de relação com o sacerdote.

"De modo algum", disse o jovem. "Minha cabeça não estava preparada para negar algo ao monsenhor. Os abusos já vinham de muito tempo, estavam fixados na minha mente. Eu tinha que fazer aquilo, não porque eu queria, mas porque era pressionado a fazer."

"A defesa de monsenhor Luiz alega que vocês eram namorados e que a prática de sexo teria apenas começado após a sua maioridade."

"De maneira alguma. Garanto que os abusos começaram quando eu tinha 12 anos de idade e que não éramos namorados. Eu era forçado a manter relações com ele."

"Você é homossexual?"

"Não. Sou heterossexual."

"Mas estava em uma prática homossexual."

"Sim, há muito tempo ele me forçava àquilo. Não tinha aquele tipo de relação com mais ninguém."

Daniel Fernandes, o advogado dos monsenhores, formalizou à Ordem dos Advogados do Brasil em Alagoas um pedido de desagravo público em seu favor. No pedido, o advogado alegava ter sido diretamente ofendido no exercício da profissão, ao ser acusado de ter ameaçado e manipulado testemunhas, bem como em razão de ter seu escritório de advocacia violado.

Era uma tentativa de mudar o foco da questão que, poucos dias depois, sofreu um duro revés. O advogado Ophir Cavalcante, presidente da OAB Nacional, analisou o caso e declarou enfaticamente que a conduta de Daniel não era compatível com a dignidade da advocacia, atividade que deve ser séria, ética e responsável. O líder da OAB Nacional encaminhou o caso para a OAB de Alagoas, a fim de que se instaurasse um processo disciplinar para apurar a conduta do representante dos padres.

Daniel Fernandes desistiu do desagravo e ainda me procurou. Queria me mostrar um diálogo entre ele e os coroinhas que havia gravado antes do acordo financeiro firmado entre o monsenhor Luiz e os jovens.

"Com certeza tenho interesse em ouvir todas as partes e revelar todos os documentos relevantes", disse-lhe.

Até aquele momento, Daniel afirmava que apenas tinha acontecido uma relação sexual consentida entre dois adultos. Mas na filmagem que me mostrava, feita por ele mesmo, em nenhum momento o advogado questionava os coroinhas sobre a veracidade das denúncias de abusos.

Naquela gravação, Daniel perguntava aos coroinhas Flávio e Fabiano por que queriam dinheiro. Flávio respondeu-lhe que desde muito jovem era abusado pelos sacerdotes.

O advogado, então, dirigiu-se a Fabiano:

"Você almeja alguma compensação financeira?"

"Eu quero é que os sacerdotes sejam afastados, que não façam isso com outras pessoas."

"E em relação a dinheiro?"

"Se for um direito meu, e não sei nada sobre isso, talvez procuremos a Justiça para algum tipo compensação."

"Então vocês fizeram tudo isso por dinheiro?"

"Não, de modo algum."

O advogado dos padres advertiu-os:

"Vocês não conseguirão responsabilizar a Igreja."

***

É difícil resistir aos encantos de Penedo, cujo nome significa "a grande pedra". Às margens do rio São Francisco, no sul de Alagoas, é uma cidade pequena. No último levantamento, os habitantes não passavam de 66 mil. Mas a combinação do reflexo das águas do Velho Chico e o esplendor da construção barroca da igreja de Santa Maria dos Anjos tornara o lugar um centro de constante admiração, principalmente para a população católica. Não por coincidência, naquele lugar histórico, com quase 400 anos de fundação, ficava a sede da diocese responsável pelas paróquias de Arapiraca, Feira Grande e outros municípios. Tratava-se de uma terra de fé e peregrinação constantes.

Era noite de Semana Santa, e eu acompanhava impressionado a procissão da via-sacra liderada por dom Valério Breda. À medida que o bispo cortava – em passos lentos, mas firmes – as antigas ruas da cidade em direção à igreja principal, a multidão o seguia carregando a estátua do Cristo crucificado e cantando e rezando com notável fervor. Milhares de pessoas cumpriam o trajeto até a igreja de São Gonçalo Garcia Catedral, construída em 1758, notável por sua fachada de pedra calcária e o altar de estilo acadêmico do século XIX.

Quando a procissão chegou ao ponto final, o bispo subiu as escadarias e se posicionou bem no alto para que todos os fiéis pudessem vê-lo. Orador eloquente, fez um sermão emocionado ao falar da necessidade da fé em Cristo.

Enquanto eu o escutava, pensava se ele aceitaria conversar comigo. Naquele instante, lembrei que, no documento assinado pelos coroinhas e pelo monsenhor Luiz, constava que o bispo, líder da diocese, sabia de tudo – mas nada fizera a respeito. Só havia decidido afastar os padres acusados após a exibição da nossa primeira reportagem.

Recordei-me também de perguntas feitas ao coroinha Fabiano sobre o assunto que eu pretendia abordar com o bispo dom Valério:

"A diocese de Penedo, à qual Arapiraca pertence, sabia o que estava acontecendo?"

"Sim, sabia. O bispo dom Valério tinha ciência."

"Você acha que o bispo foi omisso?"

"Foi. Como bispo, ele deveria ser justo. Ele é a cabeça do clero, líder da diocese. Por respeito à Igreja, aos fiéis, a todos que estão lá por amor a Deus, ele deveria ter tomado uma atitude."

Veio ainda à minha mente uma foto de Flávio, então com 15 anos, ao lado do próprio bispo dom Valério – o líder que, segundo ele, havia sido informado dos abusos e se omitira.

A procissão parecia chegar ao fim, e percebi que os fiéis mais próximos de dom Valério estavam um tanto incomodados com minha presença ali, poucos dias depois das chocantes revelações dos abusos de religiosos próximos do bispo.

Uma senhora de vestido e óculos surgiu entre as centenas de fiéis e se queixou da reportagem. Democraticamente, procurei responder-lhe com toda a delicadeza possível naquele momento:

"Como cristã, com certeza a senhora acredita no conhecido ensinamento 'A verdade vos libertará', não?", argumentei.

"Concordo, mas nós estamos sofrendo tanto."

"Respeito muito o sofrimento da comunidade, mas pense no das vítimas."

"Não faça mais isso, não... Estamos sofrendo demais...", repetiu.

"Há crianças sendo abusadas, elas merecem ser protegidas."

"Mas eles serão punidos..."

A senhora se afastou. Percebi nela sentimentos divididos, um misto de desejo de justiça com incredulidade em relação aos atos dos religiosos.

Observei que o bispo estava quase terminando o sermão. Posicionei-me mais perto de onde ele estava, mas um homem que eu vira conversando com o bispo se aproximou, apresentando-se como assessor de dom Valério.

"Gostaria de saber: o que o jornalista deseja?"

"Ouvir o que o bispo tem a dizer sobre os últimos acontecimentos."

"O que você quer saber dele?"

"Quero saber por que ele não tomou providências antes. Entenda que faz parte de meu trabalho ouvir o lado dele."

"Espere aqui", disse, já se afastando e abrindo caminho entre pessoas que protegiam o religioso.

Observei o homem falando ao ouvido de dom Valério, em um diálogo rápido. O bispo respondeu algo ao assessor, que fez o caminho de volta ao meu encontro.

"Senhor jornalista, Sua Excelência, o bispo, solicitou que lhe informasse que ele já se posicionou sobre o assunto e não deseja mais tocar nele."

Ainda tentei fazer um sinal ao líder religioso quando o vi, por um momento, olhando em minha direção. Ele apenas sorriu levemente para mim e, então, retirou-se em silêncio, sem nada explicar.

Doze dias depois de se negar a conversar conosco, o bispo dom Valério se manifestou por meio de uma nota. Ele insistia que apenas havia sido informado das denúncias pela nossa reportagem. Afirmava que antes disso não tinha ciência dos fatos, contrariando as evidências de que ele tinha conhecimento de tudo – como o documento firmado entre o advogado dos monsenhores e os coroinhas, além do depoimento das vítimas afirmando terem relatado ao bispo os abusos que sofreram.

Ainda havia outra pista ser investigada em Penedo: eu soube que o monsenhor Raimundo Gomes já teria respondido a um processo por abuso de menor anos antes naquela mesma cidade, e a história providencialmente havia sido abafada.

Gastei muitas horas tentando localizar o antigo promotor de justiça de Penedo. Sabia que se chamava Silvio Menezes Tavares, já então aposentado e com fama de corajoso e idealista na defesa dos mais fracos da população. Mais uma vez, escolhi a feira da cidade como o meu ponto de partida daquela investigação. Por ali, todo mundo se conhecia. Comecei a fazer perguntas e, quinze minutos depois, uma vendedora de frutas apontou.

"Aquele é o dr. Silvio."

Enxerguei, a 30 metros de distância, um senhor distinto de bigodes brancos e óculos de modelo antigo. Estava sentado no banco de passageiro de um carro que se preparava para sair. Corri até ele, fazendo sinal para que o motorista me esperasse.

"Doutor Silvio, sou o Roberto Cabrini, jornalista. Posso falar um momento com o senhor?"

Ele concordou educadamente, e logo lhe expliquei a informação que queria confirmar.

"Acompanhei toda a sua ótima reportagem. E, sim, você tem razão. Esse padre, o monsenhor Raimundo, foi processado por mim, aqui em Penedo, por abuso de um menor. Misteriosamente, ele acabou não sendo condenado. Eu, inclusive, relatei isso ao bispo, que declarou não saber o ocorrido. Isso aconteceu há muitos anos. Com as pressões da comunidade de Penedo, monsenhor Raimundo acabou indo para Arapiraca", disse o antigo promotor. Ele completou: "Continue as suas investigações. A comunidade precisa disso".

"O senhor aceita gravar uma entrevista contando essa história?"

"Sem problemas."

Esse era mais um detalhe importante daquela confraria de abusos. O monsenhor acusado em Penedo fora transferido para Arapiraca devido à pressão popular, e, no novo destino, acabou novamente acusado pelo mesmo crime. Rastros da omissão, do silêncio e da impunidade.

De volta a Arapiraca, Flávio gravou, a nosso pedido, suas conversas com o padre Edílson Duarte – pároco da catedral da cidade e também acusado de abusar de menores. Em uma reunião com meu produtor, meu cinegrafista e o próprio coroinha, eu disse:

"Vamos ver como ele se comporta quando conversa com os coroinhas..."

Flávio ligou para o padre com o pretexto de que gostaria de conversar com ele sobre os acontecimentos. O sacerdote concordou em marcar um encontro, dizendo que receberia o rapaz na igreja. Quando Flávio lá chegou, o padre Edílson havia deixado um recado para que o jovem fosse até seus aposentos na catedral, onde poderiam, segundo ele, ter aquela conversa mais à vontade. Então, gravando tudo com uma câmera escondida no corpo, Flávio foi encontrar-se com o padre.

Assim que bateu à porta, escutou uma voz convidando-o a entrar. O rapaz abriu a porta e se deparou com a figura do padre em sua cama vestindo apenas uma cueca.

"Vem aqui um pouquinho, vem", sugeriu o padre Edílson.
Flávio ficou desconcertado.
"Não, eu tenho que ir embora."
"Fica só mais um pouquinho."
"Não, é sério. Eu tenho que ir embora agora. Eu tenho que ir, eu tenho que ir."

A imagem e a circunstância falavam por si sós, encaixando-se em um contexto cada vez mais repleto de detalhes e indícios.

Em outra conversa gravada por Flávio, o padre Edílson falou sobre Fabiano: "O rapazinho [Fabiano] está sendo vigiado", tentou assustar Flávio. "Vigiado!"

"Será que vão matar Fabiano?"

"Tenho certeza de que ele é vigiado 24 horas por dia."

Em outra gravação, o sacerdote mostrou que, durante as conversas mais íntimas entre os padres acusados de Arapiraca, eles se referiam uns aos outros de modo peculiar, usando nomes femininos. Monsenhor Luiz era chamado de Simone; monsenhor Raimundo, de Mônica; e até o bispo era chamado de Vera Fischer.

"Simone [monsenhor Luiz] é perigosa. É uma artista de primeira qualidade. A Mônica [monsenhor Raimundo] também é muito inteligente, ela não tem medo de ninguém."

Em outro trecho, padre Edílson comentou o desaparecimento de um coroinha logo após o menino ter denunciado supostos abusos cometidos por outro sacerdote da região, o padre Enaldo Mota.

"Quem mandou mexer com ele? Esses homens são 'infelizes', vão até o fim. Quem levou a pior foi o pivete. Desapareceu, desapareceu…"

O objetivo do padre era sinalizar que esse podia ser o destino de Flávio ou de quem ousasse desafiar os sacerdotes envolvidos nos abusos. Mais uma indicação de como um protegia o outro.

O padre Enaldo, citado na gravação, atuava em Feira Grande e depois veio para Arapiraca. Ele já havia sido acusado de molestar dois garotos. Localizei uma de suas vítimas: um jovem apavorado, que confirmou a história, mas não queria se identificar, mesmo depois dos exemplos de valentia dos outros coroinhas.

Desde a veiculação da reportagem, o padre Enaldo tinha desaparecido da cidade. Menos conhecido que os outros três sacerdotes, ele apostou que as investigações se concentrariam nos religiosos mais influentes. Não errou.

Em Arapiraca, não eram apenas coroinhas que acusavam monsenhor Luiz. José, 38 anos, frequentador da paróquia, também me pediu que não mostrasse o rosto dele ao fazer suas revelações.

"Aos 16 anos, fui à igreja saber sobre batizado. Conversando com o monsenhor, aceitei entrar na sua sala. Mas aí ele começou aquele assédio, passando a mão no meu peito. Naquela época, eu fazia academia. Tinha o corpo sarado, como dizem, né? O assédio aconteceu e fiquei perplexo com aquilo. Eu me lembro dessa situação até hoje."

Um antigo motorista de monsenhor Luiz já tinha confirmado as denúncias dos coroinhas, enquanto o atual procurava negar ter presenciado o homem para quem prestava serviços abusando de jovens. Mas em uma conversa com o coroinha Flávio, sem saber que estava sendo gravado, ele acabou admitindo ter conhecimento de que o monsenhor mantinha relações indevidas com menores de idade.

"Você não é nenhuma criança", disse o motorista para Flávio.

"Não, mas..."

"É como eu falei: você não foi obrigado a nada."

"Mas o caso é que isso não começou..."

E, então, uma frase ainda mais importante derrubou a tese de que os padres só se envolviam com maiores de 18 anos. Ele se referiu aos coroinhas que viu com os padres.

"Uma pessoa com 15 ou 16 anos não é nenhuma criança."

Poucas instituições que atuavam no Brasil tinham histórico tão impecável, especialmente nas últimas décadas, quanto a Igreja Católica. Ela esteve presente corajosamente em defesa dos direitos da população brasileira, lutou contra a ditadura militar, contra os torturadores, contra a repressão, contra a miséria e contra a aviltante distribuição de renda no país. Alinhou-se com o povo na luta pela igualdade de oportunidade e de direitos, e pela democratização do Brasil. Mas, naquele momento, essa mesma Igreja Católica de tantas virtudes se deparava com um de seus maiores desafios. Como lidar com os desvios de conduta de seus subordinados? Como?

As evidências apontavam para uma série de acontecimentos abafados ao longo dos anos. Pesquisando casos do passado, um deles me chamou atenção e me levou até Anápolis, no interior de Goiás. A cidade, terceira maior do estado, está localizada no Planalto Central, a 50 quilômetros da capital goiana e a 140 quilômetros da Capital Federal. É o principal polo industrial da região, com mais de 360 mil habitantes.

Junto com o produtor Paulo Baraldi, percorri a cidade enquanto memorizava as informações que apurara em velhos documentos. O ano era 2001. Em Anápolis, havia sido registrado um episódio de pedofilia envolvendo o frei Tarcísio Tadeu Sprícigo. Os meninos – suas vítimas – durante anos foram acusados de mentirosos.

Assim que cheguei ao local desejado, conferi o endereço. Uma casa humilde onde morava um dos jovens que revelou ter sido abusado pelo frei. Bati à porta e fui atendido por um rapaz magro de 21 anos. Ele tinha 12 anos quando foi molestado pelo frei Tarcísio. O garoto viveu nove anos de angústia e tortura psicológica.

O rapaz goiano encontrou forças para falar comigo inspirado pela reportagem que assistira sobre os abusos em Arapiraca. Pediu-me apenas que seu rosto não fosse mostrado.

"Como conheceu o frei Tarcísio?"

"Era coroinha da igreja."

O primeiro contato do jovem com o sacerdote foi assim que o frei se mudara para aquela cidade e começara a celebrar a missa na igreja. Desde miúdo, o menino frequentava a paróquia, incentivado pelos pais, que se alegravam em ver o filho na igreja. Naquele tempo, o pequeno ainda gostava da ideia de ser coroinha.

Quando percebi que o rapaz estava mais relaxado, apanhei uma Bíblia que encontrei na sala de sua casa.

"Esse é o Livro Sagrado, a Bíblia que você conhece, certo?", perguntei.

"Sim."

"É verdade que o frei Tarcísio usava a Bíblia para cometer os abusos contra você? E a impor o silêncio a vocês?"

"É verdade, sim. O frei abria a Bíblia, fazia a gente se ajoelhar sobre ela, de frente para o altar. E então nos obrigava a confessar nossos pecados a Deus e a ele, e a prometer que não contaríamos isso para ninguém, que permaneceríamos em silêncio."

O jovem relatou que fora obrigado a fazer aquilo diversas vezes e que, em todas elas, protestava e chorava.

"É verdade que você considerou cometer suicídio por causa disso?"

"Sim, tentei me enforcar. Minha mãe que me impediu. Se não fosse por ela, estaria morto."

"Por que você fez isso?"

"Queria me libertar, achava que era o único jeito de esse tormento parar, de sair da minha cabeça."

"Como é esse tormento na sua cabeça?"

"Acontece de repente. Estou quieto assim, e aí, do nada, começo a me lembrar daquelas coisas. Vem a imagem do frei me abusando."

Perguntei se ele poderia me mostrar a casa onde aconteciam os abusos. Ele aceitou.

Minutos depois, estávamos diante de uma casa de parede branca descascando e um grande portão verde. Era onde o frei Tarcísio Tadeu Sprícigo vivia no ano de 2001, com o aluguel pago pelos próprios paroquianos. Ele também usava o local para dar aulas de violão. Na verdade, uma maneira de atrair garotos para seu reduto.

A residência ficava perto de onde morava a avó de um outro menor molestado pelo mesmo frade, quando o menino tinha apenas 4 anos. A senhora aceitou falar comigo.

"Consegue perdoar o frei Tarcísio?", questionei.

"Não o perdoo jamais. Nem na hora da morte. Ele não merece ser perdoado."

As vítimas teriam passado por meros caluniadores se não fosse a localização de um diário escrito pelo próprio frei Tarcísio. Um verdadeiro manual de instrução. Nele o frade descreveu minuciosamente como padres deviam proceder para ganhar a confiança dos menores e depois abusar deles. Folheei as páginas do diário. O frei detalhou suas motivações e seus métodos, como abordava as vítimas e as características delas.

> Objetivo: Realizar-me afetiva, física e sexualmente com segurança de continuidade, segredo.
> Idade: 7, 8, 9 e 10 anos.
> Sexo: Masculino.
> Condições sociais: Pobre.
> Condições familiares: De preferência um filho sem pai, só com a mãe, sozinho ou com uma irmã.
> Onde procurar: Nas ruas, escolas, famílias.
> Como fisgar: Aulas de violão, coralzinho, coroinha.
> Importantíssimo: Prender a família.
> Atitudes minhas: Ver do que o garoto gosta, e partir dessa premissa para atendê-lo em cobrança a sua entrega a mim.

Em 2005, frei Tarcísio acabou condenado a catorze anos e oito meses de prisão em regime fechado por abusar sexualmente de dois garotos, mas o caso nunca repercutiu dentro da Igreja como deveria. Na sentença, a juíza descartou a tese da defesa, que reivindicou a absolvição do acusado, argumentando que ele não teria sanidade mental para avaliar sua conduta. Para a magistrada, o frade demonstrou, nas audiências, ser "lúcido e lampeiro".

"Tanto o acusado tinha consciência de ilicitude de suas condutas e das suas consequências, que alertou suas vítimas para não falarem nada para ninguém – pois se assim procedessem, ele seria preso", observou a juíza.

Lembrou ainda que, abusando da confiança que lhe fora conferida pelos familiares das vítimas, em função de sua condição de religioso, Tarcísio Tadeu fez os dois menores jurarem, diante da imagem de Jesus Cristo, que manteriam os fatos em segredo.

Na denúncia, o Ministério Público sustentou que o frei era contumaz na prática de crimes contra a liberdade sexual, tendo sido inclusive condenado pelos mesmos crimes na comarca de Agudos.

Na investigação policial oficial, constaram o menino de Anápolis e um caso anterior em Agudos, interior de São Paulo. Quando houve a suspeita e queixa dos pais em Agudos, o religioso tinha sido transferido para Anápolis, onde voltou a cometer os mesmos abusos.

Na manhã seguinte, eu me encontrei com o advogado Evandro França, que estudou o caso de frei Tarcísio.

"Antes dos abusos que aconteceram aqui em Anápolis, a Igreja já sabia que frei Tarcísio tinha um comportamento duvidoso?", perguntei-lhe.

"Não tenho dúvida. Isso é traduzido no próprio diário dele, onde transcrevia nomes de religiosos. Foi assim que soubemos."

"Então houve omissão?"

"Não resta a menor dúvida de que a Igreja sabia o que acontecia e pouco fez."

Antes de deixar Anápolis, visitei um prédio em ruínas: a antiga igreja onde frei Tarcísio celebrava suas missas. Sobraram dela apenas as paredes externas brancas com grandes borrões negros. Na fachada da entrada, chamava a atenção a cruz de madeira que resistiu às intempéries. O telhado estava todo irregular. O interior, destruído.

Em Arapiraca, um vídeo; em Anápolis, um diário. Em comum, padres acusados que perpetuaram seus atos graças às vistas grossas de seus superiores. A lei do silêncio, transferências secretas de sacerdotes pedófilos, omissão da Igreja, métodos semelhantes de abordagem. Tudo fazia sentido naquela cadeia de impunidade.

* * *

No dia 8 de abril de 2010, foi ao ar *Sexo, poder e intrigas – parte II*, com todas as novas informações e novos indícios que investigamos. A reportagem repercutiu intensamente, inclusive no Congresso. Brasília decidiu realizar em Arapiraca uma audiência de emergência da Comissão Parlamentar de Inquérito (CPI) da pedofilia.

Naquela época, eu estava preparando mais uma edição de nossa série de reportagens. Será que, depois de tantas informações reveladas, algum dos acusados pensaria em confessar os abusos? Mesmo parecendo ser impossível, a ideia martelava a minha cabeça. Já havia falado com o monsenhor Luiz e com o monsenhor Raimundo. Meu instinto de repórter apontava para o padre Edílson, o mais espontâneo do trio.

Claro que todos estavam mancomunados, mas algo me dizia que, se alguém poderia quebrar a barreira dos depoimentos fabricados, seria ele. Procurei-o pessoalmente na paróquia. Ao tomar conhecimento da minha presença, fugiu aturdido.

Era manhã de uma quinta-feira, quando vi um papel dobrado que tinha sido empurrado por baixo da porta de meu quarto de hotel. Tomei-o em minhas mãos: "Padre Edílson quer desabafar."

No recado anônimo, havia também o número de telefone de um advogado de nome Wellington Wanderlei. Liguei para ele, que me contou que o padre Edílson demonstrava arrependimento e desejo de exercer uma espécie de mea-culpa. Tinha uma mente complexa, em que os princípios cristãos se conflitavam com tentações mundanas.

O encontro seria em uma noite de sábado, em um quarto de hotel da orla marítima de Maceió. Às 8 horas da noite, ligaram da recepção informando que dois homens estavam no saguão à minha procura. Confirmei com a atendente se um deles era padre. Diante de sua resposta positiva, solicitei que o autorizassem a subir ao meu quarto.

Meu primeiro desafio era o barulho. No quarto ao lado, ouvia vozes de pessoas se descontraindo, falando alto, contando piadas. Isso não seria qualquer incômodo, a não ser pelo fato de que minha missão seria a de conseguir uma dolorosa confissão de um padre em falta com seus próprios princípios. Mas não havia outro jeito, precisava tentar resolver o impasse.

"Vou lá pedir 'compreensão'", informei à minha equipe, que já estava pronta para a entrevista.

Bati à porta do quarto vizinho, e quem a abriu? Simplesmente uma das maiores cantoras do país: Maria Bethânia. Ela faria um show na região no dia seguinte.

"Pois não?", ela me atendeu, surpresa.

"Oi, Bethânia... Em primeiro lugar, quero dizer que a admiro muito..."

E agora?, pensei. Os entrevistados estavam subindo e podiam até desistir da entrevista, algo importantíssimo e decisivo para aquela investigação.

"Desculpe mesmo por pedir isso, mas será que pode diminuir o barulho?" Apliquei toda a diplomacia que consegui naquele momento de adrenalina. "Talvez você nos acompanhe. Sou o Roberto Cabrini, jornalista, e estou há tempos investigando casos de abusos cometidos por padres aqui em Alagoas. Acontece que um deles está subindo agora para me dar uma entrevista que pode ser histórica. Provavelmente não terei outra oportunidade como essa. Sei que é um pedido bem inusitado para o momento. Desculpe novamente, Bethânia, mas será que dá para falar mais baixo?"

Não foi fácil pedir para uma referência de nossa música fazer silêncio em seu quarto, afinal as pessoas estavam apenas se divertindo um pouco. Mas era preciso. Ossos do ofício...

Tive a impressão de que ela não gostou muito do pedido, pois fez uma expressão contrariada. Uni as minhas duas mãos, em sinal de súplica. Então, ela abriu um leve sorriso.

"Está bem. Mas não demore muito…"

"Muito obrigado e, mais uma vez, parabéns pela sua trajetória. Adoro você e seu trabalho!"

Ufa!, respirei aliviado e voltei ao quarto, onde tudo já estava posicionado para a possível entrevista. Por sorte, o hotel estava lotado, e os dois homens tardaram em conseguir usar o elevador para subir ao 6º andar, onde eu estava.

Escutei batidas na minha porta e corri para abri-la.

"Boa noite, Roberto", o advogado se adiantou.

Atrás dele, identifiquei a figura do padre Edílson. Parecia nervoso e um tanto assustado.

"Sejam bem-vindos, e obrigado pela confiança. Podem entrar."

Indiquei ao padre a poltrona onde devia se sentar. Ofereci-lhe água mineral. Ele aceitou e, em segundos, virou um copo cheio. Notei que tremia.

"Como o senhor está padre?"

"Tremendo, senhor Roberto Cabrini", confessou, mostrando a mão trêmula como vara verde.

"Quero tentar resgatar o sacerdócio que ainda existe em mim. Vi que seu trabalho é honesto, e talvez tenha sido uma obra de Deus o senhor aparecer em Alagoas."

"Uma maneira de o senhor se libertar e se reencontrar com seus princípios?"

"Sim, exatamente isso."

"Vamos começar, então, padre?"

"Sim, vamos lá. Devo isso a mim mesmo."

Ele se ajeitou melhor na cadeira e encheu os pulmões, respirando freneticamente. Após passar as mãos bem devagar no rosto, tirou um lenço para enxugar o suor – não de calor, mas de nervosismo. Então me olhou quase ternamente e sinalizou para mim, indicando que eu podia começar com as perguntas. Sentia que depois daquela entrevista, a Igreja Católica no Brasil nunca mais seria a mesma. Essa mudança provavelmente seria para melhor.

"O senhor está ansioso?"

"Um pouco…", respondeu ele, ainda de cabeça baixa.

"O que o senhor espera dessa entrevista que vai começar?"

Ele levantou a cabeça e me observou com o máximo de altivez que conseguiu naquele instante.

"Espero que os padres reconheçam que erram também."

"É isso que o senhor pretende fazer?"

"Também."

"Um exercício de humildade?"

"De humildade, de coragem."

"E o senhor está aqui para abrir o coração?"

O padre assentiu com os ombros.

"Para falar toda a verdade?"

"Sim."

Era inevitável reparar na diferença entre o homem diante de mim e o que assediava o coroinha na gravação. Os dois eram o mesmo padre Edílson, mas o de agora se mostrava desesperado por uma oportunidade de desabafar.

"Quem é o homem Edílson Duarte?"

"É aquele que trabalha, que sonhou ser sacerdote."

"Por que o senhor decidiu se tornar um sacerdote?"

"Desde a minha infância, fui coroinha de um padre, o padre Aldo, um sacerdote excelente, de nome. Eu me sentia realizado ao vestir uma túnica, pregando, falando, dando catecismo, evangelizando."

O padre afirmou que sentia a sua vocação religiosa desde a sua infância – não se tratava apenas de usufruir privilégios. Quando ele relatou que aos 12 anos decidiu ser padre, percebi seus olhos viajando, como se procurasse aquele menino perdido no tempo.

"Durante o período em que foi coroinha, abusaram do senhor?"

"Como coroinha, não."

"O senhor sofreu algum abuso sexual na infância?"

"Sim. De um vizinho de casa, aos 12 anos."

"O que aconteceu, exatamente?"

"Ele me abraçou, me beijou e aconteceu o que eu disse."

"O senhor foi abusado sexualmente?"

O sacerdote confirmou com a cabeça, completando que o abuso havia ocorrido algumas vezes.

"Isso marcou sua infância?"

"Marcou. Deixou traumas... Sempre me lembro."

"E o senhor acha que suas decisões posteriores tiveram influência desses acontecimentos?"

"Com certeza."

Continuei a entrevista questionando se ele se assumia homossexual, ao que disse que sim. Segundo o padre, foi algo que descobriu sobre si depois de tornar-se sacerdote.

"Mas sempre guardei isso para mim", afirmou. "Queria estar no meio da multidão, nunca queria ficar só."

"Por quê?"

"Para não voltar àquelas lembranças de abuso."

O quarto era um silêncio só. Todos hipnotizados pela entrevista. Era como se o padre estivesse em um divã, em um acerto de contas com sua consciência.

"E o que aconteceu a partir disso?"

"Certa noite, um punhado de jovens comemorava o aniversário de um deles, e eu participei da comemoração. Nesse dia, um jovem veio me abraçar e me beijar."

"Maior de idade?"

"Maior de idade", confirmou. "E aí voltei àquela mesma situação da época em que eu escondia a minha homossexualidade."

No início, o padre explicou, não era uma situação de prazer. A prática dos abusos se tornou uma necessidade para ele quando se sentiu só.

"Aquele jovem me procurou, dizendo que gostava de mim. Ele me abraçou e aí aconteceu o ato sexual. Ele tinha 19 anos. Na época, eu tinha 30."

"A partir de então o seu comportamento mudou?"

"Mudou." Mais uma vez o padre baixou a cabeça.

"E passou a existir uma contradição entre sua vocação religiosa e essa tentação?"

"Sim, sim…"

Quis saber se isso o incomodava, e ele confirmou.

"Como era isso? Retrate para mim."

Padre Edílson puxou o ar, dirigiu o olhar para cima por alguns momentos e prosseguiu:

"Era viver uma vida dupla, mentirosa."

O mesmo padre que, um mês antes, havia insistido não saber a respeito de casos de abuso sexual na diocese, agora era uma metralhadora de dados antes submersos.

"A partir de que instante o senhor passou a usar a sua condição de padre para dar vazão a abusos sexuais?"

"A condição de padre eu não usei. Eles vinham a mim…"

"O senhor pode me explicar melhor?"

"Assim, eu nunca procurei, as pessoas vinham a mim. Elas me procuravam para acontecer o ato."

"Mas o fato de o senhor ser padre ajudava nisso?"

O padre hesitou um instante, como a pensar se admitia ou continuava dizendo meias-verdades, amenizando o impacto de suas confissões. Ele respirou profundamente. Venceu a primeira opção.

"Sim, sim."

Ele declarou que era algo que o torturava, pois sempre teve consciência de que cometia um pecado e um crime. Quando o questionei por que, então, não dava um basta àquela prática, sua resposta foi que elas não eram tão frequentes.

Eu trouxe os nomes Flávio e Fabiano à conversa. O padre declarou que o abuso contra aqueles jovens começou quando eles tinham 17 anos, com beijos e abraços, até a consumação do ato sexual. O homem afirmou ter ciência de que eram menores de idade e que sabia que a sua conduta era errada. De acordo com ele, coroinhas eram abusados sistematicamente na igreja de Arapiraca; ele, inclusive, sabia dessa situação havia muito tempo.

"Quando os meninos tinham 12 anos, o monsenhor já os levava para o quarto."

"O senhor sabia disso?"

"Sabia."

"O monsenhor também sabia de tudo?"

"Sim, sabia."

Quando perguntado por que não tomou alguma providência mesmo sabendo que cometiam um crime, disse:

"Eu já convivia com um problema meu, uma situação minha. Como delataria as pessoas nessa situação?" Lágrimas apareceram no rosto do padre, que procurou se recompor.

"Havia uma lei do silêncio ali, entre os padres? No sentido de não se revelar nada?"

"Sim, havia."

"Por que o monsenhor Raimundo, o monsenhor Luiz e o senhor eram chamados por nomes de mulheres?"

"Foi uma brincadeira que aconteceu. Eu que coloquei esses nomes."

"Mas qual era a finalidade de tratá-los por nomes femininos?"

"Nada, era uma simples brincadeira. Não foi para denegrir a imagem de nenhum deles."

O padre confirmou que o monsenhor Luiz era chamado de Simone, e o monsenhor Raimundo, de Mônica – devido à sua prepotência, de acordo com o padre.

Lembrei-me de uma conversa gravada com câmera escondida, na qual o padre Edílson falou sobre um coroinha que teria desaparecido após denunciar os abusos cometidos por outro padre, Enaldo da Mota. Mostrei a ele o trecho em que dizia que o coroinha havia desaparecido por saber demais. Questionei o que aquilo significava, e o padre Edílson ficou visivelmente sem jeito.

"Esse coroinha que sumiu, isso foi uma brincadeira. Talvez até para ameaçar os rapazes. Eles estavam falando muita coisa, queriam saber demais da vida dos padres."

"Naquele instante, o senhor não havia se redimido ainda, né? Tentava ocultar a verdade?"

"Tentava fazer com que eles deixassem de pesquisar a vida dos padres."

"Mas algum coroinha sumiu porque falou demais?"

"De maneira alguma…"
"O senhor falou isso para intimidar os jovens?"
"Sim."

Como não havia registro de desaparecimento de coroinha naquela área, inclinei-me a acreditar no padre.

Antes de ele deixar aquele quarto de hotel transformado em estúdio, ofereci-lhe mais água e fiz as últimas perguntas:

"Como o senhor se sente agora?"
"Livre."

O padre declarou que antes se sentia preso porque estava pecando, usando a sua batina de modo errado. Estava preso a uma condição sexual que não podia libertar, não podia gritar, não podia dizer. A batina o ajudava a cometer abusos, e isso toda vida foi um pesadelo para ele.

"O senhor ainda sonha em rezar uma missa? Acha que tem condições para isso?"

"Sim, sonho em rezar uma missa. Voltar à realidade de um sonho que existe dentro de mim e ao sacerdócio."

Quando o padre se despediu, visivelmente mais leve e aliviado, havia sentimentos dúbios em minha mente. Sabia que a confissão era a parte que faltava na investigação, mas, ao mesmo tempo, pensava como uma vida que começara devotada à evangelização se desviara tão radicalmente.

Dias depois, tentando se redimir de seus crimes e pecados, o mesmo padre Edílson também confessou na CPI da pedofilia – diante de uma plateia de senhoras conservadoras – que retribuía os favores sexuais dando aos coroinhas trocados arrecadados do dízimo dos fiéis.

Com a veiculação do terceiro programa, os raros veículos da imprensa que tentaram isentar os padres acusados, falando em relações consensuais, renderam-se às evidências. Com a população de Arapiraca, que ainda defendia os sacerdotes, aconteceu fenômeno semelhante. Foram necessárias quase três horas de reportagens com fatos, provas e depoimentos em série para mudar a opinião pública definitivamente.

No dia 17 de abril de 2010, termina a CPI da pedofilia instalada em Arapiraca. Durou três dias, e jornais de todo o país cobriram o fato. Esta foi a notícia publicada pelo jornal *O Globo*:

> MACEIÓ – Após três dias de depoimentos à Comissão Parlamentar de Inquérito (CPI) da Pedofilia do Senado Federal, o padre Luiz Marques Barbosa, de 83 anos, foi preso em Arapiraca, a 146 km de Maceió. Além dele, dois funcionários da paróquia – o motorista

José Reinaldo Bezerra e a assistente social Maria Isabel dos Santos – foram presos por terem prestado falso testemunho e mentir no depoimento. O padre teve voz de prisão decretada logo após uma equipe da Polícia Civil encontrar mais provas do delito em sua residência, como passagem de avião, bebidas alcoólicas e cremes corporais íntimos. O monsenhor manteria uma casa para os encontros.

Além dele, dois outros padres de Arapiraca são acusados da prática de pedofilia, por terem abusado de coroinhas. Um deles é o padre Raimundo Gomes, que negou a prática. Os adolescentes Fabiano Silva Ferreira, Cícero Flávio Vieira Barbosa e Anderson Farias Silva, frente a frente com o acusado, confirmaram o assédio e garantiram que o sacerdote pegava nos seus órgãos genitais durante as celebrações eucarísticas.

O terceiro acusado, o padre Edílson, em troca de possível delação premiada entregou os outros dois colegas. Ele admitiu a prática da pedofilia entre religiosos. Acareado com os outros dois, reafirmou que o colega sacerdote era homossexual e que mantinha relações sexuais com crianças e adolescentes. Réu confesso, Edílson Duarte foi liberado. Caso ele ainda seja preso, poderá ter a pena reduzida por ter colaborado com as informações à CPI.

Nossa série de reportagens se tornou a base de uma investigação policial comandada por duas delegadas alagoanas: Barbara Arraes e Maria Angelita Melo. Elas resistiram às pressões do clero e de políticos da região, e concluíram um extenso inquérito.

Os três sacerdotes foram formalmente denunciados pelo Ministério Público e levados a julgamento um ano e nove meses depois de nossa primeira reportagem ter sido exibida.

No dia 19 de dezembro de 2011, televisões e jornais de todo o mundo anunciavam que, em decisão histórica, a Justiça brasileira havia condenado, por crime de pedofilia, três religiosos da Igreja Católica. A sentença, anunciada pelo juiz da 1ª Vara da Infância e da Juventude de Arapiraca, João Luiz de Azevedo Lessa, foi: monsenhor Luiz Marques Barbosa, de 83 anos, condenado a vinte e um anos anos de prisão; o monsenhor Raimundo Gomes, 53, e o padre Edílson Duarte, 45 anos, a dezesseis anos e quatro meses de prisão. Tempos depois, as condenações foram confirmadas em segunda instância.

Dois meses após a condenação pela Justiça brasileira, o Vaticano informou que os padres haviam sido expulsos da Igreja Católica.

* * *

Fora do Brasil, um dos casos mais emblemáticos de abuso sexual a menores cometidos por sacerdotes foi o do padre Oliver O'Grady. O irlandês havia migrado para a Califórnia, nos Estados Unidos, onde abusou de mais de uma centena de crianças com idade entre de 3 a 11 anos.

Durante seu julgamento, contou perante o juiz como fazia para aliciar suas vítimas:

"Como você está? Venha cá, eu quero lhe dar um abraço. Você é um amor, sabia? Você é muito especial. Eu gosto muito de você..."

Um documento secreto do Vaticano – mantido em sigilo durante décadas, mas revelado pela rede britânica BBC – sugeriu como o alto clero teria ajudado a acobertar escândalos de pedofilia na Igreja Católica. O documento da Santa Sé era direcionado a bispos do mundo todo. Os registros, que começaram em 1962 e prosseguiram ao longo dos anos, continham detalhes de inúmeros casos e abusos cometidos por padres e determinavam silêncio à Igreja. Os abusos não podiam vir a público. Quem desrespeitasse seria excomungado.

O responsável por esse livro secreto na época dos abusos do caso do padre O'Brady seria o então cardeal Joseph Ratzinger, que depois se tornaria o papa Bento XVI. O Vaticano jamais reconheceu ter recomendado silêncio em relação aos casos de abusos cometidos por padres. A Santa Sé defende que há um mal-entendido, resultado de uma tradução equivocada do latim. A orientação, contida num documento chamado *Crimen sollicitattionis*, seria a de silêncio, mas em relação aos segredos de confessionário.

Na época em que fazia essa investigação, apurei que no Brasil havia cerca de 30 relatos de padres envolvidos em abusos nos últimos quinze anos. Alguns foram condenados, e a Igreja Católica sustentava que procurava auxiliar nas investigações. A diferença desse caso de Arapiraca era que, pela primeira vez, o Vaticano reconhecia oficialmente os casos de pedofilia envolvendo sacerdotes e coroinhas. Um avanço histórico.

A eleição do papa Francisco, em 13 de março de 2013, marcou também uma revolução dentro do Vaticano no combate à pedofilia dentro da Igreja Católica. Jamais um pontífice mostrou tamanha disposição de enfrentar a impunidade dos abusos contra menores cometidos por sacerdotes. O papa exigiu que a Igreja passasse a atuar com determinação diante desses casos. Essa posição ficou clara quando o líder católico recebeu no Vaticano os membros da Congregação para a Doutrina da Fé, encarregada de encaminhar esse tipo de denúncia. Foi a primeira vez que o pontífice latino-americano se pronunciou sobre os milhares de denúncias contra padres pedófilos.

* * *

Em Arapiraca, minutos depois da condenação dos religiosos, fui procurado pelos coroinhas Fabiano, Flávio e Anderson. Emocionados, eles me abraçaram, choraram e comemoraram.

"Finalmente agora podemos andar de cabeça erguida", um deles disse, expressando o sentimento de todos.

4
IRAQUE – O ENIGMA DAS MIL E UMA NOITES

Quase uma década depois, Roberto Cabrini retornou ao Iraque e se tornou um dos raros jornalistas a mostrar o buraco de 2 metros de profundidade onde Saddam Hussein se escondia das tropas americanas até ser encontrado em 2003, em uma fazenda de Adwar, perto de Tikrit, terra natal do ditador.

Neste capítulo, Roberto Cabrini descreve um dos maiores desafios de sua carreira: conseguir entrar no Iraque dos anos 1990, quando o país era dominado por Saddam Hussein. Cabrini e seu parceiro – o cinegrafista Fernando Pelégio – assumiram todos os riscos para mostrar a monumental máquina de repressão e eliminação de vozes discordantes, até então negada pelo regime de Bagdá. Fugindo de agentes do ditador, Cabrini revelou atrocidades de uma guerra sangrenta entre diferentes facções, como iraquianos com as orelhas cortadas por se recusarem a lutar nos campos de batalha e cidades arrasadas por armas químicas.

* * *

Eu o tinha visto dez minutos antes: magro, alto, rosto de garoto sonhador. Com o andar desengonçado, mal conseguia empunhar seu velho fuzil Kalashnikov. Agora seu corpo estava estatelado; os olhos, arregalados; e o peito, destroçado. Seus companheiros lamentaram aquela morte durante poucos segundos, e logo lhe tiraram os sapatos – artigo cobiçado naquela região. Carregar o corpo significaria ganhar peso extra e ficar mais visível aos franco-atiradores. Não havia o que discutir. O que sobrara de Aziz seria abandonado ali mesmo, entre as pedras gigantes daquela montanha inóspita e remota do Curdistão, norte do Iraque.

Cenas como essa, cotidianas naquele contexto, testaram meus valores, meus princípios, minhas convicções e minha disposição para continuar com aquele trabalho de cobrir guerras. Eu e Fernando Pelégio nos olhávamos, um tentando dar forças ao outro.

Em uma operação dessa natureza, certas dúvidas jamais seriam dissipadas. É melhor reportar o *front* protegido por coletes IIIA – revestidos de placas de cerâmica e capazes de resistir a fuzis AK-47 – ou apenas com roupas normais? Levando em consideração a primeira opção, estaríamos mais protegidos dos disparos, mas ao mesmo tempo pareceríamos antipáticos aos olhos dos cidadãos maltrapilhos, os que mais sofrem as consequências dos combates. No segundo caso, embora mais vulneráveis, teríamos maior facilidade para nos integrar às populações locais, sem colocar entre eles e nós a barreira da prepotência. É melhor estar embutido em pelotões de combate ou solto entre os habitantes? Mais uma vez, nós nos deparamos com vantagens e desvantagens. Todos os lados tentam manipular repórteres, dando uma atualidade inquietante à frase já centenária do senador americano Hiram Johnson, proferida ainda na Primeira Guerra Mundial: "Numa guerra, a primeira vítima é a verdade".

Quantos estão dispostos a trocar privilégios pela isenção? A escolher riscos em detrimento da segurança? Naquele momento, precisava continuar caminhando a passos largos, vencendo a fome e o cansaço, para sobreviver e terminar a reportagem.

Foram meses batendo na porta da Embaixada do Iraque em Brasília, mas a resposta era sempre a mesma:

"Você não tem autorização para entrar no Iraque. O ministro da Informação negou seu pedido."

No entanto, em minha última tentativa, aproximava-se a eleição presidencial iraquiana de 1995. Tratava-se de uma tentativa de Saddam Hussein mostrar ao mundo que havia, sim, um sistema democrático em seu país, e que ele não podia fazer nada quanto à idolatria do povo à sua pessoa.

A votação, é claro, seria apenas um jogo de cena, um evento de cartas marcadas; porém, talvez essa fosse a chance de, enfim, conseguir entrar no reino de Saddam.

Eu usaria o pretexto de cobrir a festa da "democracia" iraquiana – isso mesmo, democracia entre aspas. Mas o importante era que, daquela vez, a resposta do embaixador iraquiano foi diferente:

"Tenho o prazer de comunicar que você e sua equipe receberam permissão para cobrir nossas eleições e os preparativos do evento."

Na mesma tarde, reuni a equipe na redação do SBT, em São Paulo, e falei:

"Vamos arrumar as malas imediatamente, antes que eles mudem de ideia."

Em meados dos anos 1990, o Iraque era uma nação sob embargo econômico. Essa situação era uma herança da Guerra do Golfo, quando em agosto de 1990 o exército de Saddam Hussein invadiu o Kuwait, anexando o país vizinho como a 19ª província iraquiana. Um erro de cálculo de Saddam. O Iraque terminou invadido pela aliança entre americanos e britânicos, com avanço de tropas terrestres e pesados bombardeios à capital, Bagdá. Em razão disso, o Iraque finalmente desistiu de sua empreitada, e em fevereiro de 1991 devolveu a soberania ao Kuwait.

Assim sendo, na época de minha viagem não havia como ir para o Iraque de avião. O trajeto envolvia vinte horas de voo e longas esperas em aeroportos para percorrer os mais de 7 mil quilômetros que separam São Paulo de Amã, na Jordânia – país que faz fronteira com o Iraque.

"Agora, é só atravessar o deserto de carro até Bagdá", eu disse ao desembarcar no aeroporto de Amã, olhando para as expressões cansadas do meu cinegrafista, Fernando Pelégio, e de nosso produtor, Ives Tavares.

Percorremos avenidas e ruas de Amã em direção ao local onde passaríamos a noite. A capital da Jordânia, com seus 5 mil anos de história, é uma das cidades continuamente habitadas mais antigas do mundo. Da janela de um carro francês transformado em táxi, observei milhares de refugiados palestinos da Cisjordânia dividindo espaço com jordanianos. Estávamos entre o deserto e o vale fértil do rio Jordão, onde rústicas construções milenares cediam terreno a construções contemporâneas.

A Jordânia é um reino sem petróleo, diferentemente de seus vizinhos, mas de surpreendente estabilidade. Essa paz era mantida pela engenhosa habilidade do rei Hussein, mediador e aliado-chave do Ocidente no Oriente Médio. Um ano antes, em 1994, o monarca forjara um fugaz acordo de paz com Israel, sendo visto como fiador da frágil tranquilidade na região.

Em um hotel relativamente confortável de Amã, nós três dormimos o sono dos mortos naquela noite. Sabíamos que era só o começo de uma jornada longa e incerta.

Às 8 horas da manhã seguinte, já estávamos de pé, à procura do motorista que nos levaria a Bagdá, Hafez. Ele me fora indicado por um repórter da agência de notícias Reuters. De turbante, barba por fazer e barriga pronunciada, ele me contou, com seu inglês quebrado, que já havia feito essa viagem várias vezes. Conhecia bem os atalhos e riscos do percurso, mas estava disposto a tudo pelos 600 dólares que ganharia com a expedição. Hafez era um jordaniano casado com uma iraquiana, mais um dos que fizeram da crise do Império de Saddam seu ganha-pão.

Enchemos o tanque de um velho Caprice Classic importado dos Estados Unidos e reunimos mantimentos para as doze horas de viagem. Marcamos para sair às 4 horas da madrugada seguinte. A tarde foi dedicada a uma longa espera na Embaixada do Iraque em Amã, onde os vistos fornecidos no Brasil deveriam ser inspecionados novamente. Não faltaram perguntas.

"O que vocês querem lá?"

"Cobrir os preparativos para as eleições."

"Como pretendem retratar o Iraque?"

"De forma justa, independente do que a mídia americana sempre usa para falar do Iraque."

O assistente do cônsul foi ainda mais claro antes de se despedir:

"Ao cruzar a fronteira do Iraque, vocês devem ir direto para Bagdá. Ao chegar ao Hotel Al Rashid, serão procurados pelo Ministério da Informação. É o que está escrito nos papéis de vocês. Qualquer desvio de rota pode implicar consequências bem desagradáveis."

Resolvemos não perguntar o que ele queria dizer com "desagradáveis".

Vistos confirmados, levantamos cedo e pusemos o pé na estrada.

Nos 915 quilômetros entre Amã e Bagdá, a imagem mais frequente era a de caminhões-tanque – 70 mil barris de petróleo eram transportados por dia do Iraque para a Jordânia. Esta era uma concessão especial da ONU, pois desde a Guerra do Golfo o Iraque não tinha permissão oficial para vender seu petróleo a outros países. Na contramão, seguiam remédios e comida – e, "por baixo dos panos", armas.

Na monotonia do cenário do deserto, fiquei pensando em meus planos para aquela reportagem. É claro que começaríamos mostrando o Iraque oficial, aquele que o governo de Bagdá queria projetar para o mundo cinco anos depois da guerra que Saddam chamou de "mãe de todas as batalhas". Mas isso não bastaria, é claro. Como fazer para mostrar o Iraque oculto em um regime conhecido por vigiar jornalistas estrangeiros? Cruzamos outros territórios de refugiados palestinos e, após seis horas de viagem em um asfalto de excelentes condições, alcançamos a fronteira entre a Jordânia e o Iraque.

Na porta de entrada, fomos "recepcionados" por mais de uma dezena de militares iraquianos:

"Parem", gritaram em árabe.

Descemos do carro e fomos levados até uma pequena sala, enquanto, do lado de fora, nosso motorista descia do carro e caminhava em direção a eles.

Os soldados gesticulavam muito, mas logo em seguida pareceram se acalmar. Nossos passaportes foram liberados rapidamente. Porém, aquela "agilidade" no processo teve um preço:

"Tive de pagar 50 dólares", contou-nos o motorista.

Entramos finalmente no Iraque, mas ainda faltavam 551 quilômetros até Bagdá. A estrada continuava em um padrão bem acima do meio ambiente que a rodeava, formado por areia e esparsas casas primitivas. Era o trecho da estrada construído pela empresa brasileira Mendes Júnior, uma das nove companhias internacionais que participaram do projeto da rodovia Amã-Bagdá na década de 1980. Era como um tapete negro no meio do deserto.

No caminho, muitas barreiras militares, todas sedentas por compensações. Algumas mais exigentes, outras menos. Para soldados maltrapilhos, o motorista jordaniano distribuía barras de chocolate para economizar nas explicações; porém, quando nos deparávamos com veículos blindados e comandos superiores, Hafez punha a mão no bolso.

Em algumas ocasiões, os soldados nos olhavam e perguntavam se éramos americanos. Quando agiam com agressividade, eu lançava mão do plano B: mostrar uma foto tirada ao lado de Pelé quando ele foi a Londres, cidade na qual eu tinha morado até a metade de 1995. O efeito era imediato: risos e olhares de admiração.

Estávamos no meio do caminho, a pouco mais de 400 quilômetros de Bagdá. O deserto ia revelando seus segredos e seus sobreviventes naquelas condições inóspitas. Podíamos ver centenas de camelos guiados por um punhado de beduínos. Para eles, o tempo não avançou. Alheios ao mundo moderno e, ao mesmo tempo, mestres na sabedoria de resistir onde a maioria não duraria uma semana. Então, pedi ao motorista que estacionasse o carro. Caminhamos penosamente até aquelas pessoas, afundando os pés na areia. Uma tarefa árdua. Ao me aproximar, perguntei:

"Por que não saem desse inferno?"

O beduíno que vinha ao nosso encontro abriu um sorriso amistoso e falou:

"Eu me sinto feliz no deserto. Não saio daqui de jeito nenhum", disse em um árabe de sotaque irreconhecível até mesmo para o nosso motorista, acostumado com a diversidade da região.

Os camelos forneciam tudo o que ele precisava para sobreviver: transporte e alimento (ora em forma de leite, ora em forma de carne).

"As cidades são muito perigosas", completou.

Era quase noite, e o Sol já se punha no horizonte, bem atrás da imensidão de areia. Assim, os beduínos começavam a recolher sua única e grande riqueza num desfile exótico, preguiçoso. Tudo da mesma forma, durante os últimos milênios. Eles sequer sabiam quem era George Bush (presidente dos Estados Unidos de 1989 a 1993). De Saddam, tinham apenas uma ideia vaga de alguém muito temido. Pelo menos ali, a colossal máquina da propaganda do poder não tinha tentáculos tão estabelecidos.

Aos poucos, a paisagem desértica foi sendo substituída pelos vales férteis da Mesopotâmia. Pastores de ovelhas podiam ser vistos com mais regularidade.

Escureceu. A lua cheia brilhava na estrada, e algumas horas depois as luzes de Bagdá já podiam ser avistadas. Sonhos de adolescência tomaram nossas mentes por instantes. A imagem de uma terra enigmática de tantos contos, a capital dos califas e das princesas, de Ali Babá e seus ladrões. Logo apareceram mesquitas iluminadas, pontes sobre o rio Tigre, lojas, ruas, trânsito, mil e uma noites. À primeira vista, a Guerra do Golfo parecia não ter atingido aquela região.

Avistamos a entrada do Hotel Al Rashid, um portão alto e dourado vigiado por militares misturados a funcionários uniformizados do hotel. Os primeiros eram bem mais prepotentes que os segundos. O mais educado deles nos cumprimentou, checou nossos nomes entre os hóspedes esperados e informou que passaríamos por uma revista.

Após o "comitê de boas-vindas", fomos encaminhados para a recepção. Uma porta de vidro se abriu, levando a um *hall*, passagem obrigatória para um salão amplo e coberto de tapetes finos. A "mãe de todas as batalhas" já se manifestava no trajeto. Era impossível entrar sem pisar na imagem pintada de George Bush. No chão, o presidente americano que comandou a Operação Tempestade no Deserto, fazendo com que Saddam desistisse de sua aventura no Kuwait. Em uma faixa branca abaixo do desenho, podia-se ler, ainda, uma inscrição em inglês e em árabe. Ao perceber que estávamos lendo a inscrição, um funcionário de bigode confirmou a frase em voz alta, esboçando um sorriso:

"*Bush is a criminal* [Bush é um criminoso]."

Era um hotel repleto de jardins, salas de massagem, restaurantes, salões intermináveis, todos decorados com móveis envernizados e a mais requintada tapeçaria. No fundo, havia quadras de tênis, uma enorme piscina e... muitos olhos. Não faltavam relatos tenebrosos, histórias que falavam de espiões e policiais infiltrados para seguir jornalistas e estrangeiros em geral. Havia câmeras por todos os cantos, acompanhando nossos passos onde quer que estivéssemos.

Eu sabia que logo alguém do Ministério da Informação apareceria para nos ciceronear, mas queria dar uma primeira olhada na cidade sem a presença dos agentes de Saddam. Tentei pegar um táxi, mas descobri que, na recepção, já havia a orientação para aguardarmos. Quando o gerente desviou sua atenção para atender a um grupo de empresários sauditas que estava chegando, procurei a moça mais simpática do hotel. Então, expliquei a ela que só queria dar uma rápida volta pela cidade. Insisti, e ela acabou chamando um carro com um motorista de confiança do hotel.

Uma volta passando por avenidas, atravessando as pontes sobre o rio Tigre, indo e voltando. Tínhamos a sensação permanente da onipresença do líder no país. Era fácil perceber que havia em todas as partes um par de olhos que tudo via. Olhei de um lado para o outro, e era impossível não o enxergar. Saddam estava em todos os estilos, em todas as poses, nas ruas, nas telas, nos jornais, nas estátuas, nas pinturas das paredes, em grandes painéis no alto dos lugares de maior concentração de pessoas, nas figuras da moeda do país. Nas imagens, projetava-se Saddam, o guerreiro, o herói, o sábio, o provedor, o onipresente. Ali, o futuro vislumbrado pelo escritor George Orwell, em seu livro *1984*, era real. Saddam era a personificação do Grande Irmão, eternamente mirando os olhos no cidadão.

Os monumentos sempre exaltavam vitórias na guerra contra o Irã. Na Praça das Celebrações, duas gigantescas espadas se cruzavam sobre uma base de capacetes de soldados iranianos abatidos. O mundo sabia que o conflito com os iranianos terminou sem vencedores, mas não era essa a história que Saddam queria contar ao seu rebanho.

Após esse passeio, era preciso retornar ao hotel. Ao cruzarmos a recepção, o gerente do hotel – um senhor de bigode, como quase todos os homens do país, e que vestia um elegante colete dourado – olhou para nós assustado.

"Onde vocês estavam? Seus anfitriões estão à espera de vocês."

Ele fez um sinal de que deveríamos acompanhá-lo. Caminhamos rapidamente até a entrada de uma sala de portas brancas altas, ao lado da administração do hotel, onde também se via um grande quadro de Saddam. O gerente abriu a porta e, com os olhos e uma pequena virada de cabeça, indicou que deveríamos entrar.

"Bom dia, senhores jornalistas. Somos do Ministério da Informação."

Os dois eram magros e, além do tradicional bigode, chamavam atenção pelo cabelo assentado com gel e repartido da mesma forma (de lado). Usavam ternos escuros e amarrotados e passavam a imagem de austeros. O mais alto – levemente grisalho e, por isso, aparentando ser o mais velho – foi quem se dirigiu a nós. Acendeu um cigarro, tragou lentamente e continuou:

"Meu nome é Helau. Fui escalado pelo Ministério da Informação para ajudá-los em seu trabalho aqui no Iraque. Para a segurança de vocês, sempre nos informem de seus passos e planos. São as regras. Esperamos que possam conhecer o verdadeiro Iraque."

Cerca de vinte homens atendiam os repórteres estrangeiros, sempre com a supervisão do ministro da Informação. Quando precisávamos sair para gravar, éramos acompanhados por dois deles. É claro que eles não se apresentavam como censores; para todos os efeitos, eram um motorista e um tradutor que estavam ali para nos ajudar, numa demonstração de boa vontade do governo de Bagdá.

De fato, em muitas situações eles abriram portas; porém, com o passar dos dias, ficou claro que seriam simpáticos e solícitos quando quiséssemos mostrar aspectos de interesse do governo, e arredios e até agressivos quando tentássemos retratar qualquer coisa que incomodasse o regime.

Logo no segundo dia, o tradutor – um sujeito de cabelo castanho-claro e quase sem bigode, características que fugiam dos padrões – bateu à minha porta logo cedo. Quando a abri, ele estampou um largo sorriso:

"*Mr.* Cabrini, bom dia! Tenho uma grande notícia para o senhor."

"Bom dia. Pode falar."

"Daqui a uma hora, o ministro da Informação irá recebê-lo e ainda lhe concederá uma entrevista... Aprontem-se."

Em vinte minutos, estávamos no carro dos agentes a caminho do Ministério da Informação. Nós nos deparamos com um edifício de arquitetura monótona, acanhado se comparado a um dos favoritos de Saddam Hussein, o grandioso Palácio da República. Como nas instalações do líder, havia uma ostensiva proteção militar, incluindo um tanque russo estacionado nas imediações.

Após um longo ritual de revistas, fomos levados para uma sala também guardada por um militar armado. Ao entrarmos, vejo o ministro sentado em um sofá, logo abaixo do tradicional quadro de Saddam Hussein. Ele se levantou e me cumprimentou com uma postura de lorde inglês. Era um homem de 50 anos, impecavelmente barbeado, vestindo um terno de corte italiano – certamente um visual diferente do que eu estava esperando.

"Como vai indo seu trabalho, *Mr.* Cabrini?"

"Muito bem, sr. Ministro. Agradeço sua cooperação."

"Como você deve ter percebido, estamos enfrentando muitos problemas em decorrência desse absurdo bloqueio econômico, fruto do imperialismo americano."

"Estamos mostrando tudo."

"O mundo precisa saber o que os americanos fazem com quem ousa desafiar seu monopólio político."

"Somos independentes e estamos aqui para mostrar a realidade. Posso lhe fazer uma pergunta?"

"Certamente."

Os agentes se entreolharam, temendo algo fora do *script*.

"Há alguma restrição, alguma censura ao nosso trabalho aqui?"

"Nenhuma. Somos democráticos."

"Nenhuma censura?"

"Nenhuma. Nada. Vocês têm total liberdade."

"Muito obrigado, sr. Ministro."

Antes de sair, ainda reforcei o pedido que tinha feito para entrevistar Saddam Hussein, ou então o número 2 do país, o vice-primeiro-ministro Tariq Aziz.

"Farei o possível."

Um aperto de mão gentil marcou a despedida. Em nosso encontro, o ministro demonstrou saber desempenhar sua fachada de modernidade.

Na primeira semana, fomos levados pelos agentes aos mais diversos pontos da capital iraquiana. As marcas mais visíveis da destruição da Guerra do Golfo já tinham sido apagadas pelo governo iraquiano, e esse era o maior orgulho de Saddam Hussein em seus pronunciamentos diários nos jornais e nas TVs do país.

À primeira vista, tudo parecia normal em Bagdá, pois pontes, ruas e prédios destruídos pelos americanos tinham sido reconstruídos. O presidente iraquiano reparara tudo o que poderia prejudicar a estética da cidade; entretanto, a "recuperação" de Bagdá não resistia a uma observação mais cuidadosa.

Nos mercados e nos bazares, milhares de iraquianos desnutridos vagavam à procura de trabalho. Esses, sim, carregavam as marcas das aventuras militares da nação. No Iraque de Saddam, não havia estatísticas de desemprego, mas bastava uma volta em Bagdá para constatar que os desempregados passavam dos milhões.

Na capital, faltava leite, manteiga, carne e açúcar. O cidadão comum, naquela época, comia pouco e mal. No mercado clandestino, pelo qual produtos entravam secretamente no país, era possível encontrar de tudo. Mas 80% da população não tinha acesso a esse privilégio. Somente a elite iraquiana, atrelada ao regime e escondida em fortificações do luxuoso bairro de Al Mansur, tinha condições de atender às exigências dos contrabandistas.

A principal preocupação era evitar que filmássemos qualquer coisa que se relacionasse ao aparato militar de Saddam. Embora os agentes negassem o tempo todo, olhares mais atentos constatavam que o Iraque continuava a ser um país em guerra. Em Bagdá, os principais prédios e as instalações do governo eram protegidos por tanques e baterias antiaéreas.

Em um breve momento de distração de nosso cão de guarda iraquiano – o "buldogue", como o chamávamos no nosso código ressentido –, filmamos, da janela do veículo que nos levava, uma tropa de combate protegendo a televisão estatal. Paramos o carro e eu desci, com o pretexto de observar melhor a arquitetura do prédio da TV. No entanto, um soldado me viu e quis me segurar; ele só não me prendeu porque o "buldogue" explicou que isso não seria necessário. Mas o incidente provocou novos sermões e muitas cenas de irritação dos agentes que nos atendiam (na verdade, eles também faziam parte da polícia secreta de Saddam).

Apesar da tensão provocada pela paranoia da guerra e pelo bloqueio econômico, descobrimos um mercado agitado em Bagdá: verduras, peixes e carnes de carneiro não faltavam, embora fossem muito caros para os iraquianos. Com o bloqueio econômico, a inflação (que conhecemos tão bem) tinha disparado e chegado a 5000% ao ano. Qualquer coisa custava uma montanha de dinheiro, uma situação absurda e aviltante. Naquele Iraque, dinheiro já não era mais contado, e sim pesado. Todo bazar tinha uma balança velha para pesar os dinares iraquianos.

Passeando pelos mercados, vivenciamos momentos inusitados: era comum sermos recebidos com gestos ternos e carinhosos. Um vendedor de coalhada – e elas eram ótimas em Bagdá – fez questão de dar seu produto para nós três, e ainda se recusou a aceitar qualquer forma de pagamento, mesmo sabendo que estrangeiros significavam dólares na carteira (dólares eram tesouros disputados; às vezes, à faca).

Todavia, a recepção nem sempre era amistosa; parte das pessoas acreditava piamente na propaganda da máquina de informação de Saddam e rotulava forasteiros como inimigos, mensageiros da destruição – ainda mais se fossem de países cristãos. Elas reagiam para proteger suas propriedades. Foi o caso de uma mulher: ao perceber que nos aproximávamos de sua tenda de comércio, imediatamente cobriu seus produtos e ficou na nossa frente, para que não chegássemos mais perto. Em outro momento, fui atingido por uma pedrada. Fiquei zonzo durante vários minutos e ganhei um enorme "galo" na testa.

Se, de modo geral, faltava comida, sobrava petróleo. Naqueles tempos, o Iraque tinha a gasolina mais barata do mundo. Um litro de combustível custava o equivalente a 0,25 dinar, ou seja, o que se pagava em um simples ovo de galinha dava para comprar 600 litros de combustível. Na época, dava para encher o tanque de um carro de passeio com menos de R$ 0,01.

O país estava sucateado. Nas ruas, era possível ver um exército de carros velhos e enferrujados. Não havia peças de reposição, pneus, para-brisas etc. As ruas, aliás, apresentavam para nós certo ar caseiro e nostálgico. Os 160 mil Passats brasileiros que tinham sido comprados pelo Iraque nos anos 1970 e 1980 resistiam bravamente. Todas as vezes que nos apresentávamos como brasileiros, os iraquianos apontavam para os carros e gritavam com entusiasmo:

"*Brasili!*"

Era como conheciam esses carros que, duas décadas antes, eram símbolo de modernidade no Brasil.

"Carro bom!"

Mal sabiam que, no Brasil, àquela altura já eram chamados de carroças.

O sistema de tratamento de água tinha sido destroçado pela Guerra do Golfo, e os graves problemas de saneamento tornavam ainda mais severa a crise na saúde. Recebemos autorização para visitar o hospital da Universidade de Bagdá, considerado um dos melhores da região do Golfo dez anos antes. A situação era desesperadora. A lista do que estava em falta era extensa, e incluía oxigênio, antisséptico e insulina. O material cirúrgico tinha de ser reutilizado, incluindo luvas e seringas. Trapos surrados eram chamados de roupas de hospital, e a superlotação era evidente. Boa parte da população sofria de anemia, devido à má alimentação, e os casos de infecção hospitalar eram frequentes.

Entramos na detonada maternidade. Diante de nossos olhos, nascia um bebê iraquiano, uma menina. Apesar das dificuldades, a cesariana tinha dado certo, e a médica de nariz acentuado e traços suaves e belos se emocionou. Ela me fitou com seus olhos grandes e negros e disse:

"Quando salvo duas vidas, como hoje, eu me sinto feliz."

Aproveitei sua atenção para perguntar:

"Quanto ganha uma profissional como a senhora?"

"O equivalente a 2 dólares por mês", disse, quase sussurrando. "Só consigo sobreviver graças às economias de meus pais. Tenho uma filha de 5 anos, e só de compras básicas no mercado gasto três vezes o que ganho aqui."

O agente de Saddam se aproximou, mas não desisti de me aprofundar no assunto:

"A resolução da ONU permite ao Iraque comprar remédios e comidas. Então, por que falta medicação?"

Outros dois médicos se juntaram a nós. Eles não conseguiam disfarçar o mal-estar; apenas sorriam sem jeito. O buldogue que nos acompanhava entrou bruscamente na frente dos cirurgiões e se apressou em responder.

"A culpa é do bloqueio econômico!" E todos os médicos foram praticamente induzidos a assentir com a cabeça.

O governo iraquiano alegava que não tinha dinheiro para remédios e alimentos porque a ONU não deixava o país vender o seu petróleo. Não havia dinheiro para as necessidades básicas do povo, mas não faltavam dólares para a construção de um palácio para Saddam Hussein em Bagdá. O que estava sendo erguido naquele momento prometia ser um dos mais requintados da coleção de castelos de Saddam, que chegara à impressionante marca de 81 palácios. Essas construções eram sempre encomendadas a importantes arquitetos do Oriente Médio e, às vezes, da Europa. Era comum ver, na frente delas, estátuas com a cabeça de Saddam...

Naquela manhã, o telefone tocou bem cedo, como de hábito. Com voz doce, o buldogue anunciou:

"*Mr.* Cabrini, hoje você vai ter a honra de ver o que nosso pai está realizando na Babilônia."

Foi uma viagem de 91 quilômetros ao sul de Bagdá, até chegar a uma réplica da porta de Ishtar (a original foi construída por volta de 575 a.C., por ordem do rei Nabucodonosor II, no lado norte da cidade). Ao entrarmos, nós nos deparamos com paredes originais em meio a reconstruções. Era difícil identificar rapidamente o que era original e o que era simplesmente uma tentativa de reprodução. Os agentes de Saddam pareciam eufóricos. Evidentemente, o tempo já tinha transformado em ruínas a sede do reino de Hamurabi e Nabucodonosor, também conhecida como o local onde Alexandre, o Grande, pereceu.

O Império da Babilônia, fundado em 1950 a.C., teve papel central na história da Mesopotâmia. O povo babilônico, avançado para a sua época, demonstrava grandes conhecimentos em direito, arquitetura, agricultura e astronomia. Ele se manteve como centro do mundo por pouco mais de mil anos. Lá houve a primeira codificação de leis, usando a escrita cuneiforme e fazendo do célebre código de Hamurabi um divisor de águas não só do Eufrates – que passa nessa região – como também da própria história humana.

A saga babilônica sempre exerceu fascínio na megalomania de Saddam Hussein. Ele despejou rios de petróleo para tentar reconstruir essa cidade. Inclusive, mandou cunhar mais de 60 milhões de tijolos com a inscrição "Época de Saddam Hussein, protetor do Iraque, que reconstruiu a civilização e a Babilônia". Mas o homem que sempre afirmou ser o novo Nabucodonosor não conseguiu completar sua obra. Além disso, para os historiadores, ao mexer nas ruínas, ele cometeu um sacrilégio arqueológico.

Já estávamos nos acostumando com os discursos de Saddam, ouvidos diariamente nas TVs e nas rádios e traduzidos pelos buldogues durante nossos trajetos. Naquele país repleto de doentes e famintos, tudo o que ia mal era culpa do embargo das Nações Unidas. A maior fome, na verdade, era de informação. Manipular, omitir, exagerar, censurar: todos os dias, esses verbos eram conjugados pelo governo de Saddam, pois nenhum regime de força resiste à tentação de controlar a informação. O Iraque não era exceção. Saddam controlava a imprensa com mãos de ferro.

Os agentes concordaram em nos levar à redação da agência de notícias do Iraque. Lá, fui recebido pelo editor-chefe. Durante a conversa, ele admitiu, constrangido, o que era óbvio: a última palavra em assuntos mais delicados era mesmo dos censores do governo. De lá, fui levado a um prédio relativamente imponente, herança da fase em que Bagdá era considerada a Joia do Oriente. O único jornal editado em inglês em Bagdá, o *Observer*, era obrigado a publicar a foto de Saddam na primeira página todos os dias, mesmo que não houvesse notícias sobre o presidente. A editora do jornal me atendeu com amistosos gestos estudados.

"Até que ponto o jornal pode criticar algum ato do governo?"

Um sorriso amarelo foi a resposta.

"Não podemos."

A televisão dedicava espaços generosos ao presidente. O principal telejornal da noite, apresentado por locutores em trajes típicos, começava sempre com uma foto e alguma notícia sobre o presidente. Na primeira noite em que dediquei atenção à notícia "bombástica" que abria o jornal de maior audiência do Iraque, não me surpreendi: Saddam mandava cumprimentos ao governo de Mali pelo aniversário da proclamação de Independência, uma nação cujo principal mérito era apoiar o Iraque em fóruns internacionais. Terminadas as notícias, cantores populares se revezavam em clipes com homenagens a quem chamavam de "Grande Líder". Sem dúvida, canções com letras muito criativas. A mais executada dizia: "Saddam é o tesouro mais precioso da nação. É adorado por milhões de iraquianos". Então, vinha o refrão: "Nós somos as estrelas, e o presidente é a Lua no céu do Iraque". Havia quem se emocionasse com isso.

Talvez a melhor parte dessa onipresença acontecesse durante a sessão da tarde iraquiana. Todos os dias, pontualmente às 3 horas da tarde, o desenho das *Tartarugas Ninja* era interrompido para a apresentação de um pequeno documentário que enaltecia a bravura de Saddam na guerra contra o Irã. Eram dez minutos de bombardeio nos iranianos, sempre com imagens dos soldados de Saddam destruindo tanques, aviões e pontes iranianas. O herói onipresente era Saddam, o homem que tinha levado o Iraque a duas guerras (Irã e do Golfo), com o custo de 1 milhão de vidas iraquianas.

Saddam Hussein tinha a capacidade de despertar duas reações antagônicas, mas igualmente fortes: ódio e adoração. Não se podia discutir que se tratava de um líder popular. À custa de métodos cruéis? Sim, mas não só por isso. Saddam entendia como ninguém o mecanismo de forças dentro do Iraque. Podia ser megalomaníaco ao olhar para fora do país, mas sabia o que precisava fazer para se manter à frente dos iraquianos.

Para levar suas mensagens às massas, Saddam era capaz de tudo. Podia até aparecer nas mesquitas como o mais fervoroso dos mulçumanos, apesar da fama de ateu. Quando falava ao país, sabia usar as palavras certas: apelava para o sentimento árabe se fosse o caso; enfatizava que era um sunita de Tikrit quando convinha; chamava a atenção para sua bravura patriótica de enfrentar estrangeiros usurpadores quando sentia que era isso que sua audiência queria ouvir. Mas, acima de tudo, jamais hesitou em usar uma combinação de alienação e medo para controlar seu rebanho. Saddam, que em árabe quer dizer "aquele que confronta", nunca se descuidou dos inimigos que criou dentro do próprio país.

Logo que assumiu o poder, em julho de 1979, promoveu uma histórica reunião do partido Baath, uma mistura de nacionalismo, socialismo, pan-arabismo e anti-imperialismo. (Saddam já tinha sido determinante no golpe de 1968, quando o partido havia chegado ao poder na Síria e no Iraque.) Em uma grande sala de Bagdá, repleta de partidários, Saddam pediu silêncio e declarou que, no passado, o partido tinha sido muito tolerante com seus problemas internos. Naquele momento, um oficial do Baath denunciou a existência de uma rede de conspiradores. Saddam assentiu, e então começou ele mesmo a apontar para aqueles que considerava serem os traidores do partido. Esses homens foram retirados da sala para serem executados. Imagens de baixa definição que consegui em Bagdá mostravam que, enquanto os conspiradores deixavam a sala, Saddam fumava com uma tranquilidade inabalável. Ao anunciar o veredito de mais um conspirador, este se levantou e tentou contestá-lo, mas Saddam foi firme e implacável.

"As evidências são claras", disse ele. "Saia já daqui."

Ninguém mais se sentia seguro, pois não sabiam quem seria o próximo.

Um delegado se levantou e gritou:

"Vida longa para Saddam e o partido."

Saddam tomou um lenço e, somente nesse instante, se permitiu demonstrar alguma emoção, sendo seguido por uma plateia em lágrimas. Saddam se levantou e se dirigiu aos membros do alto-comando do partido, para convidá-los a deixar a sala e participar do pelotão de fuzilamento.

A responsabilidade estava dividida. Começava a era do terror, uma contabilidade macabra que, na época em que eu estava no Iraque, chegava a 250 mil oposicionistas eliminados em enforcamentos e fuzilamentos.

* * *

Havia alguns dias que eu reparava nos olhares de um rapaz bem magro, que costumava trajar camisa branca. Sempre que eu, Fernando e Ives aparecíamos na cafeteria do Al Rashid – aberta também para a população local, mas sob os olhares dos militares que cercavam o hotel, é claro –, lá estava ele. Mas naquele dia ele parecia ainda mais determinado a falar comigo. Olhou de um lado para o outro, certificando-se de que não era observado, e só depois disso fez um gesto, desejando se aproximar de nossa mesa.

"Bom dia, sr. Cabrini. É esse seu nome, não é?"

"Sim."

"Pertenço a um movimento secreto que combate as atrocidades do regime atual e gostaria de contar ao senhor como as coisas funcionam por aqui."

Marcamos uma entrevista para dez minutos depois, no meu quarto.

Ele bateu em minha porta no horário combinado e, sem mostrar o rosto para nossas câmeras, contou que as punições aos que se opunham ao governo não atingiam só quem abria a boca.

"A polícia secreta iraquiana costuma sumir com toda a família do acusado", disse em tom quase de desespero. "Ultimamente, eles simulam um acidente de trânsito fatal para não deixar pistas."

Com ele, consegui o telefone de uma brasileira casada com um iraquiano, moradora de Bagdá havia trinta e seis anos. Marcamos um encontro perto da embaixada brasileira, então desativada. Tratava-se de uma casa elegante no bairro de Al Mansur, e apenas um caseiro tomava conta do local.

Uma mulher de cabelos crespos, alta, que dividia cada palavra ao falar, implorou para não mostrarmos seu rosto nem a identificarmos.

"Fique tranquila", eu disse com a voz serena, procurando acalmá-la.

"Você me entende, não é? Tenho nacionalidade iraquiana. Só posso dizer que aqui, ao menor sinal de discordância dos atos do regime, eles nos matam. Não quero falar mais. Me desculpe. Se me virem com um jornalista, minha família estará em risco."

As guerras de Saddam custaram caro ao povo iraquiano, e os agentes de Saddam trataram de me levar ao local onde funcionava um abrigo antibombas subterrâneo na periferia de Bagdá. No teto, havia um enorme buraco, resquício de um ataque aéreo. O agente de Saddam me puxou pelo braço, obrigando-me a lhe dar atenção, e começou a falar:

"Os americanos alegaram que aqui funcionava um centro militar e despejaram um inferno de ferro e fogo no prédio. Centenas de famílias tentavam se proteger aqui dos ataques dos aviões. Uma bomba abriu esse buraco aí e arrasou tudo, matando mais de 1.500 mulheres e crianças. E aquela nação ainda quer falar de atrocidades cometidas."

O abrigo tinha virado uma espécie de memorial e continha fotos e lembranças dos mortos. O local se tornou também uma peça de propaganda para Saddam Hussein atiçar ainda mais o ódio dos iraquianos contra os americanos.

Uma mulher ao fundo mexia os braços, pedindo que eu me aproximasse. Quando cheguei perto dela, ela começou a chorar compulsivamente, e o agente do Ministério da Informação passou a traduzir suas palavras para o inglês.

"Eles mataram minha família inteira, quatro pessoas. Isso é justo? O que vou fazer da minha vida?"

Ao final, notei que o agente piscou levemente para ela. *Estranho*, pensei.

A derrota na Guerra do Golfo e os cinco anos de bloqueio econômico estavam atravessados na garganta do governo de Bagdá, mas a ONU não voltava atrás. Naquele momento, 400 inspetores das Nações Unidas estavam no país, encarregados de desmontar as fábricas de armas químicas e mísseis de Saddam. Foram várias visitas-surpresa às instalações militares dos iraquianos. As equipes encontraram documentos com planilhas de armas atômicas, bem como preparados de urânio que poderiam ser usados na fabricação de bombas e até o supercanhão que Saddam estava construindo. Aqueles agentes tinham inspecionado várias fábricas de armas biológicas e chegado à conclusão de que o estoque de armas químicas era maior do que supunha a comunidade internacional. Os inspetores enfrentaram a má vontade dos oficiais iraquianos e a hostilidade dos mais fanáticos seguidores de Saddam. Porém, não houve alternativa: a ONU destruiu boa parte do material. Alguns equipamentos foram inutilizados com cimento; outros, simplesmente amassados com os pés.

* * *

Já no meu quarto, o telefone tocou.

"Senhor Cabrini, aqui é o Aziz, do Ministério da Informação. Amanhã seguiremos de carro para o extremo sul do país."

"Basra?"

"Isso mesmo."

"A fronteira com o Kuwait."

"Sim, o Kuwait." Ele riu: "O mesmo país – digo, região – que nosso presidente sempre considerou nossa 19ª província."

De Bagdá a Basra, percorreríamos 545 quilômetros. Pegamos o tempo todo uma estrada bem asfaltada, cruzando com tanques de Saddam, até chegarmos à terceira maior cidade do Iraque. Famosa por ter o principal porto do país, Basra fica às margens do rio Shatt Al-Arab. Entre o Kuwait e o Irã, a apenas 55 quilômetros do Golfo Pérsico, é um ponto estratégico, vital para o país. No caminho, colunas de tanque e novas discussões todas as vezes que tentávamos filmar o aparato de guerra do Grande Irmão iraquiano. Dormimos em um hotel simples e, às 7 horas da manhã, os agentes já estavam nos levando para a fronteira com o Kuwait. Era um trajeto rápido.

"Você tem apenas trinta minutos para gravar aqui. São ordens superiores."

Avistei um largo e longo fosso separando os dois países. Em trinta minutos, já estava gravando diante das lentes de Fernando Pelégio.

"Estamos em uma das fronteiras mais tensas do mundo nos últimos dez anos, a fronteira entre Kuwait e o Iraque. Nosso câmera está no lado do Iraque, e eu, do Kuwait. Essa faixa por onde estou caminhando, antes da Guerra do Golfo, pertencia ao Iraque, mas agora, por decisão da ONU, faz parte do Kuwait. São 600 metros de largura em 210 quilômetros de extensão, ou seja, praticamente toda a extensão da fronteira entre o Kuwait e o Iraque. A zona desmilitarizada é muito maior: são 5 quilômetros do lado do Kuwait e 10 quilômetros do lado do Iraque. O fosso construído pelo Kuwait tem cerca de 5 metros de profundidade, e os iraquianos alegam que, nessa faixa de guerra que foram obrigados a devolver, perderam 14 campos de petróleo e 89 fazendas."

Era possível ver tanques abandonados e enferrujados pelo tempo. A decisão de invadir o Kuwait tinha sido um monumental erro de cálculo de Saddam, que se orgulhava de conhecer como ninguém os atores do teatro do poder no Oriente Médio. Ele não conseguiu antever a reação avassaladora que os americanos, seus ex-aliados, teriam diante de seu passo no tabuleiro. A invasão foi uma tentativa desastrada de lidar com a estagnação de sua economia.

Quando a guerra com o Irã terminou, em 1988, depois de oito anos sangrentos, a economia do país estava à beira da falência. E os maiores credores da dívida de sua aventura militar eram a Arábia Saudita e o Kuwait.

"Vocês [sauditas e kuwaitianos] têm de perdoar essa dívida, afinal lutamos por vocês contra a ameaça dos inimigos do Irã!"

Era o que Saddam sempre bradava, mas seu discurso não convencia os credores. Além disso, o Kuwait – a pretendida 19ª província de Saddam foi parte de Basra na época do Império Otomano – havia tornado a crise ainda pior, despejando milhões de barris de petróleo no mercado. Como consequência, a principal riqueza do país de Saddam ficou desvalorizada.

A família real kuwaitiana tinha um acordo já secular que praticamente permitia aos britânicos cuidar da sua política externa. Os ressentimentos com Bagdá já estavam enraizados, e a fronteira entre os dois países tinha sido estabelecida artificialmente pelos ingleses em 1922. Além disso, o surgimento de um Kuwait independente com uma simples penada eliminava a única saída para o mar que o Iraque possuía. O Kuwait ainda era acusado de roubar petróleo iraquiano, fazendo perfurações na região da fronteira.

Saddam tinha sido "armado até os dentes" pelos Estados Unidos nos anos de conflito com o Irã. A ajuda vinha não só em armamentos, mas em forma de informações de satélite sobre o posicionamento das forças iranianas. Para Washington, era preciso conter a expansão e a influência dos aiatolás, e Saddam foi eleito aliado quando os americanos perceberam o risco de os iranianos ganharem a guerra.

O Iraque ainda possuía as armas cedidas pela antiga União Soviética (de quem tinha sido parceiro durante a Guerra Fria) e era, pelo menos antes de cruzar a fronteira com seus tanques, a maior potência bélica da região, com 1 milhão de soldados regulares.

A Guerra Irã-Iraque, impulsionada pela tentativa de controlar o Shatt Al-Arab – canal que liga o Iraque ao Golfo Pérsico, região estratégica para o escoamento do petróleo –, terminou sem vencedores e com pesadas baixas para os dois lados. Saddam começou o conflito amparado pelo então governo Ronald Reagan, mas terminou isolado pela impopularidade da decisão de bombardear com armas químicas as minorias curdas no norte do país, acusadas de apoiar o Irã.

Terminada a guerra com os iranianos, Saddam viu seus fundos serem cortados pelos americanos. Mesmo assim, acreditou que não seria rechaçado se anexasse o país vizinho. Seis dias antes da invasão ao Kuwait, Saddam recebeu a embaixadora norte-americana April Glaspie, e ela sugeriu que os Estados Unidos não interviriam militarmente em defesa do Kuwait.

Foi uma guerra *high-tech*, um *videogame* de fogo e destruição. Os americanos e seus aliados puseram em prática a Operação Tempestade no Deserto, com a aprovação do Conselho de Segurança das Nações Unidas. O mundo conheceu o poder avassalador de bombas inteligentes e aviões Stealth em uma guerra transmitida ao vivo pela TV.

A campanha durou sete meses e terminou depois de 40 mil missões, com o Iraque invadido por tropas terrestres, Bagdá bombardeada, o Kuwait libertado e mais de 100 mil soldados iraquianos mortos contra aproximadamente 1.000 baixas nas forças de coalizão.

Sim, Saddam tinha se rendido. Mas conforme eu observava em cada detalhe, ele procurava se recompor, e não abria mão da reconstrução de sua máquina de guerra.

Meu desafio, agora, envolvia uma missão extremamente perigosa. Conversando com os poucos opositores que tinham ousado falar com um jornalista estrangeiro, soube que uma das formas de punição nas tropas consistia em uma bárbara operação: desertores, jovens que se recusassem a servir no exército de Saddam ou pessoas vistas como subversivas pelo regime tinham suas orelhas cortadas para servir de exemplo.

O telefone de meu quarto no Al Rashid tocou. Como sempre, do outro lado da linha estava o buldogue.

"*Mr.* Cabrini, tenho boas notícias."

"Quais?"

"Hoje, você se encontrará com Sua Excelência, o vice-primeiro-ministro."

"Tariq Aziz?"

"Ele mesmo. Aprontem-se. Espero vocês em quinze minutos na recepção do hotel."

Era a primeira vez que entrávamos no Palácio da Guarda Republicana, local onde o próprio Saddam costumava dar as suas ordens. Nunca tínhamos passado por tantas revistas. Atravessamos longos corredores e subimos escadas de mármore até chegar a uma sala ricamente decorada, repleta de livros dispostos em uma estante de ouro.

"A entrevista vai ser aqui", informou um dos agentes iraquianos. "Vocês têm quinze minutos para montar o equipamento."

Tariq Aziz era a mais conhecida face do regime depois do próprio Saddam, de quem era o principal conselheiro havia décadas. Ambos tinham sido ativistas do Partido Baath, quando este era ainda uma organização clandestina no Iraque. Diferentemente de todos os líderes importantes do país, Tariq era católico e tinha bom trânsito até mesmo no Vaticano. Seu pai era garçom, mas ele foi um aluno de destaque na Universidade de Bagdá, onde estudou Literatura Inglesa e se formou jornalista. Como prêmio, ficou responsável pela edição do jornal do partido.

Com Saddam como primeiro-ministro e presidente do Iraque, na prática era Tariq quem exercia a chefia de governo: era ele quem sempre viajava representando o regime de Bagdá.

Depois de um tempo, o agente anunciou:

"*Mr.* Cabrini, Sua Excelência, o vice-primeiro-ministro Tariq Aziz."

Vestindo um terno italiano azul-escuro e exibindo um sorriso no rosto, Tariq Aziz estendeu a mão.

"É um prazer poder falar ao Brasil."

Ele então acendeu um cigarro europeu, confirmando sua fama de fumante inveterado, e se sentou em uma poltrona de almofada vermelha e extremidades douradas. Sem mexer o rosto, permitiu que o microfone de lapela fosse instalado em seu paletó.

Uma das perguntas que marcaram aquele dia foi a seguinte:

"Existem sérias denúncias de violações de direitos humanos em seu país. O que o senhor pode dizer sobre os rumores de que o regime corta as orelhas de quem se recusa a servir no exército ou se opõe ao regime?"

"Vocês viram alguém assim em suas andanças pelo país? Eu os desafio a encontrar alguém mutilado."

Quando saí de lá, estava mais do que disposto a investigar aquela questão. Seria uma lenda, ou o regime estava apenas escondendo suas mazelas?

Parecia não haver uma forma de investigar. Tínhamos o dia todo em nosso encalço os agentes da polícia secreta – aqueles a quem chamávamos de buldogues – disfarçados de ajudantes do Ministério da Informação. E eles não davam uma trégua. Era impossível andar por Bagdá sem a companhia deles. No entanto, eu, Fernando e Ives decidimos que iríamos tentar. Tinha de aparecer uma oportunidade.

"*Mr.* Cabrini. Bom dia!"

Puxa! Eles não dão trégua mesmo, pensei em voz alta.

"Aprontem-se. Hoje vocês vão conhecer a maior mesquita de Bagdá."

Ainda não seria daquela vez que conseguiríamos investigar a questão dos homens de orelhas cortadas. Mas tudo bem. Fazia tempo que eu queria conhecer a mesquita de Al-Kadhimiya.

A única força que rivalizava com Saddam no Iraque era a fé: os muçulmanos representavam 95% da população. Podia-se ouvir o clamor do povo em todas as partes. As orações chamavam os fiéis às mesquitas. Cinco vezes por dia, todos se voltavam na direção da Meca, a cidade onde nasceu o profeta Maomé, a fim de rezar para Alá, o único deus segundo o livro sagrado deles, o Alcorão.

Lá estava ela, com duas enormes cúpulas douradas, rodeada por quatro torres – os minaretes –, tudo coberto com folhas de ouro. Era possível vê-la de muito longe. Além de maior santuário e mesquita xiita, Al-Kadhimiya era também o mais antigo templo de Bagdá. Sua construção começou há 1300 anos.

A multidão de fiéis tomava o gigantesco pátio do lado de fora. Ao entrarmos, vimos outro emaranhado de muçulmanos rezando em voz alta. Olhei para cima e, impressionado, vi o teto, onde brilhavam os mais finos cristais. A peregrinação se concentrava no centro da mesquita, em torno dos mausoléus onde estão sepultados os imãs Al-Kadhim e Al-Jawad – parentes diretos do profeta. Emocionadas, as pessoas beijavam as extremidades das tumbas, pediam graças, confessavam pecados, choravam.

Os fiéis não paravam de caminhar em torno da morada dos antigos líderes religiosos. Era assim havia treze séculos. Nunca houve mudanças, até porque, segundo o Alcorão, toda inovação é uma heresia, e heresia leva ao erro, e o erro, ao inferno. Lá, os aiatolás e imãs eram mais do que apenas líderes religiosos; somente os aiatolás conseguiam dividir com Saddam Hussein a ascendência sobre os iraquianos.

Após um tempo, percebi uma empolgação súbita do lado de fora: o *frisson* era porque o aiatolá Mohammad Sadeq Al-Sadr acabara de chegar. Centenas de homens o cercaram para ouvir suas preces e seus conselhos, enquanto as mulheres rezavam em salas especiais dentro da mesquita. Al-Sadr comandava todas as operações e era reverenciado com devoção.

Quando a cerimônia terminou, um de seus auxiliares me informou que o aiatolá tinha concordado em me receber. Fui levado a uma pequena sala. As vozes da reza intermitente ficaram para trás. Não havia cadeira para se sentar, mas um tapete fino e delicado. Lá dentro, estava o aiatolá Al-Sadr, um homem de óculos, barba branca bem longa, vestido com a túnica islâmica. Ele me cumprimentou com sua voz calma e solene. Eu sabia que ele rivalizava com o sunita Saddam pelo poder. Meu encontro só tinha sido autorizado porque ele tinha se comprometido a falar contra o bloqueio econômico e concordado em evitar questões políticas internas. Havia, portanto, um interesse em comum com o presidente iraquiano.

Com fala mansa e um leve sorriso, ele me convidou a sentar-me ao seu lado, no chão – ou, mais precisamente, sobre o tapete ali estendido. Diante de mim, estava o principal líder xiita do país. A divisão do islamismo entre seus dois ramos principais – o xiita e o sunita – começou com a disputa para estabelecer quem sucederia a Maomé, o fundador da religião, morto em 632 d.C.

Os xiitas consideram até hoje que o herdeiro do legado do profeta é um de seus parentes diretos: Ali Ibn Abi Talib, primo e genro do profeta (casado com Fátima, filha de Maomé), além de ser pai de seus netos. Já os sunitas – assim chamados por seguirem a Suna, livro biográfico de Maomé – acreditam que o profeta não tinha herdeiro legítimo, devendo um líder religioso ser eleito por meio de votação entre as pessoas da comunidade islâmica. Eles consideram que os seguidores de Maomé escolheram Abu Bakr, amigo próximo e conselheiro do profeta, como seu sucessor e primeiro califa.

Com o tempo, os xiitas se tornaram mais radicais na interpretação dos ensinamentos do Alcorão; já os sunitas possuem um entendimento mais abrangente e político. Os sunitas representam 90% do total de muçulmanos no mundo. Embora os xiitas representem apenas 10%, são maioria em países importantes como o Irã, o Azerbaijão e o Bahrein. No Iraque, onde também são maioria (66% da população), os xiitas precisam se submeter ao poder de Saddam Hussein, representante do Partido Baath e das bem articuladas elites sunitas do país.

O aiatolá Al-Sadr sabia que estava no meio de um turbilhão, e começou a entrevista como eu já esperava: condenando o embargo econômico.

"Querem punir o regime, mas estão punindo o povo iraquiano."

O intérprete da polícia secreta de Saddam, por vezes, traduzia menos do que o líder xiita falava. Quando protestei, ele teve de começar a traduzir palavra por palavra.

"O que o senhor pode falar da falta de oposição no Iraque atual?"

O buldogue se exasperou, pois tínhamos combinado de não entrar em questões políticas.

O clérigo islâmico percebeu a tensão entre nós e resolveu falar em sentido mais figurado, para tentar evitar a ação do censor e, ao mesmo tempo, explicar-nos sua visão. Ele abandonou por instantes o idioma árabe e disse, então, em bom inglês:

"Não há divisão no Islã, e assim deveria ser no Iraque. Os direitos são iguais. Alá ainda vai mostrar isso."

O agente interrompeu a entrevista, dizendo que precisávamos ir. O aiatolá sorriu; à sua maneira, tinha dado seu recado: a maioria não podia ser ignorada no país.

Quatro anos depois dessa entrevista, Al-Sadr foi brutalmente assassinado por homens de Saddam Hussein ao deixar uma mesquita xiita em Najaf.

* * *

Naquela manhã, o telefone não tinha tocado como de costume. Achei estranho, mas também senti uma ponta de esperança de poder investigar a questão dos homens que tiveram as orelhas cortadas. Fui até a rua em frente ao hotel e peguei um táxi até o Ministério da Informação, para ver o que estava ocorrendo. A resposta veio logo: vinte jornalistas americanos tinham chegado. Uma parte era da CNN, e outra, do *The New York Times*. Pensei: é hoje!

O buldogue notou minha presença e disse:

"Você não deveria ter vindo até aqui sozinho."

"Vocês não nos ligaram."

"Bem, hoje não poderemos levar vocês porque temos de registrar os americanos. Esperem em seu hotel, e entraremos em contato."

"Sem problemas, pois estávamos mesmo pensando em jogar tênis na quadra do Hotel Sheraton."

"Ok!", disse, fazendo cara de satisfeito. "Me parece uma boa solução. Levaremos você de volta ao Al Rashid."

Era essa a chance. Em uma hora, eu e Fernando Pelégio estávamos vestidos para jogar tênis e com uma bolsa grande, chamada pelos tenistas de raqueteira. A bolsa serve, evidentemente, para carregar as raquetes – no entanto, o que havia ali era a nossa câmera profissional. Cantarolando e com cara de quem vai praticar esporte, passamos pela recepção, onde sempre havia algum olheiro dos buldogues.

Quando chegamos à rua, paramos o primeiro táxi que passou. Pelas informações que tinha apurado, o lugar onde haveria mais chances de encontrar as vítimas de Saddam seria em um bairro de população de maioria xiita chamado Saddam City – mais uma tentativa do líder do Iraque de acalmar as vozes discordantes.

O motorista do táxi era um senhor baixo, gordo, de bigode fino e turbante xadrez.

"Saddam City, por favor."

O motorista me olhou com ar apreensivo, ligou o carro e partiu. Porém, em vez de nos levar ao bairro xiita que ficava na periferia de Bagdá, ele nos levou a um lugar que já conhecíamos: a sede do Ministério da Informação. Por mais que argumentássemos que queríamos voltar para o hotel, ele chamou o militar que fazia a guarda, que, por sua vez, chamou um dos buldogues. O regime também se nutria dos milhões de "soldados de Saddam", homens que apoiavam a ditadura e denunciavam à polícia secreta qualquer fato estranho.

"Aonde vocês estão tentando ir?" O tom era ameaçador. Então, pensei rápido.

"Eu disse Saddam House, e não City. Quis dizer que desejava vir ao Ministério."

"E por quê?"

"Só queria saber se algum dos americanos não gostaria de jogar tênis conosco."

"Eles não estão mais aqui."

"Ah, que pena! Pode, então, nos levar para o Hotel Sheraton, onde vamos jogar tênis?"

Com indisfarçável má vontade, ele chamou um motorista e o orientou a nos levar para o Sheraton.

Assim que o carro do Ministério da Informação se distanciou do hotel onde nos deixaram, vi um táxi branco estacionado em frente ao local. Percebi que as roupas do motorista eram ocidentais e que ele não usava turbante. Quando me aproximei, vi que se tratava de um jovem de 20 e poucos anos com cabelo crespo, uma raridade por aquela região.

"Olá!"

"Pois não. Como posso ajudá-lo?"

Vi que seu inglês era mais fluente. Então, pisquei para Fernando e perguntei ao motorista:

"Como é o seu nome, jovem?"

"Halid, senhor."

"Halid, somos jornalistas brasileiros e queremos ir até Saddam City."

"Saddam City? Vocês têm autorização para ir lá?"

"Só queremos conhecer o lugar."

Ele sorriu amigavelmente.

"Acho que entendo… Jornalistas… Bem, vou levá-los lá, mas, por favor, não comentem com ninguém."

"Pode ficar tranquilo. Também não comentaremos que você não morre de amores por Saddam."

Ele riu e contou que já tinha viajado para a Alemanha e para a Inglaterra. Ele era louco para sair do Iraque e gostaria de um dia conhecer o Brasil. Mais um fã do futebol brasileiro. Ao contrário de nosso último motorista, nós nos sentimos à vontade com ele.

Após quase uma hora de trajeto, Halid nos apontou a entrada de Saddam City. A "cidade" de Saddam era, na verdade, um bairro da periferia de Bagdá, um dos lugares mais pobres do Oriente Médio. Saí do carro com Fernando e com Halid como tradutor. Em pouco tempo, percebo centenas de olhos nos observando.

"Estrangeiro na área!", gritaram vários homens.

A zona central de Saddam City parecia um formigueiro humano. Em ruas de terra e esgoto a céu aberto, 2 milhões de humanos dividiam espaço com animais. Mulheres imploravam por esmolas, homens se embriagavam para espantar a fome, crianças vagavam sem destino. Uns empurrando os outros. O mau cheiro era forte, e a falta de perspectivas, evidente.

O bairro tinha sido idealizado em 1959 pelo então primeiro-ministro Abdul Qassim para atender à falta de habitações populares em Bagdá. Inicialmente, foi denominado de Revolução City mas, com a ascensão de Saddam, tornou-se mais um exemplo de sua megalomania. O bairro passou a ser chamado pelo primeiro nome do presidente três anos depois de sua posse, em uma tentativa de expressar sua benevolência com os xiitas. Uma ação frustrada. Ali, Saddam sempre foi odiado – aliás, como na maior parte dos territórios xiitas do país. No mesmo ano em que mandou batizar o bairro xiita, Saddam conheceu de perto a fúria de seus inimigos internos. O líder iraquiano voltava de uma inspeção às tropas que estavam combatendo o exército iraniano. Enquanto cortava a pequena cidade xiita de Dujail, a 60 quilômetros de Bagdá, seu comboio foi alvejado por uma saraivada de metralhadora. A blindagem do carro salvou Saddam, mas sua vingança foi implacável: 148 habitantes da comunidade agrícola foram assassinados, e o lugar onde viviam foi destruído pelos serviços de segurança do regime.

Aos poucos, nós fomos nos entrosando com aquele povo e diminuindo a hostilidade das expressões desconfiadas. Logo consegui confirmar que o boato era realidade, mas faltava documentar isso. Estava anoitecendo, por isso achamos melhor voltar ao hotel.

"Como foi sua partida de tênis?", perguntou o gerente, amigo pessoal dos buldogues.

"Boa para mim, mas não tão boa para o Fernando, que perdeu."

Ele riu com a piada e não pareceu desconfiar de que ninguém tinha jogado tênis.

Na manhã seguinte, liguei para o quartel-general do Ministério e disse que estávamos levemente doentes e cansados.

"Gripe forte. Vamos repousar por uns dias antes de prosseguir com nosso trabalho."

"Entendo. Precisam de médico ou algo assim?"

"Não. Apenas de repouso, e estaremos novos em alguns dias."

Vigiando a delegação americana, eles estavam abarrotados de trabalho e não fizeram muitas perguntas.

É claro que temíamos que eles se comunicassem com o gerente e ficassem sabendo que tínhamos saído de novo para "jogar tênis", mas era o que podia ser feito no momento. Em poucos minutos, Halid já estava nos levando novamente para Saddam City.

Tínhamos alguns nomes, mas nenhum endereço. Andamos pelas ruas e pelos becos de Saddam City, sempre preocupados com olheiros da polícia secreta.

"Somos brasileiros. Pelé. Futebol", dizíamos.

Risos para cá e para lá. Rodinhas para falar de Zico, Sócrates, Rio de Janeiro... E o clima ia ficando cada vez mais amistoso. Fomos conversando com os pequenos comerciantes, depois de comprar *tashrib* – uma sopa típica do Iraque – e pão sírio, até sermos recompensados. Um vendedor de chá disse:

"Esperem aqui. Eu já volto."

Em dez minutos, estava diante de mim um homem de bigode e cabelos armados, aparentando ter 30 anos. Era uma prova viva da crueldade do regime de Bagdá. A parte de cima de sua orelha direita havia sido cortada porque ele se recusara a servir no exército de Saddam. Eu me apresentei como jornalista e expliquei por que estávamos no Iraque. Sua voz mostrou revolta:

"A operação foi realizada em um hospital militar, sem a mínima higiene." Seus olhos soltavam faíscas de puro ódio. "Quase morri de hemorragia. Terminada a mutilação, fui obrigado a voltar ao quartel e cumprir o tempo de serviço. O mundo precisa saber o que acontece aqui", esbravejou.

O objetivo das mutilações era marcar essas pessoas para sempre e dar um aviso: "Você pode ser o próximo".

Dias depois, encontramos outro caso, mais precisamente no sul do Iraque, quando fazíamos uma gravação na confluência dos rios Tigre e Eufrates – segundo a Bíblia, o local onde Deus criou o jardim do Éden.

Dois barqueiros nos ajudavam nas filmagens. Percebi que um deles não tirava o turbante de jeito nenhum. Apontei para sua orelha, e ele fez sinal de que queria me contar algo.

Quando o agente olhou em outra direção, o barqueiro apontou para o buldogue e passou a mão na garganta, como se dissesse: "Se ele ouvir o que tenho a dizer, manda me matar".

Voltamos para o pequeno porto, onde as embarcações ficavam ancoradas. Quando o agente desceu do barco, pedi permissão para filmar mais um pouco, com o barco mais vazio, o que melhoraria a qualidade da imagem. Pisquei para

Ives, que ficou na margem distraindo o agente com uma conversa sobre comidas típicas do Iraque, e voltamos para o meio do rio.

O barqueiro, cujo nome era Mohamed, contou-me a verdade, ou melhor, mostrou-me sua orelha, totalmente decepada por ele se recusar a combater os tanques americanos na fronteira com o Kuwait.

"Saddam é como um demônio."

Ah, se o líder Tariq Aziz imaginasse o que já tínhamos documentado... Temíamos que a informação vazasse e, por isso, fizemos cópias extras das imagens mais críticas e as espalhamos por vários lugares, inclusive na casa do nosso motorista amigo. Se uma gravação fosse descoberta, teríamos outra.

Naquela noite, no restaurante do Al Rashid, fizemos um balanço do que já tínhamos documentado. Embora Saddam se recusasse a falar com jornalistas, tínhamos o depoimento de seu número dois. O que eu queria mesmo era tentar ir até o norte do Iraque, onde Saddam usara armas químicas contra a minoria curda. Sabia que vários jornalistas tinham tentado, mas ninguém conseguira. O governo de Bagdá não permitia de jeito nenhum. Era uma região estranha.

Após a Guerra do Golfo, em 1991, foi criada uma zona de segurança no norte do Iraque – o objetivo era proteger os curdos que se rebelaram contra Saddam Hussein. Essa região, oficialmente, pertencia ao Iraque, mas desde a guerra estava sob intervenção da ONU. Mas a entidade internacional tampouco conseguia controlar o que acontecia ali. Era literalmente uma terra sem dono. A única chance seria tentar entrar pela Turquia, mas nesse caso precisaríamos sair do Iraque para depois entrar por outra fronteira, com todos os riscos inerentes a uma zona de guerra.

Funcionários da ONU que estavam no Iraque para inspecionar fábricas de armas químicas e biológicas tinham me dito que, sem visto iraquiano, não me deixariam passar, mesmo que o Iraque não tivesse plenos poderes sobre a região. Era uma medida sem sentido. Se eu saísse do Iraque, nossos vistos seriam automaticamente invalidados. E com que argumento eu conseguiria um novo visto, se seria necessário ir para a Bagdá de Saddam Hussein e seus agentes amestrados? Fui dormir pensando nisso.

"Bom dia, *Mr.* Cabrini."

"Alô..."

Eram 7 horas da manhã, e a voz do buldogue parecia agressiva.

"Bom dia, *Mr.* Helau"

"Recebemos a informação de que estrangeiros foram vistos em um perigoso bairro da periferia, considerado por nós como impróprio para visitas. O ministro estava muito irritado. Por acaso seriam vocês?"

"Claro que não, *Mr.* Helau."

"Mas soube que vocês não ficaram no hotel ontem."

"Sim, como nos sentimos melhor, resolvemos ir jogar tênis."

"Ok! Mas quero que venham aqui esta manhã."

A tensão cresceu. Porém, eu me lembrei de que o ministro afirmara não haver censura. Caso eles descobrissem que nós éramos os estrangeiros vistos em Saddam City, eu invocaria essa promessa feita para nos impressionar. Além disso, mentalizei: *desconfiar é uma coisa, saber é outra.*

Em uma hora, estava diante do ministro da Informação e me preparei para o pior.

"*Mr.* Cabrini, queira me desculpar."

Fiquei um tanto surpreso, e ele continuou.

"Sei que um de nossos homens suspeitou que vocês estiveram, ontem, em um bairro que consideramos crítico."

"Sim, sr. Ministro."

"Recebemos mais informações, dando conta de que esses estrangeiros eram americanos. Assim sendo, novamente, queira nos desculpar."

"Sem problemas, sr. Ministro."

Que bom, pensei. *Fomos confundidos com americanos. Ufa!*

"Há algo que possamos fazer para ajudá-los?"

"Bem, já estivemos em vários pontos de Bagdá, no sul, na fronteira com o Kuwait, na fronteira com a Jordânia…"

Então, ele me interrompeu:

"E ainda entrevistaram nosso vice-primeiro-ministro, Tariq Aziz, algo raro, já que o presidente não está falando com jornalistas. Poucos tiveram esse acesso."

"Sim, sabemos disso. Mas queríamos ir para o norte, para o território curdo…"

O ministro, que estava calmo, se exasperou, mudando levemente de cor…

"Vocês não têm autorização para ir ao norte. É um território perigoso, onde, neste momento, nem nós estamos conseguindo entrar."

"Bem, nesse caso, gostaria de solicitar sua autorização para irmos até a Jordânia e voltarmos daqui a algumas semanas, para a cobertura das eleições. Estamos um pouco cansados e queremos passar uns dias em Amã, para depois retomarmos o trabalho."

"Não é um pedido comum…"

"Consideramos muito importante mostrar as eleições e a democracia iraquiana para o Brasil."

"Deixe-me pensar…"

Ele ficou uns vinte segundos examinando uns papéis, e então me olhou fixamente:

"Ok, *Mr.* Cabrini! Vocês terão o visto para retornar e cobrir as eleições."

Saí de lá aliviado. Então, olhei para Ives e Fernando e falei:

"Vamos arrumar as malas o mais depressa possível, antes que descubram que não foram os americanos que estiveram em Saddam City…"

Três dias depois, estávamos jantando em Amã com o embaixador brasileiro na Jordânia. Contamos a ele sobre o plano de ir ao Curdistão, no norte do Iraque.

"Vocês estão loucos. Neste momento, aquela é a região mais insegura do planeta. Há uma guerra sangrenta acontecendo lá entre duas facções curdas, além das incursões da polícia secreta de Saddam, que sempre entra lá para matar. Até a ONU já desistiu de ficar naquele local; agora, ela só tenta controlar as fronteiras. Gostaria que repensassem esse plano."

"Claro, senhor embaixador."

À noite, no hotel de Amã – que, a essa altura, parecia o lugar mais seguro do mundo –, expus meu plano:

"Ives, quero que você e o Fernando voltem para o Brasil com as fitas já gravadas, para ir adiantando a edição de nossa reportagem. Temos um material muito bom e que merece carinho."

Fernando me olhou assustado:

"Mas e você?"

"Eu tentarei chegar ao norte do Iraque com uma câmera menor. Não é o momento de arriscar a vida de três pessoas. Irei só."

"Eu vou com você."

Ele estava resoluto. Sequer piscava.

"Você tem certeza?"

"Nunca tive tanta certeza."

Na noite do dia seguinte, fomos os três para o aeroporto de Amã. Ives Tavares embarcava de volta para o Brasil com mais de 50 horas gravadas, enquanto eu e Fernando pegávamos o voo para Istambul, a maior cidade da Turquia. De lá, iríamos para a capital, Ancara.

Tínhamos dois dias para descansar e acertar os planos. Arejamos a cabeça caminhando pelas ruas sinuosas da fortaleza criada pelos hititas no ano de 1200. Ancara, com mais de 4 milhões de habitantes, região central e estratégica da Turquia, era a capital desde 1923 – foi uma decisão de Mustafa Kemal, o Atatürk, pai da história moderna da Turquia. Prédios modernos se misturavam a ruínas de celtas, romanos, bizantinos e, por fim, otomanos, indicando a sucessão de conquistadores.

Procuramos o embaixador brasileiro na Turquia e combinamos um jantar. Em nosso encontro, levamos o mesmo sermão da Jordânia, mas ele entendeu que essa era a nossa profissão. Então, eu lhe fiz um pedido:

"Se em um mês não voltarmos, por favor, entre em contato com as tropas da ONU."

Na manhã seguinte, embarcamos para Diarbaquir, no sudeste da Turquia, conhecido reduto curdo do país.

Ao chegarmos lá, demos uma rápida volta pela cidade de 600 mil habitantes, e foi o suficiente para perceber que o cheiro da guerra estava em todas as partes. Era possível ver tanques turcos sendo hostilizados. A população apoiava o PKK (Partido Trabalhista Curdo), organização que travava uma luta armada contra a proibição do idioma curdo dentro da Turquia. O conflito acirrava ainda mais os ímpetos separatistas de curdos de seis países da região, entre eles o Iraque.

Seriam aproximadamente cinco horas de viagem – boa parte ao longo do rio Tigre – até o ponto do Iraque onde pretendíamos cruzar a fronteira. Era o mesmo rio Tigre que já conhecíamos de um ponto bem abaixo, o que me fez me lembrar dos soldados iraquianos de orelhas cortadas. Tudo parecia passar por aquele rio de quase 2 mil quilômetros que nasce nas montanhas da Turquia oriental, desce em direção à fronteira noroeste da Síria e corta todo o Iraque até encontrar-se com o rio Eufrates. Juntos, os rios formam o canal Shatt Al-Arab, que desemboca no disputado Golfo Pérsico.

Da estrada, víamos montanhas intercaladas por prados e ruínas de vilas que tinham sido destruídas pelo exército turco, acusadas de ajudar Abdullah Öcalan, líder do partido separatista de ideologia marxista e visto como terrorista por Ancara e seus aliados americanos e israelenses. Mais de 30 mil pessoas já haviam morrido no conflito entre o PKK e as tropas turcas.

A tensão estava no ar. Carros de combate turcos indo e voltando, cortando comunidades que os recebiam com pedradas. Os separatistas se escondiam nas montanhas e, geralmente, atacavam as posições do exército à noite.

Quando nos aproximamos da fronteira entre o sul da Turquia e o norte do Iraque, fomos parados por militares turcos.

"Quem são vocês? O que fazem aqui?"

Levávamos uma carta escrita pelo embaixador turco e outra fornecida pelo próprio ministro de Relações Exteriores de Ancara. Elas funcionaram. Vi o major turco falando pelo rádio, checando nossa história, e dez minutos depois ele mesmo veio procurar o responsável pela equipe.

"Vocês estão indo para uma zona de muito perigo. Não podemos garantir a segurança de vocês."

"Somos jornalistas e sabemos disso", falei, procurando transmitir calma e toda firmeza possível. "O senhor poderia avisar quem somos às unidades que estão entre nós e a fronteira, para evitar problemas?"

"Só há mais um posto de checagem nosso até a ponte que marca a entrada para o território iraquiano. Nós entraremos em contato com eles."

"Obrigado, major."

Chovia quando passamos pelo último posto.

"Para onde vocês vão?"

"Para o Iraque."

"Possuem vistos iraquianos?"

"Sim."

Os dois soldados conferiram rapidamente a documentação e fizeram sinal de que estávamos liberados. Em breve, estaríamos de volta ao Iraque. Outro Iraque, é verdade.

Era final de tarde quando atravessamos a ponte que divide a Turquia e o Iraque, com a Síria bem próxima de nós. Nossos olhos estavam bem atentos, afinal estávamos em um Iraque em guerra, uma parte do país que Saddam Hussein nunca permitiria que conhecêssemos.

Na outra extremidade da ponte, vimos dois homens de bigode fino e turbante vermelho e branco, algo diferente dos padrões de Bagdá. Vestiam calças de pregas verde-escuras, bem justas na cintura e muito largas mais abaixo, o que lembrava uma sanfona. Fizeram, então, um sinal para pararmos o carro.

"Quem são vocês?"

"Jornalistas brasileiros."

Mostrei nossos passaportes. Era nosso primeiro contato com os peshmergas, os guerrilheiros armados curdos. Eles examinaram nossos documentos, mas os devolveram em seguida, sem carimbos ou qualquer outra marca. Eles faziam parte de um dos clãs curdos, mas não tinham *status* de alfândega ou imigração. Teoricamente, essa obrigação seria do governo de Bagdá; mas este, desde a Guerra do Golfo, não conseguia ter domínio algum sobre a região. Sabíamos, entretanto, que Saddam ainda conservava seus tentáculos na área. Para isso, infiltrava temidos agentes da polícia secreta.

Os dois curdos sorriram. A postura era bem diferente da do exército de Saddam Hussein.

"Então, vocês são jornalistas brasileiros. Tomem um chá e esperem um pouco, pois uma pessoa está vindo para cá a fim de recebê-los."

Em dez minutos, chegou um senhor de aproximadamente 60 anos, com óculos pendurados no pescoço, cabelos bem grisalhos e falando inglês com um sotaque britânico impecável. Ele se apresentou como professor Azis. Expliquei quem éramos e por que estávamos lá.

"Queremos chegar até Halabja, a cidade que foi bombardeada pelas armas químicas."

"Halabja fica a um longo caminho daqui. Até chegar lá, precisarão passar por montanhas e abismos, minas terrestres e campos de batalha repletos de mortos e feridos, além da ameaça constante dos homens de Saddam."

Ele respirou fundo e continuou:

"Já que vocês tiveram a coragem de vir até aqui, faremos o possível para ajudá-los."

O professor e os soldados pertenciam ao KDP (Partido Democrático Curdo), grupo liderado por Massoud Barzani e que, tendo lutado contra Bagdá na Guerra Irã-Iraque, era considerado inimigo mortal do regime iraquiano. Quando Saddam foi obrigado pelos americanos a recolher suas tropas, as várias facções curdas tinham entrado em conflito armado entre si. Além de se preocuparem com Saddam, os guerrilheiros do KDP estavam em conflito com os curdos da PUK – a União Patriótica do Curdistão, liderada por Jalal Talabani – e ainda precisava enfrentar bases iraquianas dos comunistas do PKK, os mesmos que lutavam na Turquia. Era uma terra de ninguém, onde a cada metro podíamos ser alvejados por fuzis russos – os AK-47 – que tinham sido espalhados como praga naquela remota parte do mundo.

Para chegar a Halabja, a mais de 300 quilômetros ao leste, precisávamos passar por tudo isso. Mas estávamos determinados.

Nossa primeira noite foi em uma casa velha de uma aldeia. Por um longo tempo, esse seria o último local em que dormiríamos com certo conforto. Alugamos por um punhado de dólares o melhor carro que havia ali, um velho furgão russo, e pusemos o pé na estrada.

Khaled, um rapaz gordo, calvo, de barba por fazer, estava ao volante. O motorista indicado pelo professor tinha sido um peshmerga, e dizia isso a cada cinco minutos. Era manco – herança de combate –, e por essa razão tinha sido posto de lado. Teríamos de ser transferidos de um grupo de peshmergas a outro até chegarmos a Halabja, e não havia tempo a perder.

O professor insistiu em ir conosco. Era um bom homem, sempre preocupado em fazer com que nos sentíssemos felizes, ou quase isso, em meio àquele caos. Era pai de duas mulheres e avô de duas moças e três rapazes, todos envolvidos na propagação da causa curda. Nos tempos de juventude, ele tinha sido um dos poucos que conseguiram escapar da sina de se tornar guerrilheiro. Em vez disso, foi mandado para a Europa a fim de estudar. Os clãs curdos só faziam isso com os jovens identificados como mais inteligentes, e ele impressionava desde pequeno, aprendendo a ler e escrever em uma terra de milhões de analfabetos funcionais. Tinha passado quatro anos de sua adolescência na Inglaterra, estudando línguas e filosofia. Ao retornar, passou a ensinar inglês e cultura geral aos jovens curdos, desesperadamente sedentos de conhecimento. Mas agora estava ali, nos ajudando.

Os curdos crescem acreditando que as montanhas são seus melhores amigos. São abrigo, esconderijo, fonte de inspiração para a interpretação do Alcorão. Para eles, as fronteiras artificiais construídas pelo Ocidente eram uma falácia. O verdadeiro Curdistão das reuniões noturnas regadas a chá-preto ia muito além das montanhas do norte do Iraque.

A estrada passava por uma sucessão interminável de altas montanhas, uma mais íngreme do que a outra. Era difícil olhar para baixo: os abismos eram radicais. A todo instante passávamos por peshmergas com armas na mão, muitos deles quase meninos. O professor mostrava a eles documentos esfacelados e explicava por que estávamos ali. Dava para perceber que ele era respeitado por todos.

Espalhados em cidades e aldeias, viviam naquele pedaço do mundo cerca de 3 milhões de curdos iraquianos. Descendentes de um povo indo-europeu, tinham seu próprio idioma e sua própria cultura, mas nunca conseguiram forjar o próprio país com outras pessoas da mesma etnia. Embora convertidos ao islamismo, não eram árabes, como a toda hora faziam questão de dizer. Eram iraquianos que sempre foram perseguidos pelo regime de Bagdá.

Os retratos, as pinturas e os monumentos de Saddam tinham sido rapidamente eliminados, muitas vezes com tiros disparados pelas poucas metralhadoras disponíveis, aumentando ainda mais o ressentimento em relação a Bagdá. Em seu lugar, víamos imagens de líderes curdos como Barzani e Talabani, dois eloquentes oradores outrora aliados, mas que agora eram inimigos. Quando Saddam ficou fragilizado pela invasão americana na Guerra do Golfo, trataram de roubar do exército dele todo armamento que puderam – inclusive blindados de fabricação brasileira, com a inscrição "Cascavel", agora nas mãos da elite dos guerrilheiros.

Nas aldeias em que dormíamos espalhados no chão e junto à lareira de casebres superlotados, chefes dos clãs nos contavam suas tradições, entre elas uma dança na qual homens e mulheres com as mãos entrelaçadas pulavam em movimentos sincronizados. Os mais velhos sonhavam com o grande Curdistão, que unisse os 25 milhões de curdos espalhados pelo Irã, Iraque, Síria, Armênia e Geórgia. Por sua vez, os mais jovens pensavam apenas em sobreviver. Morria-se muito cedo ali. Passar dos 25 anos era um feito e tanto.

Estávamos famintos. Ao perceberem isso, os aldeões nos trouxeram sua iguaria, o *kebab*: um assado turco que, em sua versão curda, parecia até bem apetitoso. Porém, na primeira mordida, o encanto desaparecia. Tinha gosto de carne estragada e cheiro bem forte, uma terrível combinação. Eles ficaram olhando para nós, esperando nossa aprovação, e não podíamos decepcioná-los. Quase vomitávamos, mas engolíamos pelo menos um pouco, fazendo sinal de que era bom. Santa mentira. Mais tarde, quando nossos anfitriões não estavam olhando, procurávamos bolachas duras para aliviarmos a fome.

Em algumas aldeias maiores, havia latinhas de Pepsi à venda por pesados dólares. Era o máximo de prazer que se podia encontrar no Curdistão. A comunicação com o mundo exterior praticamente não existia. Raramente – e sempre por muito dinheiro – encontrávamos telefones por satélite, que falhavam a todo instante. Apenas uma vez conseguimos falar com nossas famílias por breves minutos, para dizer pelo menos que estávamos vivos.

A calma aparente era substituída rapidamente pelos disparos de fuzis e dos velhos lançadores de foguete Katyusha, arma de artilharia desenvolvida pelo exército soviético na longínqua Segunda Guerra Mundial. As Katyushas eram disputadas a tapa pelos peshmergas.

Tínhamos percorrido menos de 100 quilômetros e estávamos em uma das posições cruciais da batalha. Nosso carro foi abandonado e escondido entre folhagens. Aldeões cuidavam do professor e de Khaled, enquanto escalávamos uma montanha extremamente íngreme logo atrás dos peshmergas. Era impressionante como aqueles garotos curdos escalavam as montanhas: ágeis, flexíveis, com equilíbrio digno de montanhistas natos. Fazíamos o que podíamos para acompanhá-los, mas era uma concorrência desleal. À noite, dormíamos embaixo de rochas que formavam pequenas cavernas. Era um sono breve. Assim que surgiam as primeiras luzes do sol, prosseguíamos escalando aquelas pedras gigantes.

À medida que subíamos, cruzávamos com mais e mais corpos, todos de rostos jovens e sempre descalços. Todos ali sabiam que, quando morressem, o primeiro pertence que perderiam seria o sapato – depois dos fuzis, calçados eram os artigos mais cobiçados pelos jovens curdos.

As provisões tinham acabado, e nossas forças diminuíam drasticamente. O peso da câmera ia se tornando progressivamente maior; era como se carregássemos um piano nas costas. Eu e Fernando nos revezávamos na tarefa de carregá-la. Às vezes, dava vontade de desistir, mas, por alguma razão, continuávamos. Doíam a coluna e os pés, o suor encharcava nossas roupas, atraindo insetos de vários tipos. As picadas iam se acumulando, mas não tínhamos nem disposição para coçar, menos ainda para reclamar. Era difícil para todos. A sede era insuportável. Sim, a sede calava fundo, penetrava os ossos e lembrava-nos, a todo instante, de nossa mortalidade. Eram pontadas, tontura, tremedeira no corpo, os joelhos batiam um no outro. Mais um passo, mais um passo. Caíamos e nos machucávamos, mas só havia tempo para respirar fundo e continuar a caminhada. Fedíamos intensamente.

"*Picimol, boveja.*" A frase, dita em idioma curdo, significa "pessoal, atirar". Então nós nos abaixávamos, rezávamos e sentíamos saudades de casa. Isso era seguido de momentos de silêncio em que ouvíamos nossa própria respiração. A calmaria breve era quebrada por gritos de satisfação. Parecia barulho de água, mas devíamos estar delirando. Mais alguns metros subindo e avistamos a doce imagem do bálsamo: um pequeno açude, onde os cavalos bebiam a água barrenta. Ao lado dos animais, nós nos agachamos e disputamos espaço com eles para lavarmos o rosto e, ao mesmo tempo, tomarmos água usando as mãos, já cheias de calos, como conchas para recolhermos o precioso líquido. Era um jeito formal de chamar a água, mas ninguém questionava sua preciosidade naquele instante.

Novos disparos. Explosões. Gemidos. Feridos eram carregados; mortos, abandonados. A fome apertava, pois as bolachas haviam acabado. Percebi que um par de olhos fundos me seguia. Era um morador de um casebre curdo fincado ali mesmo na montanha. A seu lado, uma mulher se escondia atrás daquele que deveria ser seu marido. Trocaram umas palavras, e o homem que vestia uma camisa marrom surrada caminhou em nossa direção. Ele nos observou com expressão de curiosidade e notou nosso estado. Eles mesmos pouco tinham, mas isso não os impediu de tirar do bolso algo embrulhado em um pano branco. Ele estendeu a mão e fez sinal de que deveríamos apanhar sua oferta. Como hesitamos, ele desamarrou o trapo, revelando dois tomates grandes e vermelhos. Parecia uma miragem, mas aquilo era para nós. O gosto daquele tomate ficou incrustado na alma. Era como se descobríssemos que, no Curdistão, um simples tomate podia se transformar em uma arca de ouro. Aquilo revigorou nosso corpo. Agradecemos com o melhor sorriso possível para a ocasião, e pensamos ao continuar a nossa escalada: *como alguém de cultura totalmente diferente, que jamais voltaríamos a ver, podia exercitar a solidariedade humana, alimentando a eterna esperança por dias melhores?*

Era preciso caminhar. Subir, subir. Não podíamos nos tornar alvos claros do inimigo, embora aquela não fosse a nossa luta. Mas, naquele momento, essas constatações de nada adiantariam. Seguíamos guerrilheiros de uma facção curda, e isso nos colocava na mira dos grupos rivais. Ninguém entre eles odiava a quem apontavam suas armas; na verdade, nem entendiam direito por que curdos estavam matando curdos. Executavam irmãos, amigos, companheiros. Era uma insanidade, mas seguiam ordens. Seria natural combater Saddam, mas quase bizarro matar gente de seu próprio sangue.

Faltava pouco para chegarmos ao topo da montanha onde a maior parte do grupo de peshmergas se concentrava. Os guerrilheiros inimigos estavam na montanha ao lado. Fomos recebidos por novos disparos, e houve novas baixas. A noite se aproximava, mas nada indicava que desfrutaríamos de momentos mais calmos.

Doutor Halili, o médico dos guerrilheiros, estava exausto. Em seu corpo, armas dividiam espaço com a morfina que carregava. Em determinado momento, ele olhou para nós, querendo saber se precisávamos de algo. Nem tínhamos como nos queixar, afinal estávamos rodeados por tremendo sofrimento. Então, ele se agachou. Ficávamos impressionados com a forma com que conseguiam se agachar em qualquer pedra; dobravam os joelhos e se equilibravam. Depois disso, ele abriu um sorriso e disse em bom inglês:

"*Good night and good dreams.*" Como se fosse possível ter uma boa noite e bons sonhos naquelas circunstâncias.

Com a lua cheia de Alá como testemunha, no alto das montanhas do Curdistão, anoiteceu. E teve início também outro flagelo: o frio. Eram ventos que cortavam o esqueleto, e não podíamos acender fogueiras, pois isso nos tornaria alvo fácil dos inimigos na montanha ao lado. O som de grilos era quebrado por explosões enormes dos canhões. Quem era alvejado também alvejava. Quem matava também era morto.

À medida que as horas passavam, a sensação de frio ficava insuportável. Uns se aproximavam dos outros, tentando fazer com que o calor do corpo de um evitasse que o outro congelasse. Pensávamos em cobertores e cama quente, mas eles estavam a milhares de quilômetros – uma divagação impossível naquela noite. Exaurido pelo esgotamento físico e psicológico, desfaleci. Caí em sono profundo por breves momentos, e o sonho não era melhor que a realidade. No pesadelo, éramos apanhados pelos buldogues de Saddam e jogados em uma cadeia suja e repleta de ratos. Acordei com o som de mais uma explosão... Em seguida outra, e mais outra... Um clarão se abria, e por segundos podíamos ver o rosto assustado uns dos outros... As explosões foram se tornando raras, até cessarem.

Quase nem percebemos, mas finalmente amanheceu. Os combates pareciam momentaneamente suspensos, e os guerrilheiros exibiam faces um pouco mais relaxadas. A temperatura, até então abaixo de zero, passou em poucas horas a ser escaldante. Os guerrilheiros contaram os mortos e feridos. Depois disso, permitiram-se acender uma pequena fogueira e fizeram um chá, degustado em goles demorados e olhares profundos. Celebraram por segundos o fato de estarem vivos.

Um guerrilheiro de aproximadamente 13 anos aproximou-se de nós e perguntou como estávamos. Ele contou que não tinha planos, pois perdera os pais e os irmãos, não sabia ler nem escrever e não fazia ideia do que era chorar. Sequer tinha tempo para isso, pois, ao seu lado, estavam outros jovens em situação semelhante. Apenas pensava em se manter vivo. Mais um dia, em nome de Alá. A guerra eliminava até o mais elementar ato humano: sonhar. Era fácil entender agora o significado da palavra peshmergas, "aqueles que desafiam a morte": *pesh* significa desafiar, enfrentar, e *marg* significa morte. Uma expressão autoexplicativa.

Descer era tão difícil quanto subir montanhas. Um descuido e rolaríamos abismo abaixo. Quase anoitecia quando, enfim, reencontramos Khaled e o professor. Eles sorriram ao nos ver. Estávamos vivos...

Era preciso continuar. Para tentar desviar das zonas onde aconteciam os combates, tomávamos estradas secundárias. Não havia, é claro, certeza de nada, mas Khaled conhecia os atalhos como a palma da mão. Do alto da trilha sobre as montanhas, eu via ruínas seguidas de cenários deslumbrantes. Fomos parados em outros postos de checagem; alguns, às vezes, contavam apenas com um ou dois guerrilheiros curdos fazendo perguntas. Uma rampa muito inclinada nos levou a uma série de cachoeiras, lagos e vegetação verdejante. Ao fundo, era possível ver a silhueta de um palácio imponente. Era como o paraíso em meio ao inferno. Nós nos aproximamos e pudemos observar que, da construção luxuosa, sobrara apenas seu esqueleto. Não havia mais portas, janelas ou pintura. Porém, seus contornos conservavam um ar destoante em relação ao meio ambiente de penúria da região. Era mais um dos palácios construídos por Saddam no Iraque.

Paramos em frente a esse palácio e saímos do carro. De lá, não saíram os súditos do ditador, muito menos sua família ou ele próprio. Os novos inquilinos eram camponeses: mulheres e crianças maltrapilhas, algumas vestidas com camisas de manga comprida, com feridas espalhadas pelo corpo. A residência de verão de Saddam tinha se tornado o lar de um bando de miseráveis. Uma revanche contra as mazelas do líder que tinha apontado armas de destruição em massa contra seu próprio povo.

Curiosos e receptivos, eles me cercaram e contaram suas histórias, sempre repletas de parentes mortos por armas curdas ou pelo arsenal mais poderoso de Saddam. Uma menina loira de 6 anos me mostrou seus cadernos, onde desenhava e tentava aprender a ler e escrever, enquanto um grupo de mulheres em trajes curdos exibiam antigos exemplares do Alcorão – de capa preta, essas edições demonstravam resistência à passagem do tempo. Era uma gente alegre, embora maltratada pelo sofrimento diário. A imagem inusitada deles em frente ao palácio de Saddam provocava uma profusão de reflexões: as voltas da existência, a história em círculos de opressores e oprimidos.

Pegamos a estrada uma vez mais, parando algumas vezes para registrar o cotidiano daquele povo. E então a imagem de uma cidade fantasma prendeu nossa atenção. Saímos do carro e nos deparamos com um silêncio perturbador. Havia pedaços de paredes de casas por todos os lados. Era tudo o que sobrara de Bebade, um vilarejo destruído pelas tropas de Saddam Hussein em abril de 1988.

Bebade era uma comunidade cristã, e uma cruz junto a um punhado de pedras marcava o local onde antes ficava a igreja católica dos moradores. Aproximava-se um homem de rosto triangular, vestindo uma camisa amarela de manga comprida. Ele se apresentou como o ex-professor de árabe da cidadezinha e apontou para onde ficava o altar da igrejinha (o local estava relativamente intacto). Com dicção professoral, começou a falar:

"As tropas de Saddam atacaram em um domingo de manhã. Os fiéis tinham acabado de assistir à missa. Sobrou pouco tempo para fugir em direção às montanhas."

Das 4.500 cidades curdas da região, quase 4 mil foram arrasadas pelo exército de Bagdá.

À frente, passamos por um vilarejo às margens do belo lago Dokan, onde não havia sobrado pedra sobre pedra. Mais uma vila destruída entre tantas. Mais de 300 mil pessoas foram chacinadas pelo regime de Bagdá. A maior parte da matança e da destruição aconteceu entre fevereiro e agosto de 1988. Em apenas seis meses, mais de 100 mil pessoas desapareceram, vítimas da Al-Anfal, uma campanha de genocídio promovida pelo regime de Saddam. A matança começou em 1986, atravessou 1987, culminou com as operações mais pesadas em 1988 e terminou por completo em 1989. Al-Anfal é o nome da oitava sura do Alcorão, e foi usada como código pelos militares iraquianos para denominar a operação.

A campanha foi dirigida por Ali Hassan Al-Majid, um primo de Saddam conhecido também como como "Ali Químico", pelo emprego de armas de destruição em massa contra a população civil. Ele liderou uma série de ataques contra as vilas dos peshmergas, acusados de colaborar com o Irã na guerra contra o Iraque.

Duas semanas depois de cruzarmos a fronteira do norte do Iraque, estávamos finalmente entrando na cidade curda de Halabja. Ela ficava no nordeste do país, a 240 quilômetros de Bagdá e a apenas 15 quilômetros da fronteira iraniana. Cruzamos com grupos esparsos de moradores e era impossível não ficar perplexo – nocauteado mesmo – por aquelas visões. Halabja tinha sido uma das cidades mais ricas do Curdistão, mas o que estava diante de meus olhos era um teatro de horrores.

As marcas da destruição estavam em todos os cantos das ruas de terra; mulheres vagavam cabisbaixas, resignadas. Mais de sete anos já tinham se passado desde os ataques, e mesmo assim o pesadelo de Halabja parecia longe do fim. Andar por aquelas ruas era uma experiência de cortar a alma; era como testemunhar as atrocidades que o ser humano é capaz de cometer em nome do poder. Depois de sofrer o ataque com armas químicas, Halabja ainda permaneceu sob o controle de Saddam durante dois anos.

O líder iraquiano ordenou que a cidade fosse riscada do mapa; por isso, o local foi dinamitado. Por um tempo, quem sobreviveu aos ataques fugiu pelas montanhas, mas aos poucos os moradores começaram a voltar, improvisando rudes construções ao lado de ruínas.

Duas mulheres jovens, ambas com a cabeça coberta pelo véu muçulmano, me puxaram pela camisa para chamar minha atenção. Entendi que elas queriam que eu as acompanhasse até um terreno grande, repleto de destroços. Com um inglês limitado, elas se apresentaram como Seruim e Aluan. Entre pedras e fragmentos, caminhamos por um lugar onde antes se erguia uma casa relativamente grande – era o que o espaço sugeria. Ali moravam várias famílias de um mesmo clã.

Terminado o estoque de vocabulário inglês, elas começaram a falar em curdo sem parar. O professor, que ouvia a conversa, traduzia o que podia. Segundo elas, naquelas ruínas viviam seis famílias. No dia do bombardeio, havia 62 pessoas espremidas no local, todas rezando para que os ataques aéreos parassem. Uma das irmãs trazia a foto de como ficou na época. Ela me mostrou um rosto todo desfigurado, cheio de manchas vermelhas. Na ocasião, perderam os pais e três irmãos. Aluan, que era a mais velha, com 20 e poucos anos, ofereceu-se para me contar como foi o ataque.

"Eram 11 horas da manhã do dia 16 de março de 1988 quando o ataque começou. Naquela época, o Irã estava em guerra contra o Iraque. Vi quando os aviões do Saddam se aproximaram, pois já conhecíamos aquelas aeronaves. Vinham de Kirkuk (uma das maiores cidades do norte do Iraque, com mais de 700 mil habitantes), mais ao sul." Ela olhou para cima, como se fizesse um cálculo. "Creio que eram sete aviões ao todo. Já estávamos acostumadas a esses ataques, então imediatamente nós nos escondemos no porão da casa que servia como abrigo antiaéreo." Ela se sentou em uma das pedras e continuou. "Os ataques aconteciam em intervalos de quinze minutos, e logo percebemos que não se tratava de um bombardeio comum, como acontecia anteriormente. Ao explodirem, as bombas espalhavam uma nuvem densa de fumaça de cor amarela esbranquiçada." Aluan catou um punhado de pó sobre as pedras para que eu entendesse o que estava dizendo. Depois, atirou aquilo longe, proferindo palavras típicas das orações islâmicas. Só naquela casa, morreram 32 pessoas.

A fumaça continha a mistura de dois gases, o cianureto e o gás mostarda. Aluan passou a mão no rosto e respirou longamente, porém não conteve mais as lágrimas.

"Era difícil respirar, pois os pulmões queimavam, os olhos ardiam, e quem bebesse água se sentia ainda pior."

Naquele dia, Halabja assistiu a uma sucessão de mortes. Alguns caíam sem vida nos primeiros minutos; outros, depois de algumas horas. Pediam socorro, gritavam, suplicavam, mas não havia quem pudesse ajudá-los. As ruas da cidade ficaram repletas de corpos – inclusive vários morreram abraçados uns aos outros. Calcula-se 5 mil mortos no total, mas o número de traumas causados passou da casa dos milhões.

Em outra rua, encontrei um agricultor com o rosto desfigurado. Ele tossia compulsivamente.

"Desde aquele dia, não consigo mais respirar direito."

Uma Mercedes branca estacionou perto de onde estávamos. Saltou do carro um homem vigoroso, de bigodes fartos, turbante vermelho e branco de fios ricamente entrecortados e roupas curdas de confecção notoriamente superior à dos outros homens. Tratava-se de Moedje Abdula, o líder dos clãs de Halabja. Ele já sabia que éramos jornalistas. Então eu lhe perguntei sobre a história de um padeiro que teria morrido abraçado ao filho.

"É verdade! Venha, vou lhe mostrar o local exato."

O automóvel de luxo acelerou, seguido por duas caminhonetes, cada uma com dois guerrilheiros armados com metralhadoras russas. Era visível o cuidado com seus inimigos. Mais do que os rivais curdos, ele temia a polícia secreta de Saddam, que periodicamente fazia operações na região.

O pequeno comboio fez duas conversões em pontos que tentavam ser esquinas de uma cidade arrasada, certificando-se de que estávamos atrás. Os veículos pararam em frente ao esqueleto de um sobrado onde antes funcionava uma padaria curda. Os batedores examinaram a área, andando de um lado para o outro, e então avisaram que a área estava livre para Abdula descer. Ele deu alguns passos e pôs a mão no queixo, tentando enxergar onde eu estava. Quando me viu, pediu com gestos contínuos que eu me aproximasse. Quando fiquei na sua frente, ele começou a falar com seu inglês de sotaque curdo.

"Aqui morreram o padeiro Omar e seu filho. Esse padeiro já tinha nove filhas quando finalmente nasceu um menino. Os corpos de Omar e seu filho foram encontrados abraçados. Omar segurava firmemente a criança, em uma última e desesperada tentativa de salvá-lo."

Antes de partir com seu aparato, Abdula me preveniu:

"Cuidado com os franco-atiradores de Saddam."

Outros sobreviventes começaram a surgir diante de mim. A menina Rejan tinha apenas 1 ano quando os aviões iraquianos bombardearam Halabja, mas agora, aos 8, ainda era possível ver os efeitos do ataque: suas pernas foram queimadas pelo coquetel químico.

O pequeno Mohamed aparentava menos do que seus 13 anos, devido à baixa estatura. Suas pernas, seus braços, seu peito e pescoço eram cobertos de manchas negras e feridas vermelhas profundas, que não cicatrizavam. Ele tinha apenas 5 anos quando tudo aconteceu. Mas ele não se dava o direito de esquecer a tragédia. Até aquele momento, ele não entendia exatamente o que eram armas químicas. Sabia apenas que eram a causa da doença que carregava, e que ela o impedia de jogar futebol como fazia o seu ídolo: o argentino Diego Maradona, conhecido por meio dos poucos televisores existentes. A pele de Mohamed estava sempre ardendo.

"Sinto muitas dores. Não sei se conseguirei realizar meu sonho."

"Que sonho, Mohamed?"

"Ser professor."

Em um casarão simples, construído fazia poucos meses, funcionava o hospital improvisado e superlotado de Halabja. Uma das enfermeiras me viu e me levou a uma salinha onde estava o dr. Ahmed, um dos poucos médicos que tiveram coragem de ir para Halabja ajudar a população. Ele caminhou comigo pelos quartos – na verdade, eram cômodos separados por lonas – e me mostrou uma série de pacientes, a maioria jovens, deitados em camas precárias. Havia muitos bebês com deformações; em Halabja, o índice de casos de malformação congênita era quatro vezes maior do que o normal.

"Vamos andar um pouco. Preciso sair daqui por alguns instantes."

Ahmed era um médico jovem, mas as marcas de expressão já tomavam conta de seu rosto. Parecia um barril de pólvora prestes a explodir.

Caminhei ao seu lado pelas ruas, mas a toda hora éramos cercados por meninos curdos, ávidos por saber quem era o forasteiro ao lado do médico.

"O drama dessa cidade ainda está muito longe de terminar", disse o doutor, usando compassadamente as mãos para reforçar as palavras. "Nesse momento, o grande problema é a falta de água tratada. A maioria da população toma água de poço por falta de informação ou de opções. Essa água está contaminada pelos componentes químicos, herança do bombardeio. Todos os dias, vejo inúmeros casos de doenças de pele, doenças cardiovasculares, doenças nos olhos, diarreia, casos de infertilidade, tudo relacionado à água contaminada."

A enfermeira curda, caminhando logo atrás, aproveitou a pausa em nossa conversa e completou:

"Aqui, envelhecemos muito cedo."

Ao se despedirem, eles nos fizeram um pedido:

"Avisem ao mundo o que está acontecendo aqui."

Caminhei mais um pouco e me lembrei de minha conversa com o homem forte de Saddam Hussein, o poderoso vice-primeiro-ministro Tariq Aziz:

"O senhor admite que o regime de Bagdá usou armas químicas contra seu próprio povo no norte do Iraque?"

"Somente usamos armas desse tipo contra os nossos inimigos iranianos, jamais contra nosso povo."

Halabja estava ali para desmenti-lo. A situação era caótica. O povo sofria, enquanto Saddam continuava a inaugurar mais palácios, mesmo depois das baixas que sofrera.

Cruzei com duas mulheres de trajes muçulmanos negros, revelando pertencerem ao ramo dos xiitas. Isso era muito comum na região, devido à proximidade da fronteira com o Irã. Ouvi delas a mesma frase dita por dezenas de moradores com quem puxei conversa.

"Pertencemos a este lugar, e daqui não sairemos. Aqui viveremos, aqui morreremos."

Nas pequenas emissoras curdas, conseguimos imagens ainda desconhecidas de como o regime de Saddam Hussein tratava seus inimigos separatistas na região. Depois da Guerra do Golfo, essas gravações foram descobertas nos arquivos da polícia secreta de Saddam na cidade curda de Sulaymaniyah. As imagens continham sessões de tortura e execuções em massa, e eram exibidas nas emissoras curdas para intimidar a população.

Enquanto empreendíamos a viagem de volta à "civilização", depois de 50 dias na terra das mil e uma noites, Saddam Hussein vencia por esmagadora maioria de votos o plebiscito criado para tentar mostrar ao mundo que ele era um líder legítimo. Seu primo Ali Majid – o ministro da Defesa que arrasou o Curdistão – apareceu na televisão sorridente, depositando mais um voto para o homem que exigia adoração irrestrita de seu povo.

Fiquei pensando em uma última visão que tive em Halabja. Antes de deixar a cidade, os gritos infantis atraíram nossos olhares. Um bando de meninos corria atrás de uma bola velha e amassada em meio às ruínas da cidade. Até mesmo em Halabja, a vida insistia em continuar.

5

EM NOME DE ALÁ

Neste capítulo, Roberto Cabrini descreve os bastidores de como, em setembro de 1996, ele e o cinegrafista Sherman Costa se tornaram os únicos jornalistas do país a testemunhar um fato que impactaria o mundo: a ascensão do Talibã no Afeganistão.

Cabrini acompanhou de perto os métodos dessa guerrilha muçulmana fundamentalista e nacionalista, que impôs uma interpretação rígida e sem precedentes da sharia – a lei islâmica. O jornalista narra as batalhas intermináveis para a consolidação do poder do Talibã. Detalha os bombardeios noturnos à capital, Cabul, o dia a dia dos enfrentamentos, a matança generalizada e como ele e seu cinegrafista quase foram fuzilados pelo Talibã após registrarem uma vila inteira ser dizimada porque fornecera comida aos inimigos da milícia.

Desafio ainda maior foi mostrar de perto a radical discriminação contra as mulheres, segregadas e impedidas de falar com ocidentais. O então enviado especial documentou o fechamento de escolas de meninas e a proibição de mulheres deixarem suas casas até para fazer compras. Com fúria incontrolável, o Talibã baniu bebidas alcoólicas e formas de entretenimento como música, TV e esportes. O jornalista, então, mesmo sabendo que poderia receber punições implacáveis, burlou a vigilância oficial para falar com mulheres e ouvir o lado delas dessa história.

O repórter descreve também o risco que correu ao localizar e conversar com vítimas de leis bárbaras – muitas vezes sem provas, afegãos acusados de adultério e roubo eram condenados a penas cruéis como apedrejamentos sumários e amputação de membros.

Acompanhe *Em nome de Alá*, um relato de tirar o fôlego dos bastidores de uma reportagem vencedora do Prêmio Vladimir Herzog de Direitos Humanos de 1997, escrito em primeira pessoa por Roberto Cabrini.

* * *

Khaled, o jovem afegão, nos transmitia confiança. Em passos até rápidos e decididos, ele nos guiava em meio a um campo minado nos arredores de Cabul, considerando o terreno onde tentávamos avançar e sua própria condição física. O rapaz visivelmente mancava, e usava a própria perna mecânica para nos alertar sobre o que a explosão de uma mina terrestre pode fazer a alguém. Longe de reclamar, ele agradecia.

"Alá permitiu que eu perdesse minha perna, mas conservou minha vida."

As minas terrestres eram como uma praga no Afeganistão de 1996. Estavam em todo o país. Algumas colocadas havia décadas; outras, recentemente, fruto de uma sucessão interminável de guerras entre clãs, tribos e exércitos estrangeiros conquistadores. Esses confrontos produziram uma massa de mutilados, grande parte deles jovens como Khaled, atingido fazia dois anos. Misto de motorista e intérprete, tinha completado 20 anos, mas doenças mal curadas e sol a pino endureciam a expressão de seu rosto de barba cerrada. Podia ser confundido com um homem maduro, e não era exceção. No Afeganistão, as pessoas costumavam envelhecer precocemente devido às condições de vida, ou à falta delas, e ao permanente estado de tensão em que viviam.

O cinegrafista Sherman Costa e eu íamos logo atrás de Khaled.

Apenas o nosso guia conhecia aquele caminho tortuoso. A estrada principal, que em condições normais levaria ao destino procurado, estava tomada e vigiada pelo Talibã, os novos conquistadores do país.

O silêncio sepulcral daquele meio de tarde permitia que ouvíssemos a respiração ofegante um do outro. Sabíamos bem dos riscos, mas o instinto de repórter falava mais alto naquele momento. Corria a informação de que os talibás haviam acabado de arrasar uma pequena vila da minoria persa a quarenta minutos da capital afegã, simplesmente porque seus moradores deram comida a seus inimigos – as forças de Burhanuddin Rabbani, líder do governo que fora expulso de Cabul, mas que permanecia entrincheirado ao norte do país, ainda nas proximidades dali.

Eram os primeiros dias após a tomada de poder pelo Talibã no final de setembro de 1996, e a instabilidade contaminava todas as regiões. Burhanuddin Rabbani – presidente do Afeganistão à época – e membros de seu governo haviam sido obrigados a fugir de Cabul quando a guerrilha talibã invadiu a capital do país. Depois da fuga, Rabbani se estabeleceu como chefe da Aliança do Norte, formada por tajiques, usbeques, hazaras e outras etnias minoritárias no país. Suas forças atacavam sistematicamente as posições do Talibã, tornando Cabul um inferno incandescente de fogo de mísseis e bombas despejadas pelos aviões.

Naquele sangrento final de verão, que os afegãos chamam de estação quente, percorríamos o trajeto secreto de Khaled. Ao pé de montanhas áridas, caminhamos três intermináveis quilômetros nos equilibrando entre pedras e pedaços de madeira, sabendo que qualquer passo errado poderia acionar as minas.

"Não perca a concentração – foco!", repetia o nosso guia para Sherman, jovem cinegrafista que eu mesmo descobri no Rio de Janeiro, impressionado com seu entusiasmo e sua sensibilidade nas filmagens. Era um cara bem-humorado e confiante, já acostumado a cobrir tiroteios em comunidades cariocas. Naquela época, o cinegrafista vivia sua primeira grande cobertura internacional e eu me sentia ainda mais responsável por ele.

Meu lema sempre foi: "Jamais peça para alguém da sua equipe fazer algo que você mesmo não faria". Sempre fiz questão de explicar bem os riscos envolvidos. A decisão precisava ser em comum acordo, entre mim e ele. Apesar de ainda inexperiente, Sherman jamais negava fogo nas situações mais críticas. Confiava plenamente em meu comando.

Avistei, enfim, a fumaça de uma série de casas destruídas e tanques talibãs no horizonte, aparentemente se deslocando para Cabul. Mais alguns metros e já dava para escutar o choro compulsivo de mulheres inconformadas com o massacre – não demorou muito para constatar que era essa a palavra a ser usada. Ninguém havia registrado a destruição daquele povoado e, para mim, o principal objetivo na cobertura de guerras sempre foi mostrar a situação da população civil, a maior vítima das disputas pelo poder.

Ao perceber nossa aproximação, um pequeno grupo de moradores olhou para os céus em agradecimento e veio em nossa direção. Homens e mulheres falavam ao mesmo tempo, disputando minha atenção e a de Khaled, que traduzia o pachto falado por eles para o inglês – língua com a qual me comunicava com nosso intérprete. Os que haviam sobrevivido estavam em estado de choque, sentindo-se entregues à própria sorte. A possibilidade de mostrar a jornalistas estrangeiros a barbárie da qual tinham sido vítimas era como podiam saciar sua sede de justiça divina.

Um ancião de longa barba branca e mãos calejadas enlaçou meu ombro e me puxou para dentro de sua casa. Então ouvi uma rajada de Kalashnikov, um fuzil automático de fabricação russa, rústico e resistente, à prova de lama, água, poeira ou areia. Grupos de talibãs ainda rodeavam a vila, e sabíamos que não aceitariam jornalistas circulando por ali. Em uma guerra, o intuito das lideranças é sempre alardear conquistas e esconder atrocidades. Olhei para Sherman e para Khaled e disse em voz baixa, porém o mais claro que consegui:

"Temos que ser rápidos. Se eles nos encontram aqui, podem nos matar."

Os dois assentiram balançando levemente a cabeça.

Dentro da casa, a destruição era brutal. Tudo convertido em pó, ferros retorcidos, restos de humanos, animais e uma massa cinzenta que tornava difícil saber o que tinha sido – uma mesa, um fogão, um corpo humano?

A mulher mais velha, de pele enrugada e marcada pelo sol, gritava batendo fortemente no próprio rosto, em um gesto de autoflagelo. Havia um clima de comoção coletiva entre os remanescentes da pequena vila.

"O que fizemos para merecer isso? Que pecado cometemos perante Alá?", a senhora anciã havia presenciado o fuzilamento do filho e do marido pelas tropas do Talibã.

"Foi o Talibã?", perguntei.

"Sim, claro", respondeu o homem que se identificou como o líder tribal.

"Por que o Talibã fez isso?"

"Ainda não sei."

"O Talibã afirma que vocês ajudaram as tropas inimigas", eu disse.

O homem me observou atentamente antes de me responder.

"Alimentaríamos qualquer pessoa com fome. É o que o Alcorão nos ensina. Também respeitamos o Islã."

Novos tiros de fuzil ecoaram. Comecei a falar, olhando para a câmera que permanecia ligada o tempo todo. Nem precisava dar sinal. Já havia combinado essa estratégia com o meu cinegrafista. A qualquer instante poderia narrar o que julgasse importante ao meu redor.

"Nós estamos aqui filmando, e os tiros continuam lá fora. O clima é de tensão, a gente tem receio de que o Talibã nos encontre aqui. Evidentemente, a consequência seria imprevisível."

Khaled chegou ofegante e segurou meu braço para reter minha atenção.

"O ancião disse que um grupo de talibãs foi avistado vindo para cá pela estrada da montanha."

Fiz um sinal para ele, indicando que já estava terminando a gravação, e continuei descrevendo aquele quadro de total destruição.

"Como puderam fazer isso? Sou agora um homem arrasado", lamentou o chefe da família.

Tratei de reunir os moradores que consegui – cerca de dez – e lhes disse:

"Vamos mostrar ao mundo o que fizeram com vocês. Mas agora precisamos sair daqui para nossa segurança e também a de vocês. Queremos transmitir o que filmamos aqui."

Eles nos abraçaram e nos apontaram uma trilha diferente da que havíamos usado, onde teríamos mais chances de deixar a vila sem sermos vistos pelas forças talibãs.

Tomamos o caminho de pedras, um leito de um riacho seco, e caminhamos por vinte minutos. Chegamos a pensar que a ameaça de sermos encontrados pelos talibãs já tinha passado, mas estávamos enganados.

Na saída do caminho rochoso, um grupo de dez guerrilheiros nos interceptou. Todos muito jovens, barbudos, alucinados e agressivos. Vários deles nos apontaram suas armas, ao que reagimos levantando as mãos, em um sinal claro de desarmamento. Fomos empurrados contra um muro de barro, escombro de uma casa destruída.

Eu vivia um momento de tensão máxima, como poucos que já havia experimentado. Vários talibás gesticularam que devíamos ser fuzilados, mas nem todos concordavam com isso. Pensei que, se morrêssemos ali, provavelmente nossos corpos jamais seriam encontrados. Haveria alguma chance de sairmos ilesos daquela situação?

* * *

Quatro semanas antes, estávamos do outro lado da Ásia, no remoto Camboja, o reino do Khmer. Procurávamos pistas do ditador revolucionário comunista Pol Pot – líder do Khmer Vermelho, partido responsável pelo genocídio cambojano sob o pretexto de criar a sociedade de um "novo homem" entre 1975 e 1979. Na época da reportagem, em 1996, estava afastado do poder havia décadas e vivia escondido enclausurado nas florestas do país. De lá, via o que tinha sobrado de seu exército desertar e gradualmente se desintegrar. Era uma grande história, mas uma revolução a 4.500 quilômetros dali, na outra extremidade do continente, estava para nos obrigar a deixar as selvas cambojanas.

Imagens de velhos tanques de fabricação soviética invadindo Cabul, lotados de guerrilheiros barbudos, passavam em rústicos televisores em preto e branco de nosso acanhado hotel do interior do Camboja. Na Ásia Central, a milícia talibã acabara de tomar o poder em boa parte do Afeganistão, sacudindo o país como um terremoto e implantando o Estado mais fundamentalista e puritano do mundo islâmico. Era um momento de transição que claramente definiria muito do que estava por vir em anos seguintes. Devastado por guerras tribais intermináveis e dilacerado por interesses externos malignos, o Afeganistão caía no domínio de um fanatismo religioso sem precedentes.

Não havia tempo a perder. Eu e o cinegrafista Sherman Costa arrumamos as malas e três dias depois estávamos na fronteira do Paquistão com o Afeganistão. A viagem, em si, já não foi fácil. Passamos horas a fio dentro de um carro e de diferentes aviões, além de termos de providenciar vistos de entrada na embaixada afegã em Nova Deli, na Índia – cujo corpo diplomático ainda era do governo deposto –, e em Islamabad, capital do Paquistão.

Nossa história começou no Paquistão, a primeira escala a caminho do Afeganistão. Por causa da guerra, as raras companhias aéreas que serviam a região haviam paralisado seus voos. As perigosas estradas eram a única via de acesso às terras afegãs. Apoiado pelos Estados Unidos, o Paquistão era um dos países mais ricos do mundo islâmico – o que, entretanto, não o livrava de constantes agitações na luta pelo poder. Os guerrilheiros fundamentalistas do Talibã que tinham tomado o poder no Afeganistão foram treinados naquela região como parte do plano de paquistaneses e americanos de bloquear a influência do Irã na Ásia Central.

Estávamos na região da cidade de Peshawar, capital da província de Khyber Pakhtunkhwa, o centro administrativo do território federal das Áreas Tribais. Era uma das cidades mais antigas da Ásia, remontando à Antiguidade. Tinha passado pelas mãos de impérios como o grego, persa, mongol sikhs e britânico. Ali viviam mais de 1 milhão de afegãos refugiando-se das guerras e da fome.

Tomamos um táxi dirigido por um motorista afegão radicado no lado paquistanês. Ele falava tanto urdu, idioma paquistanês, como pachto, idioma afegão, além do inglês que usávamos para conversar com ele. De camisa branca e barba por fazer, em seus 30 e poucos anos, apresentou-se com o sorriso típico de quem enxergava em nós dólares no bolso.

"Meu nome é Sahar", disse, exibindo um dente de ouro entre outros estragados.

Ele se mostrou hábil em nos ajudar nos trâmites e nas conversas com legiões de homens uniformizados que se apresentavam como oficiais de imigração.

Ali na fronteira, como já havia acontecido na Índia, a autorização final para entrar no Afeganistão ainda era fornecida por oficiais ligados ao governo deposto em Cabul. Logo percebemos que para cruzar a fronteira também era preciso submeter-se à aprovação de um improvisado posto Talibã – por ironia, esse posto funcionava a poucos metros do usado pelo governo deposto.

Desconfiados, os representantes da milícia exigiam de nós explicações minuciosas sobre a viagem e os viajantes. Com um carimbo improvisado e uma carta fornecida por eles, foi preciso voltar a falar com as autoridades paquistanesas – estas, por sua vez, desaconselhavam a jornada. Vencidos esses obstáculos, fomos escoltados e vigiados por dois soldados paquistaneses.

A razão para tantos cuidados estava no caminho que nos levaria ao Afeganistão. Para chegar lá, tivemos de cruzar uma área conhecida como "terra de ninguém": um reduto do tráfico de armas e de drogas que tinha forte influência do crime organizado. Ali, tudo era comercializado livremente em pequenas lojas vigiadas por homens armados. Os avisos alertavam: "Proibida a entrada de estrangeiros".

O território dividia-se em agências que correspondiam a diferentes tribos. Apesar do *status* de território federal paquistanês, a autoridade exercida pelo governo central do Paquistão era apenas nominal. As tribos de mercadores – em geral pachtuns que habitavam a região – eram ferozmente independentes, condição suprema para suas transações clandestinas.

No caminho, apareciam construções suntuosas, protegidas por muros altos. Por entre fendas de portões de ferro, enxergamos jardins bem cuidados, marcas indisfarçáveis da presença dos barões das armas e das drogas. Grande parte dos carregamentos de papoula, matéria-prima para o ópio e a heroína, passava por ali.

No último posto da fronteira, observei dezenas de afegãos de aparência sofrida tentando entrar no Paquistão. Eles eram controlados com pedaços de pau por policiais paquistaneses e agentes da imigração. Levamos uma microcâmera escondida em nossa mochila para filmar situações desse tipo, em que as câmeras convencionais não eram bem-vindas. Foi com ela que gravamos essa repressão. Um soldado paquistanês desconfiou e pôs a mão na frente da lente da câmera grande, que permanecia desligada. Depois se convenceu de que não tínhamos filmado nada. Ele não sabia bem o que era uma microcâmera.

"Podem passar", indicaram os oficiais paquistaneses.

Despedimo-nos do motorista, andamos uns 100 metros e tomamos um táxi afegão que nos levaria à primeira cidade importante dentro do país. Era Jalalabad, onde em algumas horas alugamos outro carro e arrumamos um intérprete. Estávamos finalmente no Afeganistão, mas sabíamos que a jornada até a capital ainda seria penosa. Seriam uns 300 quilômetros em terreno acidentado, quase seis horas de carro cruzando montanhas e deserto.

Passávamos por longas caravanas de camelos carregados – as cargas variavam de lenha a mobília da mudança – enquanto famílias de camponeses caminhavam ao lado dos animais na estrada de terra repleta de crateras à beira de precipícios. Fugiam em massa da guerra depois da ascensão do Talibã.

Alá tinha sido generoso com os cenários daquele reino perdido. Poucos países apresentavam paisagens tão belas quanto o Afeganistão. O belo visual de bosques de cedros e pinhos – intercalados por áreas desérticas, desfiles de camelos, rios, lagos e uma sucessão interminável de montanhas e cavernas naturais da cordilheira Hindu Kush – contrastava com as heranças das guerras. Ali, o que Alá havia construído o homem tratava de destruir. Era também um território de ladrões e sequestradores de estrangeiros, além de milicianos e guerrilheiros.

Com a maior rapidez possível, fazíamos algumas paradas para que eu pudesse descrever impressões do momento diante da câmera. A estratégia era misturar emoções do instante presente com texto bem cuidado, elaborado em períodos mais calmos. Estava agora nas ruínas de uma cidade destruída às margens de um riacho.

"O conflito entre as diversas facções é constante no Afeganistão. Mais de dezesseis anos de guerra civil causaram a morte de centenas de milhares de pessoas e praticamente destruíram o país. Tanques queimados e sobras de guerra em geral entulham as estradas onde quem tem uma cabra é rei. Milhares de famílias moram em tendas rústicas."

O frio das montanhas matava tanto quanto as guerras. Os postos de checagem fronteiriços, sob o poder talibã, vinham logo em seguida. Exibíamos nossos papéis aos homens armados, e eles nos deixavam avançar em um momento de embriaguez de poder. Na beira da estrada, parávamos às vezes em pequenos restaurantes onde a população local comia com as mãos – parte da cultura local. Movimentavam seus dedos com coordenação e destreza para ingerir arroz com carne de carneiro ou camelo.

Depois de quase oito horas, estávamos na entrada de Cabul. Homens em rústicos trajes afegãos e mulheres de rosto encoberto caminhavam num formigueiro humano onde se destacavam os guerrilheiros talibás, sempre com barbas longas e armados de fuzis. Algumas poucas avenidas pavimentadas interligavam-se a ruas de terra com uma poeira densa que impregnava pessoas, fachadas das lojas e tendas. Carros velhos de fabricação soviética se misturavam a animais. A primeira imagem marcante de Cabul foi a de meninos afegãos perambulando com ervas aromatizantes queimando numa latinha – a esperança era conseguir esmola, um dos meios de vida mais comuns.

Cabul, então com mais de 4 milhões de habitantes, era uma cidade arrasada. Havia bairros inteiros onde nada tinha sobrado, e outros superlotados de gente que se reunia nas imediações de mercados ao ar livre.

Fomos em direção ao InterContinental no bairro de Karte Parwan, no oeste de Cabul, ainda a hospedagem mais segura para estrangeiros na capital. As instalações àquela época eram uma pálida lembrança do que um dia tinha sido um cinco estrelas. As paredes estavam crivadas de balas. Muitas das janelas de seus 200 quartos já não possuíam vidros.

Inaugurado em 1969, construído pela empresa britânica Taylor Woodrow, desde a intervenção soviética nos anos 1980 o hotel não tinha mais relação com a rede InterContinental Hotels Group – embora ainda ostentasse o nome e o logotipo original, o que lhe emprestava certa credibilidade. Desde a guerra civil dos anos 1990, o hotel começara a sofrer uma série de danos em sequência e, no momento em que eu, Sherman e nosso ajudante ali entrávamos, apenas 85 das duas centenas de quartos eram considerados habitáveis. O restante estava inutilizado devido a ataques a bomba e granadas. Da entrada se avistava o Palácio Bagh-e Bala, também em precárias condições.

Fizemos o *check-in* e demos uma volta pelo hotel para constatar a destruição também de joias da coroa, como a academia de ginástica e a piscina – esta, mesmo sem água, ainda conservava parte de sua imponência. A energia elétrica só funcionava duas horas por dia, graças a um velho gerador, uma vez que o fornecimento de eletricidade atendia a poucos setores de Cabul.

No dia seguinte, examinamos melhor a área urbana da capital. Nos bairros mais afastados, apenas um amontoado de ruínas infectadas por minas traiçoeiras que não paravam de matar e mutilar milhares de pessoas. Um jovem professor mostrou a casa arrasada onde perdera três familiares. Ele planejava imigrar ilegalmente para o Paquistão ou qualquer outro lugar.

"Como é o Brasil?", perguntou-me, mas ele mesmo se antecipou na resposta: "Não sei como é, mas com certeza deve ser melhor que aqui."

As mais básicas comodidades do mundo moderno passavam longe dali. Deste século, a maior parte dos afegãos conhecia apenas as máquinas de combate: tanques de guerra, lança-mísseis e fuzis.

À medida que os dias passavam, observávamos um dramático quadro de miséria humana dentro e fora da capital. Para quem vinha de fora, o desejo de ajudar um povo tão carente era quase compulsivo. Perto do mercado central, puxei a carteira para dar um trocado a uma das mulheres. Fui então rapidamente cercado por todo o grupo de pedintes. A esmola era disputada de maneira agressiva.

A selvagem luta pela sobrevivência fazia pessoas atacarem umas às outras. Vi dois homens se socando por um simples pedaço de pão, e depois duas mulheres se atracando por dinheiro equivalente a menos de um centavo de real. Mesmo famintos e miseráveis, os afegãos costumavam se unir contra o inimigo externo.

O ciclo de degradação era implacável nas cidades e vilas afegãs. As bombas atingiam o saneamento básico, o que acelerava a proliferação de doenças e ocasionava uma sucessão de epidemias mortíferas. Com os precários hospitais superlotados, o país tinha um enorme índice de mortalidade infantil: 1 em cada 5 crianças morria antes de completar 5 anos. A expectativa de vida era a mais baixa do planeta: 42 anos para os homens e 43 para as mulheres. Cerca de 70% dos afegãos eram analfabetos. Viajando por Cabul e pelas vilas do interior, começávamos a montar o quebra-cabeça do país, a começar por sua história repleta de batalhas sangrentas.

Caminhei entre as ruínas de um povoado chamado Tarham. Era desolador. Silencioso. Ali viviam cerca de 5 mil pessoas. A destruição tinha a marca dos dez anos de intervenção da então União Soviética no Afeganistão (de 1979 a 1989), que custou a vida de 15 mil soviéticos e mais de 1 milhão de afegãos. Um pastor de ovelhas se aproximou e me contou que perdeu dois filhos durante a ocupação soviética. Mesmo assim, lembrou-se com orgulho da época em que, apoiadas pelos americanos, diferentes facções afegãs lutaram lado a lado contra as tropas soviéticas invasoras.

No filme *Rambo 3*, Hollywood retratou como heróis os mujahidin, rebeldes muçulmanos que impuseram humilhante derrota às tropas soviéticas e em 1992 derrubaram o regime comunista do Afeganistão, ligado a Moscou. O personagem musculoso e destemido interpretado por Sylvester Stallone simbolizou o apoio dos Estados Unidos aos rebeldes e o eterno esforço americano de se apresentar como o "mocinho" da história. Mas, com o fim de Guerra Fria, os americanos perderam parte do interesse sobre o Afeganistão e, de certo modo, entregaram o país à própria sorte. Deixaram para trás os ex-aliados a quem tinham se encarregado de armar até os dentes. Em pouco tempo, aqueles mesmos guerrilheiros – chamados pelos Estados Unidos de lutadores pela liberdade – voltaram a se dividir em dez diferentes facções islâmicas, cada uma com um comando mais ambicioso do que o outro. E assim os ex-heróis da resistência devastaram o país lutando entre si pelo poder. Nenhum dos vários governos de coalizão que se seguiram conseguiu levar estabilidade ao país. A população civil sofreu mais perdas neste período do que durante todo o tempo da ocupação soviética.

No mercado apinhado de gente em Cabul, vi jovens desempregados que vestiam trapos e tomavam chá em cima de enormes pilhas de dinheiro. Por vezes o líquido era derrubado sobre as notas, mas eles pareciam pouco se importar. Outro se deitava sobre pacotes de dinheiro. Ao lado havia uma balança onde o papel-moeda em vez de ser contado era pesado em busca de dólares de estrangeiros.

Comecei a gravar em frente à câmera de Sherman Costa:

"A guerra e a instabilidade política destroem a economia. O dinheiro afegão a cada dia vale menos. Aqui a inflação passa dos 300% ao mês."

Mostrei dois pacotes grandes de notas e disse:

"Aqui nós temos cerca de 200 mil afeganis, que valem menos do que um real."

Naquele quadro, o povo precisava urgentemente acreditar em algo, e não resistiu à tentação do fanatismo religioso. Vi guerrilheiros barbudos se prostrando com devoção para uma das cinco orações do dia. Eles deixavam por instantes os fuzis diante de seu corpo, mas assegurando-se de que ainda permaneciam ao alcance. Ninguém abria mão dos AK-47, os fuzis Kalashnikov.

Desde que o grupo de fanáticos tomara Cabul naquele final de setembro, a vida no Afeganistão havia mudado drasticamente. E o mundo tinha descoberto o Talibã e sua fúria.

Cabul nunca mais foi a mesma depois que aqueles guerrilheiros barbudos chegaram. Montados em velhos e às vezes enferrujados blindados soviéticos, empunhando fuzis Kalashnikov e o livro sagrado – o Alcorão –, autodenominavam-se talibãs, cujo significado é "estudantes de teologia islâmica". Eles se multiplicaram rapidamente. Nos primeiros três anos, a milícia nascida no sul do país já tinha 18 mil homens e muitas armas, obtidas em parte com ajuda paquistanesa, em parte com a americana – herança da época em que compunham a resistência contra o império soviético.

Na verdade, quase não houve resistência. O presidente Burhanuddin Rabbani e as tropas leais ao antigo governo sentiram sua inferioridade numérica e fugiram apressados para as montanhas. Lá se organizaram, sonhando retomar o poder ao criar o que chamaram de Aliança do Norte – uma associação de inimigos do Talibã, que tomou Cabul com facilidade graças às promessas de desarmar a população e acabar com a anarquia e a corrupção. Para isso bradaram que só havia um jeito: submeter o Afeganistão à lei divina, a sharia. Conclamaram o início de uma nova fase. E foi de terror a primeira cena desse novo tempo. Notei a movimentação e fui até a praça do Palácio Presidencial, logo começando a gravar:

"Um dos primeiros atos do Talibã após a invasão a Cabul foi tomado aqui nesta praça, que fica em frente ao Palácio Presidencial. Diante de uma pequena multidão, o Talibã fuzilou o ex-chefe da polícia secreta e último presidente comunista do Afeganistão, Mohammad Najibullah. O homem que tinha dado as cartas no Afeganistão de 1986 a 1992 foi sequestrado, castrado e depois assassinado a tiros no dia 27 daquele mesmo setembro, junto com seu irmão Shapur, sob a acusação de terem traído o Islã. O antigo aliado soviético foi reduzido a um corpo balançando pendurado no poste de iluminação da entrada do Palácio Presidencial. Najibullah foi arrancado à força do prédio das Nações Unidas em Cabul, onde estava refugiado. Os protestos internacionais de nada adiantaram."

Um comandante talibã me explicou ali mesmo naquela praça que, além de Najibullah ter cometido atrocidades contra seus adversários políticos, como comunista ele ofendia a Alá.

"Alguém assim não merecia outro destino! Há uma nova ordem em Cabul. Não vamos poupar esforços para trilhar o caminho do profeta!", declarou orgulhoso sob os aplausos de um grupo de talibás.

E assim se fez.

Todos os dias, registrávamos tanques passando por cima de pilhas e mais pilhas de latas de cerveja e garrafas de todo tipo de bebida alcoólica. Quando havia uma nova destruição, os próprios talibás me chamavam para filmar.

"No Afeganistão sob o Talibã, bebida alcoólica está banida!", gritavam.

O humor dos talibás podia mudar repentinamente. Se algumas vezes me puxavam para registrar seus atos, outras vezes colocavam a mão na frente da câmera de Sherman quando achavam que estávamos entrevistando algum crítico do regime. Chegaram a ordenar:

"Tira essa câmera daí, estrangeiro!"

Os homens eram compelidos a deixar a barba crescer. Alegavam que, segundo as sunas islâmicas, os sábios profetas assim o faziam. Não era opcional. Todos eram agora obrigados – e para isso eram vigiados – a rezar 5 vezes ao dia.

Quando os talibás se afastaram, um comerciante que falava bom inglês e vestia roupas finas me contou que, na primeira sexta-feira após a invasão do Talibã, ele foi obrigado, diante de homens armados, a entrar em uma mesquita para rezar.

Os talibás eram implacáveis com tudo que classificavam como símbolos da decadência do mundo ocidental e seus deuses profanos. Diariamente também promoviam destruições públicas de estátuas e todo tipo de imagem. Como loucos, fechavam cinemas, empurrando funcionários e humilhando os donos do estabelecimento. Sob o som de cânticos islâmicos, queimavam os rolos de filmes encontrados. Não contentes, invadiram e reviraram as estações de televisão em busca de gravações de símbolos ocidentais – e depois as interditaram. A rádio da cidade sofreu intervenção e foi censurada. Os antigos discos e fitas de música eram perseguidos obsessivamente. Somente versículos do Talibã e o hino do próprio movimento eram permitidos.

Vaidosos, tiravam fotos em cima dos tanques de guerra, ao lado do material apreendido e destruído. Subiam nos tanques, riam ruidosamente e davam tiros para o alto, em uma demonstração de força e intimidação. O hino talibã dizia: "Não somos estrangeiros. Somos as crianças do Islã. Pertencemos a esta terra. A terra que Alá nos concedeu. O Talibã é a esperança do Afeganistão, a flor do Islamismo. Vida longa ao Talibã e ao Islã". Ao entoarem esses versos na minha presença, os talibãs ficavam em estado de êxtase.

Havia os que secretamente ousavam desafiá-lo. Nagibih, o motorista de táxi que tinha me levado a uma destruição pública de filmes e fitas de música, no caminho de volta fez questão de cantar um antigo sucesso popular.

"Sei que serei chicoteado se me pegarem cantando essa canção, mas não posso deixar os talibãs controlarem a minha mente. O Talibã acha que precisamos voltar à Idade Média para honrar a Alá. Não posso concordar com essa ignorância", disse o jovem de 28 anos, também estudante de direito com indisfarçável orgulho.

Estávamos em Jalalabad, cidade então com 200 mil habitantes no nordeste afegão, perto da fronteira com o Paquistão, quando de repente a rua principal – sem pavimento, empoeirada – foi tomada por uma barulhenta passeata de jovens apoiadores do Talibã. Quem não aderiu ao protesto foi empurrado e hostilizado. Dentre os apoiadores, havia um grande grupo de crianças.

"Estamos com o Talibã, com o Islã, com o Afeganistão. Vamos acabar com os inimigos de Alá", gritavam enfurecidos.

Enquanto a manifestação prosseguia nas ruas, dentro de uma das sedes do Talibã o clero recitava versículos do Alcorão. Os sons se confundiam: as palavras de ordem gritadas da passeata e a leitura dos versos do livro sagrado. Tudo sempre cercado por dezenas de guerrilheiros da milícia. A cúpula observava a movimentação do terraço de um prédio ao lado, fortemente protegido por cerca de quinze homens. Usavam barbas mais longas do que os integrantes comuns e vestiam túnicas e turbantes diferenciados, feitos de fina seda. Quando tentávamos filmá-los, faziam gestos hostis. Sabíamos que temiam qualquer elemento externo que pudesse questionar os pilares de seu domínio político.

O islamismo puro que o Talibã procurava impor no Afeganistão era uma mistura de interpretações radicais discutíveis do Alcorão com princípios tribais dos pashtuns, o principal grupo étnico afegão, ao qual pertenciam os então novos conquistadores. Os talibãs eram muitas vezes contraditórios. Intercalavam atos de generosidade com gestos de intolerância e fanatismo. Podiam parar a fim de pacientemente explicar seus valores, oferecendo chá e pão com kebab de carneiro, ou se tornarem agressivos e arrogantes quando se sentiam questionados. Aqueles que defendiam o grupo alegavam que com o Talibã havia menos ladrões nas ruas, mais respeito.

Rodeados por dezenas de talibãs e seus adeptos, gravei diante de nossa câmera: "O Talibã conseguiu restaurar uma certa ordem, mas instaurou também a 'República do Medo'."

Era fácil identificar um talibã. Eram os únicos que podiam ostentar armas nos lugares onde estabeleciam seu domínio. Naquele contexto, arma significava autoridade, superioridade. E eles as exerciam com notável prazer. Registramos vários episódios de como o Talibã tratava quem não concordava com os ideais do movimento. Vozes discordantes nas ruas eram "administradas" com chicotadas e as "varadas sagradas" da sharia. Muitos afegãos às vezes nem entendiam direito por que eram tratados como boiada, mas se resignavam ao perceber que, naquele momento, era uma questão de sobrevivência. Os intelectuais eram os que provocavam maior ira dos talibãs. Em frente ao prédio onde funcionava a televisão de Cabul, agora interditada pela nova ordem, o jornalista que apresentava o noticiário da noite antes da ascensão do Talibã me concedia uma entrevista:

"Antes conseguíamos falar sobre todos os assuntos, mostrando diferentes visões, mas isso foi interrompido à força", disse o jornalista afegão, distinguindo-se pelos modos educados, a pele asseada e a elegante roupa ocidental que incluía paletó de linho e camisa de casimira.

A entrevista então foi violentamente interrompida por um dos talibãs que guardava a entrada da emissora.

"Quem disse que você tem autorização para falar com estrangeiros?", gritou o talibã, mostrando seu AK-47. Ato contínuo, o jornalista foi empurrado por outro talibã que chegou atrás.

"Temos que parar", o jornalista me disse em tom baixo enquanto era afastado. "Eles não querem que eu fale."

Com base no Alcorão, os sunitas do Talibã aplicavam punições bárbaras para os crimes que consideravam graves. Em Cabul, um padeiro de nome Fazal me contou que foi obrigado a participar do apedrejamento de um casal de adúlteros.

"Eles foram enterrados na areia, só com a cabeça de fora. Tivemos que atirar pedras contra eles até que morressem."

Cientes das críticas que recebiam fora do país, os talibãs procuravam esconder dos estrangeiros os rituais das punições mais severas. Em Candaar – localizada ao sul e a segunda maior cidade do país, de onde saiu Mohammed Omar, o líder do Talibã – localizei Yanis, um motorista de caminhão de 35 anos, magro e abatido. Pai de duas crianças, ele me contou que tinha criticado os métodos do Talibã e por essa razão inventaram que ele tinha roubado dinheiro de outro rapaz. Yanis puxou a manga comprida de sua camisa e exibiu o braço parcialmente decepado.

"Improvisaram uma espécie de julgamento. O mesmo grupo do Conselho do Talibã fez a acusação e me sentenciou. Decidiram cortar minha mão na altura do punho. Por causa das péssimas condições de higiene, o ferimento infeccionou e no hospital os médicos tiveram que ampliar a amputação até o cotovelo", contou ele, em lágrimas de revolta.

Yanis sabia que se o flagrassem relatando sua história para um repórter ocidental seria executado na mesma hora. Mesmo assim, decidiu correr o risco, cercado por um grupo de amigos que tomava o cuidado de vigiar se algum talibã estava por perto.

"O mundo precisa saber o que está acontecendo aqui."

Não houve provas concretas do crime que teria sido praticado pelo motorista. Mesmo assim, o Tribunal do Conselho prosseguiu com sentença arbitrária em uma praça lotada de gente.

"Como vou sustentar minha família agora?", questionou Yanis, olhando fundo em meus olhos.

Perguntei aos que estavam na roda se o que ele me contava era verdadeiro, se ele era mesmo inocente. Eles subiram o tom e disseram em coro:

"Sim, totalmente inocente! Absurdo o que fizeram. Ninguém que discorde deles está a salvo."

Foi quando um homem de barba cerrada e fisionomia fechada pediu passagem, dirigiu olhar de reprovação a cada um à sua volta e me fez sinal que queria falar. Assenti.

"Discordo de todos aqui. Todo ladrão diz a mesma coisa."

A pequena multidão rapidamente se dispersou com medo de que o último entrevistado chamasse o líder talibã local para relatar o que tinha ouvido e delatar os que tinham se manifestado.

Foi ali mesmo, em Candaar, que naqueles tempos o Talibã e a Al-Qaeda tinham se aproximado. No começo eram rivais, mas após um encontro entre Osama Bin Laden e o mulá Mohammed Omar a aliança se formou. O Talibã, de características regionais e provincianas, beneficiava-se da estrutura internacional da Al-Qaeda, e o grupo árabe de Bin Laden contava com o território afegão, de difícil acesso. A Al-Qaeda visava estabelecer ali seus campos de treinamento, preparando-se para ações internacionais como a que culminaria anos depois no ataque de 11 de setembro de 2001, em Nova York.

* * *

A escuridão da noite de Cabul fazia gelar os ossos. Não se via uma alma. Havia uma explicação, e por essa razão pedi ao nosso motorista que parasse o carro. Ganhei a calçada do centro de Cabul e dei sinal a Sherman para acender nosso kit de iluminação, ligar a câmera e começar a gravar apontando para mim:

"É noite aqui em Cabul. Faltam dez minutos para as 9 horas da noite. As ruas estão completamente desertas. Daqui a dez minutos, quem for pego andando por aí será preso. Ordem do Talibã."

Os tiros nunca paravam naquele Afeganistão – bombardeios aéreos, batalhas de mísseis, fogo pesado de artilharia. Estávamos nos bastidores de uma guerra esquecida que parecia não ter fim. Sabíamos que os inimigos do Talibã não tinham se conformado com sua ascensão. Estávamos prontos para registrar os combates diários. Isso envolveria documentar e produzir imagens muitas vezes proibidas pelo Talibã, como as investidas que dizimavam as vilas consideradas bases de apoio de seus inimigos. Tínhamos consciência de que correríamos riscos para registrar o ataque contra inocentes da população civil. Seria uma decisão nossa e de mais ninguém. Sabíamos também de guerrilheiros que, não obstante proibissem a população de usar drogas derivadas da papoula, contrariavam as próprias palavras e faziam uso do que condenavam. Afinal, era a droga que ajudava a sustentar os altos custos da máquina de guerra.

Aquela guerra não era apenas consequência da ambição dos chefes tribais. Anos a fio atirando, explodindo e matando produziram gerações inteiras que fizeram da arte de guerrear mais do que uma demonstração de amor a uma causa – isso criou um meio de vida, praticamente o único que milhões de jovens conseguiam enxergar. Percebi que ali, naquele fim de mundo, guerrear dava projeção social. Os meninos cresciam sonhando com o dia em que teriam seu primeiro Kalashnikov. E o dia de empunhar um AK-47 não costumava demorar.

Em um dos *fronts* perto de Cabul, tinha diante de mim um menino de 14 anos. Sentado em um tanque fora de combate, quebrado havia semanas, Abdel tinha a cara limpa – a barba ainda nem sequer ameaçava nascer em seu rosto pálido e redondo. Puxei conversa. Ele nunca ouvira falar de Bill Clinton, Napoleão Bonaparte ou Pelé. Alienado, mal conseguia ler ou escrever, mas já sabia com maestria operar um lançador de granadas contra as tropas inimigas.

Nas exuberantes montanhas afegãs, encontramos dezenas de jovens que não sabiam fazer outra coisa que não fosse apertar o gatilho. Cedo eram tirados dos pais para servir a Alá, como eram doutrinados.

Os tiros dos mais variados tipos de armas eram o som ambiente predominante, e implicavam uma conta grande a ser paga. O dinheiro vinha, em boa parte, do lucro de extensas plantações de papoula. Eram mais de 55 mil hectares das delicadas flores de cor vermelha, rosa, branca ou roxa, que gregos e romanos usavam desde a Antiguidade para a culinária ou a medicina, mas que naquela nação tinham uso diferente.

No Afeganistão, nas áreas do país dominadas pelos talibás – e mesmo antes deles –, existiam gigantescas plantações de papoula, responsáveis por sustentar grande parte do tráfico de ópio e heroína pelo mundo. Os talibás logo constataram sua importância estratégica. Oficialmente, condenavam as drogas como inimigas do Islã, mas na prática formavam redes de proteção armada para sua produção e transporte para o exterior. Assim pagavam seus credores, os senhores das armas, e sustentavam a luta e a causa das tropas talibás. As diferentes facções (e o Talibá não era exceção) cobravam alto para dar proteção aos camponeses e fazendeiros, e às vezes entravam diretamente no negócio. Tinha origem no Afeganistão metade da heroína consumida no planeta.

Acompanhando batalhas diariamente, e na maior parte do tempo sob a perspectiva do Talibá, percebi que as drogas também eram usadas para aliviar as tensões dos combates. Os guerrilheiros da milícia não faziam cerimônia e consumiam diante de mim e de Sherman uma forma rústica de heroína – uma pasta líquida e pegajosa tirada de uma latinha redonda e colocada debaixo da língua. Sob o efeito da droga processada precariamente em áreas controladas pelo grupo, jovens talibás riam sem razão aparente, se abraçavam, cheiravam flores do campo e afirmavam não ter medo de nada. Depois de algumas horas, recuperavam a sobriedade e olhavam para o horizonte das montanhas como que à procura de algo. Às vezes, chegavam a chorar.

Estávamos em uma área estratégica, ferozmente disputada por talibás e pela Aliança do Norte. Eu me preparava para gravar depois de acompanhar um dia cheio de enfrentamentos. O silêncio aparentemente tomava conta do ambiente. Alguns comiam beringela, outros tomavam chá. O lugar ficava na região de Bagram, antiga cidade localizada na junção dos vales Gorbande e Panjshir, a 60 quilômetros de Cabul. Em pleno deserto afegão, a área fazia parte da famosa rota da seda para a Índia. Tomei fôlego para falar:

"Fim de mais um dia de batalha. Os guerrilheiros do Talibá…"

E então minha fala foi interrompida por uma grande explosão. Um míssil caiu a menos de 15 metros de onde estávamos. Os talibás se certificaram de que nada havia sido atingido pelo inimigo e alguns deles riram pelo fato de eu ter parado de falar. Eu realmente parei de falar diante da câmera e olhei, preocupado, na direção da explosão que levantara uma nuvem de areia.

No Afeganistão do Talibá, a primeira coisa que se aprendia era que a expressão "fim de mais um dia de batalha" não podia ser proferida. Não havia fim em hora alguma. Os comandantes talibãs haviam me revelado que já tinham assumido o controle de 70% do território do país, mas admitiam que os inimigos da Aliança do Norte estavam longe de ser eliminados. As tropas do governo anterior mantinham-se desafiadoras.

No dia seguinte, diante de um comboio do Talibã que se movia para tentar cercar o inimigo, comecei a falar com a câmera ligada:

"Esta é uma posição crítica do campo de batalha."

Dei um passo e mostrei um tanque passando a poucos metros do meu lado. Continuei:

"Ali, um tanque talibã vai em busca de uma posição de defesa contra as tropas do ex-governo, que estão muito próximas. A alguns quilômetros, consigo inclusive avistá-las." Na imagem, dava para ver que uma coluna de tanques ia sendo formada.

O comandante da patrulha talibã, identificado pela roupa diferenciada e gestos de autoridade, aproximou-se de nós e fez um sinal pouco amistoso para que nos retirássemos dali. Segundos depois, os tanques começaram a disparar em bloco na direção das posições inimigas. Os últimos tanques da coluna vinham com dezenas de guerrilheiros montados. Também sabiam que quem se deslocasse a pé corria sério risco de pisar nas temidas minas terrestres, algumas capazes de inutilizar até os blindados.

Naqueles tempos, jornalistas não eram vistos como inimigos ou aliados de ambos os lados. Aceitando o risco, conseguíamos chegar perto do *front*. Não era aconselhável usar coletes sofisticados, pois isso poderia atrair a ira de combatentes maltrapilhos. Hora de outro relato:

"Estamos na estrada que liga Cabul a Bagram e em uma situação de fogo cruzado entre as tropas", disse. Já acostumado aos efeitos visuais e sonoros, conseguia continuar a narrar o que via. "Daqui, vemos mísseis disparados a todo instante. Esse último explodiu a cerca de 500 metros de onde estamos, nessa área que mistura montanhas e deserto. Toda esta batalha é pelo controle da base aérea de Bagram, um importante ponto estratégico dos combates."

Aqueles foguetes, disparados de bases móveis tanto pelo Talibã como pelas tropas de Rabbani, podiam atingir um alvo a uma distância de até 50 quilômetros. Primeiro víamos os mísseis, que emitiam luzes semelhantes a raios, e segundos depois a explosão no local atingido. Essas cenas repetiam-se por até 6 horas.

A maior parte dos armamentos usados no Afeganistão foi fabricada na antiga União Soviética, nas décadas de 1970 e 1980. Estar perto das peças de artilharia significava também estar próximo dos alvos da bateria inimiga. Tínhamos consciência desse fato, mas isso não nos impedia de continuar registrando tudo. Era um acordo entre mim e Sherman. Uma decisão tomada em conjunto.

Não havia ordem da redação no Brasil para essa exposição ao perigo. Isso dizia respeito apenas ao nosso livre-arbítrio.

"Outro míssil disparado pela Aliança do Norte cai bem perto de nós. Os foguetes de Rabbani tentam atingir essa plataforma de mísseis do Talibã que está a poucos metros de nossa posição. O mais próximo caiu a 100 metros de nós."

Escondido ao lado de uma antiga ponte desativada, encontrei um lançador múltiplo que funcionava acoplado à carroceria de um grande caminhão militar talibã. Ele exibia uma série de canhões dispostos em fileiras horizontais, e podia disparar até quarenta foguetes na mesma sequência.

Não se importaram com nossa presença ao perceberem que éramos jornalistas. Três guerrilheiros carregavam e injetavam os foguetes que alvejariam as posições contrárias. Cada míssil podia destruir tudo em um raio de até 30 metros ou mais, dependendo do solo. O apontador operava o volante, regulava grandes manivelas para acertar o ângulo e a elevação, direcionando o armamento para o alvo. Tudo pronto:

"Estamos agora a apenas 20 metros do caminhão que vai efetuar os disparos. O lançador de foguetes está preparado e será acionado a qualquer momento."

O disparo era ensurdecedor. Continuei a narrar:

"Trata-se de um lançador BM-40 de fabricação soviética."

De uma posição avançada, um observador descrevia as consequências do ataque, orientando o apontador e o atirador para o próximo disparo. Nessa guerra raramente se via os olhos do inimigo. A eficiência da artilharia podia significar a distância entre o êxito e o fracasso. Guerrear era principalmente morrer. Encontrar corpos – às vezes, pilhas deles – fazia parte da rotina, e não se viam lágrimas em ninguém. Um processo contínuo de dessensibilização emocional.

O transporte para as zonas de conflito era muito difícil. Por vezes, tínhamos que pegar carona em cima de tanques superlotados de guerrilheiros que demonstravam boa vontade conosco. Nosso tradutor era esperto, e muitas vezes abria diálogos amistosos que facilitavam nossa operação de cobertura da guerra.

Foi particularmente marcante a tarde em que nos retirávamos de uma área de enfrentamentos em Bagram, e os guerrilheiros permitiram que embarcássemos nós três – eu, Sherman e Ali, nosso ajudante – em um furgão que levava soldados e um morto de guerra. Ali era um professor de história intelectualizado que encontramos na região de Jalalabad, perto do lado paquistanês. O professor, como o chamávamos, nos ajudava em troca de 50 dólares diários, uma fortuna naquele inferno bélico. Ele nos acompanhou durante quase metade dos vinte dias que passamos cobrindo a guerra que marcou a ascensão do Talibã. Nós nos sentamos na parte de trás do veículo. De um lado do banco, ficamos eu, Ali e um guerrilheiro talibã. Do outro, Sherman com sua câmera e mais dois talibãs. No centro, entre nós, o defunto. Sherman me deu sinal de que estava gravando, caso eu quisesse descrever a cena. Claro que eu queria:

"Pensei que já tivesse visto tudo aqui", disse, olhando para os lados disfarçadamente até sentir a temperatura do ambiente. A "estrada" era, na verdade, uma trilha nas montanhas, com solavancos a todo momento. Quando percebi que o guerrilheiro não ligaria caso gravássemos, olhei diretamente para a câmera e continuei: "Os obstáculos e buracos abriram o precário caixão, feito de madeira frágil e sem qualquer inscrição, sinais de luxo ou pintura".

Diante de nós, o guerrilheiro usou o próprio pente de balas de seu fuzil para improvisar um martelo e tentar pregar a tampa do caixão. Ele deu para Ali algumas informações sobre a vítima.

"O morto se chamava Ismael Mohamar. Tinha 35 anos de idade."

O homem morrera na região da base aérea de Bagram, exatamente nos combates que havíamos documentado no dia anterior. Alta patente, era um comandante conhecido do jovem talibã ao nosso lado. Ele confirmou o que já sabíamos:

"Não tenho sentimento algum em relação às mortes de guerra. Isso é normal por aqui."

Para aqueles homens, normais também eram as noites de Cabul. Da janela de nosso quarto ou da sacada dos corredores no hotel InterContinental, testemunhávamos bombardeios aéreos que varavam a madrugada.

"Os céus de Cabul estão iluminados. A cidade está sendo bombardeada...", disse, apontando para os céus cintilantes da capital.

Era mesmo uma infinidade de luzes que, à distância, até lembravam um espetáculo pirotécnico intercalado por pesadas explosões. A capital estava sendo sistematicamente alvejada. Os aviões do general Abdul Rashid Dostum, de etnia usbeque e integrante da Aliança do Norte, bombardeavam a capital durante noites seguidas. Movendo-nos silenciosamente à luz de velas – racionadas –, filmávamos o que conseguíamos. As baterias antiaéreas respondiam aos ataques. No céu estrelado, pareciam cometas em alta velocidade com variados padrões de luminosidade e formato geométrico. Uma frase minha que jamais esqueci – e Sherman também não – sintetizava a ironia da situação:

"Esteticamente são belas...", fiz uma pausa e continuei: "as luzes da destruição..."

No dia seguinte, nós e a população saíamos às ruas para contar o número de vítimas, tomar ciência da destruição causada e calcular os prejuízos. Diante de corpos e crateras, ficávamos rodeando os locais atingidos. Durante minutos ninguém emitia um som. Apenas se contemplavam os efeitos de uma guerra sobre a qual todos se sentiam impotentes.

"Estamos no local onde caiu uma das bombas lançadas por aviões no ataque de ontem. E estas são as consequências."

A câmera me tirava do enquadramento, ao lado de um grande grupo de populares, e procurava o chão, onde frequentemente se viam árvores arrancadas, carros retorcidos e corpos de homens, mulheres e crianças atingidos, incrustados em um buraco imenso.

A bomba de 500 quilos que atingira aquela praça do centro de Cabul na madrugada anterior tinha o poder de arrasar as construções em um efeito dominó. Os estilhaços e o monumental deslocamento de ar produziram estragos até em lojas a mais de 100 metros do local onde a bomba caíra.

Dezenas de ambulâncias malconservadas passavam freneticamente. Como parte da estratégia de jamais valorizar as ações do inimigo, os oficiais do quartel-general talibá se recusavam a divulgar o número de vítimas. Esforço ainda maior era dedicado à ocultação dos crimes de guerra.

Chegou a hora de contar o que aconteceu conosco no dia em que fomos interceptados na saída de uma vila persa destruída, acusada de ter alimentado integrantes da Aliança do Norte, inimigos dos talibás.

* * *

Haveria alguma chance de sairmos ilesos daquela situação?

No momento em que vários talibás fizeram menção de que nos fuzilariam, procurei pensar em algo que pudesse nos salvar. Tenho certa facilidade em controlar os nervos em situações críticas, característica desenvolvida ao longo dos anos. Olhei para o meu cinegrafista.

"Sherman, nossa chance agora é tentar manter a calma", sussurrei para ele no tom mais sereno que consegui. Ele balançou a cabeça levemente, concordando. Era um cara valente. Khaled, ao lado, mal falava.

Percebi que os talibás discutiam entre si. Identifiquei o menos agressivo, justamente o que parecia ser um pouco mais velho em relação aos outros.

Lembrei-me de algumas frases que tinha aprendido em pachto e misturei com um pouco de árabe. Disse-lhes algo como: "Somos jornalistas brasileiros. Não somos inimigos".

Percebi que ganhara a atenção do líder deles, que riu levemente e fez sinal para que os outros se acalmassem. Khaled, agora mais tranquilo, aproveitou para continuar a conversa traduzindo do inglês para o pachto.

"Vocês estão mentindo. São espiões americanos."

Mostrei a eles nossos passaportes, nossos documentos profissionais, expliquei-lhes que éramos jornalistas brasileiros e que eu era o responsável pela equipe. O interrogatório continuou.

"Vocês estavam filmando nossa operação naquela vila persa?"

"Não era nossa intenção. Apenas nos perdemos, mas temos autorização do Talibã. Mostrei um documento surrado que tinha conseguido semanas antes em um posto talibã improvisado na fronteira com o Paquistão."

Novo debate entre eles. Os que achavam que devíamos morrer não pareciam vencidos.

"Por favor, nos leve ao comando de vocês para que eu possa explicar melhor."

O que se mostrava como líder demorou um pouco para falar, como se estivesse refletindo sobre qual atitude tomar. Por fim, me olhou fixamente e concordou:

"*Ok, mister.*"

Khaled confirmou que eu conseguira convencê-los a nos levar ao quartel--general da milícia – felizmente, a apenas alguns quilômetros daquela área.

Os guerrilheiros nos empurraram para dentro de uma caminhonete usada para percorrer as montanhas afegãs. Na carroceria, três talibãs armados com fuzis nos vigiavam.

"Será que vão nos fuzilar?", perguntou Sherman.

"Acho que o pior já passou." Isso era o melhor a dizer naquele momento.

Vinte minutos de trajeto e chegamos ao acampamento deles. Fomos recebidos por um comandante talibã que falava um inglês truncado, mas suficiente para nos comunicarmos. O interrogatório durou duas horas.

A microcâmera de Sherman, depois de revistada, já havia sido devolvida, de modo que com ela registramos alguns segundos daqueles momentos. Achávamos que ela estava ligada, mas apenas bem depois tivemos certeza de que a imagem tinha sido feita. A cena mostrou um grupo de talibãs me rodeando, um deles me puxou pela camisa enquanto outro me apontou seu fuzil. A agressividade foi se transformando em conversa amistosa e, por fim, eles acabaram aceitando as nossas explicações de que estávamos filmando apenas a batalha contra as tropas do ex-governo, que ocorriam também perto daquele local. Vencíamos a desconfiança. A prova disso foi o gesto do próprio comandante talibã. Ele abriu um sorriso e me chamou de *"my brazilian journalist friend"*. Fomos levados a uma tenda grande onde a elite dos guerrilheiros fazia as refeições.

"Sejam justos na reportagem", pediu. "Estamos aqui para salvar o Afeganistão dos estrangeiros e dos inimigos do Alcorão."

Para selar o clima, os talibãs nos ofereceram um banquete à sua moda: chá, pão e beringela servidos no tapete ralo estendido na tenda.

Apesar das moscas e da areia, não deu para recusar... Tinha sido um longo dia.

* * *

Dignas e heroicas, as mulheres afegãs foram condenadas naquele setembro de 1996 à submissão pelo império Talibã. Mas, ao seu jeito, enfrentavam a situação com coragem. No fundo, sabiam que delas poderia surgir a próxima revolução no mundo afegão, e, quando esse dia chegasse, todos conheceriam a verdadeira face daquelas que antes precisavam se esconder atrás das pesadas burcas – ou chadri, como eram conhecidos os trajes em algumas regiões. As vestes cobriam todo o corpo das mulheres e, no Afeganistão conquistado pelo Talibã, era de uso obrigatório.

Naquela manhã, tínhamos conseguido entrar em uma escola – uma versão afegã de Ensino Fundamental. A construção muito antiga era cercada de muros altos, e as salas de aula eram esculpidas na pedra. Logo fiquei rodeado por meninos que festejavam ruidosamente por estarem ao lado de um estrangeiro falando uma língua que achavam engraçada. Comecei a gravar em português:

"Estamos em uma escola de Cabul, onde, desde o dia em que o Talibã tomou a cidade, meninas não entram."

Logo apareceu um fiscal que representava o Talibã na escola. Sua barba longa era tão branca quanto seu turbante. O homem estava armado de uma vara comprida de bambu, com a qual batia seguidamente nos alunos que não obedeciam ao seu comando.

Como ele não entendia idiomas estrangeiros, era relativamente fácil conversar com os alunos que dominavam inglês e depois fazer minhas observações em português. Já para falar em pachto (com a ajuda da tradução do professor Ali, conosco nesse dia), esperávamos que o fiscal se afastasse quando ia chamar alguém da escola a nosso pedido, o que exigia observação, agilidade e certa dose de paciência.

Ludmar, um adolescente de 15 anos, cabelos bem crespos e olhos profundos, vestia um casaco de couro vermelho que contrastava elegantemente com sua camisa cinza. Era um dos melhores alunos da escola. Fluente em três línguas, aquele filho de um piloto de aviação comercial queria ser médico.

Quando o jovem começou a falar, um guarda talibã munido com um longo pedaço de pau se aproximou, tentando entender sobre o que conversávamos. Ludmar sorria espertamente para o observador da milícia e depois se dirigia a nós em inglês refinado:

"Não concordo com essa decisão do Talibã de proibir que as meninas estudem conosco aqui na escola", declarou ele.

"Você pensa em deixar o Afeganistão?", perguntei ao rapaz.

"Apesar de tudo que está acontecendo, não me vejo fora daqui. Amo meu país. Cabe a nós tentar consertá-lo."

Na sala de aula caindo aos pedaços, um professor também de pronunciada barba branca, usando boina amarela e roupas surradas, ensinava pachto aos alunos.

"O senhor apoia essa proibição da entrada das meninas na escola, professor?"

Ele me olhou diretamente, esboçando um sorriso tímido. Só então começou a responder:

"Bem, a ordem veio de cima."

"Mas e sua opinião pessoal?"

Um sorriso agora um pouco mais largo precedeu a resposta do mestre:

"Sim, as meninas deveriam estar aqui."

Quando o professor disse isso, os alunos que estavam ao seu redor começaram a aplaudi-lo. Em pouco tempo, todo o pátio se uniu gritando primeiro o nome do professor, Hamid, e depois, mais ousados, berravam:

"Meninas de volta! Meninas de volta! Elas não podem ficar em casa!"

E muitas de fato não ficavam.

Perto dali, encontrei as irmãs Tabasin, de 10 anos, e Simona, com 7, pedindo esmola nas ruas de Cabul na hora em que antes frequentavam a escola. O Talibã permitia que meninas mostrassem o rosto até o começo da adolescência, e o delas era angelical.

"Que Alá permita que voltemos a estudar", me disseram em voz doce e baixa.

Os talibãs gostavam de lembrar que os princípios do Islã eram os mesmos havia mil e quatrocentos anos. Não havia renovação. O fundamental para agradar ao profeta é recuperar a honra daquelas que chamavam de irmãs.

Elas eram as que mais sofriam com a moral medieval do Talibã. Suas expressões agora estavam ocultas pelo chadri. Apenas podiam sair de casa encobertas pelas roupas determinadas pelo modo de ver a sharia dos guerrilheiros fundamentalistas.

Além das meninas, as idosas recebiam autorização para mostrar o rosto se quisessem. Era previsível o tratamento dispensado às que questionavam, ainda que timidamente, as ordens dos talibãs. O mais comum era serem empurradas com o cano dos fuzis.

As mulheres também não podiam trabalhar fora de casa. Como antes da invasão do movimento metade dos funcionários públicos eram mulheres, e 30% delas eram viúvas de guerrilheiros, os líderes talibãs tinham decretado que elas seriam pagas para ficar dentro de casa.

Em alguns hospitais, mulheres morriam desassistidas porque não podiam ser atendidas pelo sexo oposto.

Aquelas regras não eram apoiadas pela maioria do mundo islâmico. Eram fruto de valores tribais dos pashtuns. Embora o Talibã sempre usasse o Islã para justificar sua série de leis intransigentes, o Alcorão é claro ao definir que homens e mulheres possuem os mesmos direitos.

Falar com mulheres dentro do regime talibã envolvia uma complicada missão. Poucos dias antes, jornalistas ocidentais haviam sido espancados, tiveram o equipamento de filmagem destruído e por fim acabaram presos e expulsos do país ao tentarem realizar esse contato. Tudo envolvia coragem e riscos.

Quando mulheres se aproximavam de nosso carro alugado para pedir esmola, eu tentava fazer algumas perguntas. A maioria corria de nós na mesma hora, com medo que algum talibã estivesse as observando, mas duas mais decididas disseram atrás de suas burcas:

"Queríamos voltar ao nosso trabalho, em vez de estarmos aqui nas ruas vivendo de migalhas."

Consideramos que valia a pena a tentativa de falar com elas. A história jamais estaria completa sem a perspectiva das mulheres daquele conturbado período. No final de uma tarde, finalmente recebemos um recado de que poderíamos ir a uma casa no centro de Cabul.

Tomamos todos os cuidados necessários: foram dias de preparação e inúmeros contatos. O primeiro foi com maridos afegãos que trabalhavam como profissionais liberais e estavam decididos a permitir que pelo menos uma de suas esposas se aproximasse de um jornalista brasileiro para contar a verdade.

Havia naquele dia uma passeata de defensores do novo regime, e por essa razão era um pouco mais seguro entrar em uma propriedade sem sermos vistos por talibãs e seus milhares de olheiros sequiosos em agradar aos novos donos da capital.

Como nos prometeram, a porta tinha sido deixada aberta. Entramos. Era, sim, um salão vazio de paredes amarelas. Minutos depois, ouvimos passos. Alguém bateu à porta. Abri. Era uma mulher vestida com um chadri um pouco mais fino do que os habituais de Cabul. Ela nos cumprimentou em inglês de sotaque forte, mas gramática impecável. Em seguida, tirou o véu que encobria seu rosto. Deveria ser um gesto corriqueiro, mas, naquele contexto, representava uma audaciosa quebra de barreira e de regras.

Vimos então uma mulher de modos refinados, pele alva, sobrancelhas espessas, nariz pronunciado, olhos pretos e meigos. Contou que tinha 35 anos, era casada, mãe de três filhos, e que antes trabalhava como professora. Explicou que precisava ser rápida, pois temia ser encontrada ali com jornalistas estrangeiros. As consequências seriam dramáticas, e todos ali dentro sabiam disso.

"Como muçulmana, não posso jamais concordar com a situação das mulheres em meu país. Quero lembrar que os talibãs têm aspectos positivos. Não são ladrões e falam em Alá. Conheço muitas mulheres que querem participar das decisões do Afeganistão. Sinto que esse dia ainda vai chegar."

Oito anos depois, a estudante Malala Yousafzai levou um tiro na cabeça de militantes do Talibã na saída de sua escola, em um ônibus escolar, no vale do Swat – província de Khyber Pakhtunkhwa, nordeste do Paquistão –, onde os talibãs locais impediam as jovens de frequentar a escola. Ela tinha apenas 15 anos e foi punida por insistir em estudar. Ela também mantinha um *blog*, divulgado pela BBC, desde seus 12 anos, época em que as aulas para meninas foram suspensas em seu vilarejo.

Naquele 9 de outubro de 2012, poucos acreditavam que Malala sobrevivesse, mas ela contrariou os prognósticos. Deixou o hospital e passou a lutar ativamente para defender os direitos das meninas e mulheres de estudar. Sua história se espalhou. Chegou a falar na Tribuna da Organização das Nações Unidas, em Nova York, e recebeu em 2017 – aos 17 anos – o Prêmio Nobel da Paz por defender a igualdade dos direitos entre estudantes, independentemente do gênero. Sua vida acabou contada no livro *Eu sou Malala*, que se transformou em fenômeno de vendas em boa parte do mundo.

A imagem de Malala recebendo o prêmio diante dos olhos do mundo me transportou de volta àqueles tempos inseguros na Ásia Central, e me fez lembrar a coragem das mulheres que conheci no Afeganistão.

6

RELATOS DE UM SEQUESTRO

Neste capítulo, Roberto Cabrini relata como ele e sua equipe foram sequestrados por guerrilheiros das Forças Armadas Revolucionárias da Colômbia. Conhecida pela sigla Farc, a organização paramilitar de inspiração comunista – autoproclamada guerrilha revolucionária marxista-leninista – operava em território colombiano. No interior daquele país, Cabrini e seu time seguiam pistas sobre a presença de brasileiros nas Farc quando foram abordados pelos homens da guerrilha. Foram dias difíceis, repletos de tensão e ameaças. O repórter os narra a seguir, mostrando também como, às vezes, imprevistos tornam a reportagem muito mais rica do que o planejado.

* * *

Na estrada que liga Neiva e San Vicente del Caguán, no centro-sul da Colômbia, eu, meu produtor e meu cinegrafista – além de nosso guia, um brasileiro radicado na Colômbia – fomos interceptados por homens armados com fuzis e pistolas. Eles eram guerrilheiros das Farc, as Forças Armadas Revolucionárias da Colômbia. Passamos por uma minuciosa revista, e então fomos obrigados a embarcar em um caminhão de porcos na escuridão da Amazônia colombiana, rumo a um destino desconhecido.

Na cabeça de cada um de nós, a todo instante, martelava a seguinte pergunta: *Trata-se de um sequestro ou de uma execução?*

* * *

Cidade de Letícia. Extremo Sudeste da Colômbia, às margens do rio Amazonas. Quatro meses antes.

O contato aconteceu na manhã do dia anterior, em um pequeno bar da cidade. Lá negociamos uma entrevista com dois traficantes colombianos que operavam na tríplice fronteira entre Colômbia, Brasil e Peru. Eles nos mostrariam os portos clandestinos no Peru, de onde embarcavam toneladas de drogas para o Brasil. Os dois estavam abandonando o negócio, cansados de arriscar a pele todos os dias, e por essa razão concordaram em nos mostrar a principal rota da cocaína no continente. Combinamos que eles não seriam identificados. Agiam sob mea-culpa, resultado de mentes atormentadas por anos de operações clandestinas que, algumas vezes, incluíam o extermínio de traficantes rivais.

Comigo, além do motorista, estavam o cinegrafista Márcio Ronald e o produtor Roberto Munhoz.

Estacionamos no horário marcado: às 7 horas da manhã.

Dois minutos depois, uma caminhonete passou acelerando por nós, parecendo verificar se estava tudo calmo na área, e então voltou para onde estávamos. Dois toques na buzina indicaram que eram nossos entrevistados.

A caminhonete saiu na frente, e nós a seguimos. Partimos em direção ao porto no rio Amazonas, deixando para trás Letícia, de quase 40 mil habitantes, e seguindo rumo a Tabatinga, com 10 mil habitantes a mais. Atravessamos sem grandes problemas para o lado brasileiro, passando por um poste com bandeiras hasteadas dos dois países, única marca visível da fronteira terrestre.

De longe, observei em uma parada que mais um homem subiu na caminhonete. Eles voltaram para o lado colombiano e, de lá, foram até o acanhado porto peruano, no rio Amazonas – nessa parte, também conhecido como Solimões. Um rapaz muito magro, de no máximo 20 anos, saiu do veículo e nos levou a pé até o porto. A caminhonete onde ele estava – a mesma que seguíamos havia poucos minutos – deixou rapidamente a área com pelo menos mais duas pessoas dentro dela.

Um barco pequeno já nos esperava com um barqueiro peruano no leme.

"Embarquem."

O barquinho atravessou o rio Amazonas. Do outro lado, chegamos à ilha peruana de Santa Rosa. Os dois homens com quem tínhamos combinado apareceram por trás de um grupo de barqueiros. Procurei analisar suas expressões, mas era uma tarefa difícil. Eles não sorriam, não demonstravam contrariedade. Na verdade, sequer contraíam os músculos faciais. O rosto deles não evidenciava nenhuma emoção.

Eram dois homens fortes, de estatura baixa e traços indígenas, vestindo jeans surrados. Um deles exibia um bigode e usava boné, sua camisa de cor escura estava fechada por apenas dois botões. O outro, de cabelos longos, usava uma camisa polo vermelha.

Adiantei-me, iniciando a conversa:

"Está tudo certo? Vai nos mostrar como é transportada a droga nas três fronteiras?"

"Claro que está tudo certo. Não temos meia palavra aqui."

A resposta do que usava boné veio em perfeito português, embora desse para notar um leve sotaque. O outro apenas balançou a cabeça assentindo. Não parecia ser um homem de muitas palavras.

"Sigam-me até o barco", disse, atirando o boné como um bumerangue na direção da embarcação.

Em minutos, percorremos o porto de Santa Rosa, um lugar quase primitivo. Dezenas de barcos atracados surgiram diante de nossos olhos. Alguns grandes e com motores potentes, mas a maioria era de barcos pequenos e rústicos.

Os homens pararam diante de um barco relativamente novo. O motor era grande, chegando a ser desproporcional em relação às dimensões da embarcação coberta por uma lona amarela. Ali perto, um jovem nos esperava.

Mais uma vez, o homem que antes estava de boné demonstrou liderança.

"Já encheu o tanque do motor?", perguntou, ao que o rapaz sinalizou que sim. O homem virou-se para nós: "Podem embarcar, então".

Ruidosamente, o barco deixou Santa Rosa. Não demorou muito e já estávamos na tríplice fronteira. Do meio do rio, era possível avistar o limite peruano, o colombiano e, seguindo as margens do Amazonas, o brasileiro. Por ali, passavam todos os anos perto de 700 toneladas de cocaína – cerca de 80% do que é consumido em todo o mundo. A bacia do Amazonas é uma imensidão disputada, explosiva, nem sempre devidamente fiscalizada.

O barco seguiu em direção ao lado peruano, tomando um afluente do Amazonas – o rio Jaúma. Uma hora depois, o líder do grupo apontou para uma vila de pescadores nas margens do rio. Atracamos o barco em um pequeno porto clandestino. Ao fundo, casas de madeira e sapê compunham a paisagem. Moradores maltrapilhos nos olharam desconfiados quando descemos, mas relaxaram ao ver que estávamos na companhia de conhecidos deles.

De uma das casas, saiu uma mulher com uma menina agarrada à saia. Ela se chamava Maria, e a menina era Larita, sua filha. Elas nos ofereceram água e nos convidaram a entrar em seu barraco.

A mulher, sentada em um caixote de madeira, justificou o que ainda sequer havíamos perguntado:

"Sabemos que não é certo. Mas sem o dinheiro dos traficantes, como viveríamos aqui?"

A indústria do tráfico usa gente assim para seus negócios milionários. Pagam míseros trocados para que camponeses permitam a utilização daqueles portos no escoamento da cocaína – a droga vem de laboratórios escondidos na floresta. O Peru tem sido crescentemente usado como ponto de saída para embarcações lotadas de cocaína colombiana. A rota segue para Tabatinga, já em território brasileiro, de onde a droga segue em uma viagem de até três dias para Manaus. De lá se espalha para outros estados e outras partes do mundo, como Estados Unidos, Europa etc.

Os traficantes nos informaram que ganhavam cerca de 700 dólares, mas que ao chegar em Manaus os carregamentos já valiam 10 vezes mais. O preço subia a cada etapa, alcançando até 50 vezes mais ao desembarcar em terras americanas e europeias. Uma rede de lucros: os que estão em cima são os que realmente constroem fortunas incalculáveis, enquanto para os de baixo sobram a exploração e os riscos maiores. Não havia uma única parte do trajeto que não envolvesse propinas – para moradores, caciques da terra, policiais de diferentes países e poderosos de cada região.

Nossas fontes disseram que não conseguiam operar sob a proteção dos grandes grupos de narcotraficantes. Já havia décadas que um dos maiores desses grupos respondia por "Farc", uma guerrilha de ideais românticos e sustentação operacional fortemente montada no tráfico de cocaína.

"Algumas vezes, os negócios que fechamos com eles são feitos por brasileiros."

"Há brasileiros nas Farc?"

"Isso mesmo."

A reportagem sobre a rota do tráfico foi concluída, mas a informação a respeito da presença de brasileiros nas Forças Armadas Revolucionárias da Colômbia ficou rondando a minha mente.

Dias depois, em Letícia, localizei um contato da guerrilha: um brasileiro radicado na Colômbia. O rapaz branco, de 35 anos, era alto e forte, e sempre usava camiseta como que a exibir os músculos. Colombianos o apontaram como alguém que teria contato com as Farc.

"Só estou aqui a passeio", disse, com um forte sotaque amazonense.

Essa foi a sua primeira versão. À medida que fomos quebrando o gelo, admitiu ter alguns contatos com a guerrilha, embora tenha desconversado quando tentei saber mais detalhes.

"Gostaria de entrar em contato com brasileiros que façam parte da guerrilha."

"Vou passar para você o contato de uma pessoa na Colômbia, mas não posso lhe garantir nada."

* * *

Quase quatro meses haviam se passado, e agora eu estava hospedado em um discreto hotel em Bogotá, a capital colombiana. Junto comigo, o produtor Thiago Bruniera, o cinegrafista Daniel Vicente e um guia brasileiro que vivia na Colômbia.

Dentro de uma pequena sala de reuniões do hotel, abri um mapa para mostrar-lhes o nosso destino: o departamento (equivalente a um estado brasileiro) de Caquetá, reduto histórico dos guerrilheiros das Farc.

No dia seguinte, às 5 horas da manhã, degustávamos café colombiano e tortilhas no restaurante do hotel. Às 5h30, cortávamos ruas e avenidas da capital a bordo de um utilitário com tração nas quatro rodas, alugado já pensando em estradas precárias. Íamos em direção ao interior do país.

De Bogotá para Neiva, capital do departamento de Hula, eram seis horas de viagem em estradas que pioravam à medida que nos afastávamos de Bogotá. Até chegarmos ao nosso destino – Neiva, cidade de 350 mil habitantes, localizada no vale do rio Magdalena –, as ruas ficariam ainda mais estreitas, mas ao menos permaneceriam asfaltadas. Contudo, não fizemos o trajeto de uma vez só. Cansados, pernoitamos no primeiro hotel que encontramos. No dia seguinte, logo após o café da manhã, respiramos fundo. Todos sabiam que agora começaria a parte mais difícil da missão.

Teríamos de percorrer 300 quilômetros por uma trilha de terra batida, tortuosa, acidentada, cheia de montanhas e precipícios: a estradinha que liga Neiva a San Vicente del Caguán, região do santuário das Farc.

Uma hora de viagem e fomos parados em uma barreira do exército colombiano. Dois soldados ordenaram que descêssemos do carro para sermos revistados e interrogados.

"Por que estão indo para a área das Farc?"

"Somos jornalistas brasileiros."

"Mostrem os documentos."

Examinaram os passaportes e as carteiras de jornalista. Um deles foi em busca do sargento que estava dentro de um abrigo. Gordo, de bigodes e com o ar sonolento de quem acabara de ser acordado, ele foi ao nosso encontro.

"Vocês sabem que é uma área de muitos riscos?"

"Sabemos, mas é o nosso trabalho. Estamos fazendo uma reportagem sobre as Farc nos dias atuais."

"O risco vai ser de total responsabilidade de vocês."

"Aceitamos o risco."

"Daqui a 100 quilômetros, encontrarão outra barreira do exército. A partir desse ponto, começa a área mais perigosa, onde as guerrilhas têm grande presença. Quando chegarem a San Vicente del Caguán, vão se deparar com muitos blindados do exército, pois a cidade está sob o controle das tropas do governo."

"Obrigado pelas informações."

Adiante, mais uma barreira do exército, mais perguntas, mais revistas, mais conselhos. Até que, finalmente, entrávamos na zona mais perigosa. Atravessamos rios e riachos, pontes de madeira sobre abismos, subimos e descemos montanhas, avistamos cachoeiras deslumbrantes, sempre rodeados pelo cheiro de mata molhada.

No caminho, descobríamos as razões de uma guerrilha de fundamentação comunista – evocadora das mensagens de Ernesto Che Guevara e dos românticos e utópicos revolucionários dos anos 1960 – ter encontrado tão forte abrigo ali.

Camponeses entregues à própria sorte não paravam de surgir diante de nossos olhos. Desnutridos e com famílias numerosas, seus olhares eram resignados e desconfiados. A escassez de recursos era evidente. Eram a parte de baixo da dramática distribuição de renda latino-americana.

Em determinado momento, alcançamos um ônibus caindo aos pedaços parado num atoleiro. Dezenas de camponeses – em parte brancos, em parte de ascendência indígena – tentavam empurrar a velha máquina.

Oferecemos-lhes ajuda para rebocar o utilitário. Com uma corda, puxamos o ônibus do atoleiro enquanto os homens do grupo ajudavam a empurrá-lo para fora. Quando conseguimos, enfim, desatolar o ônibus, alguns pularam de alegria e outros deram generosas goladas nas garrafas de aguardente.

Perguntei se eu poderia acompanhá-los no ônibus durante uma parte da viagem.

"*Sí, señor! Bienvenido!*"

O ônibus, cujo espaço interno era bem limitado, seguiu pela trilha no sobe e desce das montanhas. Estávamos em uma Colômbia isolada, onde seres humanos, porcos e galinhas se comprimiam em transportes primitivos.

Puxei conversa com um velho camponês de barbas longas sobre a vida naquela região.

"Aqui a vida para a gente é muito dura. É uma área pobre... É muito difícil viver em um lugar assim."

O sofrimento daquela gente só era menor do que o medo.

"Qual o poder das Farc aqui?"

Os que estavam por perto e escutaram a minha pergunta se entreolharam e sorriram sem graça, como se desculpando pelo silêncio. O mais jovem e desinibido do grupo foi quem me respondeu.

"Aqui mandam as armas."

Os demais apenas demonstraram concordância e emudeceram.

Fiquei quieto por alguns instantes e aproveitei para pedir um pouco de água. Queria dar-lhes tempo e espaço antes que insistisse no assunto.

"O que pensam sobre a guerra?"

"Sobre a guerra? Não pensamos nada."

Avistei, então, uma placa escrita à mão e pedi que parassem o ônibus, pois eu ficaria por ali. Assim que desembarquei, todos acenaram para mim e seguiram viagem. O carro alugado da equipe logo me alcançou.

Li com atenção a mensagem posta na estrada: "Proibida a passagem nesse caminho entre 6h30 da tarde e 5h30 da manhã. Assinado: Farc".

Sabíamos que aquelas eram terras onde guerrilheiros revezavam seu poder com o exército e paramilitares anticomunistas. Já haviam me alertado que o governo da Colômbia tentava retirar essas placas, mas a guerrilha as recolocava de madrugada. A eterna luta para mostrar quem de fato mandava ali.

A visão de uma casa de madeira em uma das montanhas desviou a minha atenção da placa. Ao fundo, uma fonte com uma queda-d'água com mais de 30 metros – uma imagem deslumbrante. Ao lado da residência, pequenas roças e algumas vacas, galinhas e porcos.

Na porta da casa, apareceu quem devia ser o chefe da família: um moreno de estatura mediana e bigode ralo. A família – pai, mulher, o pequeno filho, o cachorro magro – deixou a humilde moradia. A porta permaneceu aberta, de modo que pude ver um fogão a lenha.

"Quem está mais presente nessa área? O governo colombiano ou as Farc?"

Foi o homem quem respondeu:

"Nesta região, as Farc. Não o governo."

"Quem ajuda mais aqui são as Farc", a mulher comentou.

"O exército vem aqui, às vezes eles nos maltratam. E também nos roubam", afirmou o pai de família. "O exército nos rouba e as Farc nos ajudam."

Naquela remota área, a guerrilha preenchia o espaço de provedor que deveria ter sido ocupado pelo Estado. Isso não significava que os guerrilheiros eram unanimidade entre os camponeses, habitantes de um lugar onde ir à escola era considerado um ato de bravura.

Seguindo pela estrada de terra, passamos por crianças em uniformes escolares surrados. Elas carregavam seus cadernos enquanto se equilibravam na lama e atravessavam pontes de corda. Aquela área era repleta de minas terrestres plantadas pelos guerrilheiros para tentar despedaçar soldados do governo – além de milicianos paramilitares da extrema direita que formaram seus próprios pelotões para atacar posições das Farc.

Perguntei para aquelas crianças – três meninos e duas meninas – o que achavam das Farc. As respostas provavelmente foram uma repetição do que ouviam de seus pais.

"Eu acho que as Farc são uma coisa ruim", disse a menina maior. "Não gosto do que fazem. Eles machucam as pessoas, maltratam os camponeses."

Os outros balançaram a cabeça, confirmando o que a mais velha dissera. Então, seguiram sua caminhada de horas até chegar à escola que funcionava em barracos de madeira.

Foi naquele cenário também que a guerrilha recrutou jovens dispostos a se sacrificar em troca da promessa de lutar pela ideologia de uma sociedade sem exploradores.

Durante a viagem, nós nos revezávamos ao volante. Aquele era o meu turno. Ao meu lado, no banco do carona, sentava o cinegrafista Daniel. O produtor Thiago e nosso guia viajavam no banco de trás.

O trecho em que estávamos era uma subida íngreme em uma montanha. Olhamos para baixo e nos deparamos com um abismo de mais de 80 metros. Não havia acostamento e a trilha era estreita, não nos deixando margem para erros. Os pneus derrapavam e a zona estava repleta de guerrilheiros dos dois lados. O clima de tensão preenchia o ar.

San Vicente del Caguán estava a pouco mais de 100 quilômetros, mas devido à precariedade da estrada parecia ainda mais distante.

Quando enfim chegamos ao cume, era hora de encarar a descida vertiginosa. Contávamos com a destreza de quem dirigia – e também com os benditos freios. Não avistávamos uma alma sequer havia mais de uma hora.

Passada a montanha-russa, atravessamos uma ponte de madeira sustentada por cordas precárias. Pegamos uma longa reta de 5 quilômetros, ladeada por montanhas, até uma curva à direita. Nas laterais da estrada, a mata fechada. Avistei uma casa rústica de camponeses a 2 quilômetros. E então, a 100 metros da curva, surgiram do meio da selva dois homens vestindo blusas escuras. Armados – um com uma pistola, o outro com um fuzil –, faziam gestos bruscos e agressivos.

O cinegrafista Daniel Vicente disse em voz nervosa.

"Os caras nos mandaram parar."

"Estão armados?", perguntou o produtor Thiago Bruniera.

"Estão", confirmei, com o tom mais sereno que pude.

Em segundos, analisei as possibilidades. Seria melhor parar o veículo ou acelerar, tentando fugir deles? Eles estavam armados e em seu próprio terreno. Melhor parar. Diminuí a velocidade, parando ao lado dos homens.

"Boa tarde, como estão?", tentei agir com naturalidade para quebrar o gelo.

O que carregava a pistola se aproximou da janela do motorista. Moreno, de bigode e barba por fazer, não aparentava ter mais que 25 anos.

"Desçam do carro." Em um tom agressivo, ignorou meus cumprimentos.

"Como?"

Os dois repetiram em espanhol, com o forte sotaque da região:

"Desçam do carro!"

"Nós vamos descer?", Daniel tentava saber se entendera certo.

Apareceu, então, o que estava armado de fuzil.

"Agora."

Ainda tentei conversar amigavelmente.

"Quanto tempo estamos de San Vicente?"

"Já falamos! Desçam do carro!"

Dessa vez, nós obedecemos.

"Quem são vocês?", perguntou o de fuzil. Ele aparentava ser um pouco mais calmo.

"Somos brasileiros", respondeu Daniel.

"Brasileiros?"

"Sim. Sou *camarógrafo*", Daniel tinha aprendido que esta era a palavra para cinegrafista em espanhol.

Eu me adiantei, usando o espanhol aprendido em inúmeras viagens por países de língua espanhola.

"Somos jornalistas brasileiros. Qual o problema?"

"O problema... Vou explicá-lo para você. Isso aqui é um bloqueio armado. Então, não podem passar. Ninguém pode passar."

Tentei explicar a eles que estávamos fazendo uma reportagem para uma TV brasileira sobre a vida naquela região, a luta dos guerrilheiros, a situação da Colômbia.

Em resposta, tomaram a chave de nosso carro e fizeram uma revista inicial à procura de armas. Ao ver que estávamos desarmados, ordenaram que os esperássemos naquele mesmo lugar, pois eles consultariam seu superior e retornariam em meia hora.

"Aqui perto tem uma casinha, vão para lá e esperem por nós."

"Mas quando poderemos seguir para San Vicente?", perguntei.

"Entrem na casinha", o homem se limitou a repetir, evidenciando que não havia como dialogar.

Havia uma moto atrás de uma árvore, camuflada em folhagens. Eles a retiraram, subiram nela e, quando aceleraram, repetiram uma vez mais.

"Não façam nada, só nos esperem."

"Onde está essa pessoa com quem vão falar?"

"Não posso dizer onde está."

E então nos deixaram para trás em um rastro de poeira da estrada de terra.

"Mas está escurecendo!", Thiago gritou para eles. Visivelmente, os homens não se importaram com isso.

"Será que devíamos mesmo ter parado?", ele se virou para mim.

"O cara apontou a arma para a gente. Se não saíssemos do carro, ele ia começar a atirar. Como íamos fazer?"

"E se a gente não parasse, ele iria atrás", Daniel completou.

"Sim. Eles pegariam a moto e sairiam atrás, atirando na gente", concordei.

Percebendo a angústia de meus três companheiros – e como alguém mais experiente, líder do grupo –, procurei acalmá-los. Concentrar-se no trabalho era a melhor forma.

"Vamos gravar uma passagem", propus.

Daniel não pensou duas vezes. Sempre atento às paisagens e personagens, filmando durante toda a viagem, em poucos segundos estava com a câmera nos ombros. Detalhe: a câmera estava ligada desde que os dois homens armados apareceram na estrada. Ele havia captado a aproximação do carro, a abordagem daqueles homens e os diálogos que trocamos – às vezes, é claro, com a câmera abaixada, para que eles não percebessem a gravação.

"São 5h30 da tarde de um sábado. Estamos a cerca de 20 quilômetros de San Vicente del Caguán. Os dois homens armados deixaram..."

Engasguei levemente e decidi repetir.

"São 5h30 da tarde de um sábado. Estamos a cerca de 20 quilômetros de San Vicente del Caguán. Estamos vivendo, neste instante, um momento de muita indefinição e tensão. Os dois homens armados pegaram a chave de nosso carro e saíram. Eles determinaram que nós esperássemos aqui. O que irá acontecer?"

Quando terminei de falar, todos ficaram em silêncio... Olhei para meus companheiros, que pareciam absorver o peso das minhas palavras.

"Buraco negro, né? O bom sinal é que eles não foram violentos com a gente", tentei passar confiança.

A noite se aproximou. Vimos o pôr do sol nas montanhas, por entre as copas das imensas árvores da floresta. Um visual magnífico – se não fosse pela situação.

"Vamos nos concentrar porque os caras vão vir falar com a gente." Eu tentava descontrair o clima, exercitando o meu humor sarcástico. Era melhor do que ficarmos desesperados. "O máximo que podem fazer é matar a gente. Mais que isso não fazem, não. Mas, sério, acredito que esse não seja o caso. Não me pareceu isso. Embora eles sejam apenas cumpridores de ordens, todas as pessoas sequestradas pelas Farc tinham envolvimento na questão política. Ninguém era neutro como a gente."

A espera angustiante foi interrompida pela imagem de homens armados a 2 quilômetros na estrada, na mesma direção para onde fora a moto. Estavam em número maior.

"Daniel, foca a câmera neles que eu vou narrar."

"Ok."

"Nesse momento, os dois homens armados que levaram a nossa chave do carro estão voltando... Acompanhados de outros dois. Com armas potentes, fuzis. Eles estão vindo em nossa direção. Vamos ver o que vai acontecer..."

"Largue a câmera!", ordenou um dos guerrilheiros assim que viu o que fazíamos. Depois, virou-se para os seus homens: "Revistem eles".

"Somos jornalistas do Brasil", afirmei. "Sou repórter."

As ordens haviam partido do comandante Nilson, como os outros o chamavam.

Os guerrilheiros começaram revistando o nosso carro. Depois, foram mais minuciosos: verificaram nossas roupas, nossos corpos, equipamentos, tudo. Ignoraram a informação de que éramos jornalistas neutros.

Um dos primeiros itens a ser analisado foi a câmera. Daniel mal teve tempo de desligá-la. O homem que a manuseou demonstrava ter intimidade com equipamentos eletrônicos, pois rapidamente retirou as baterias e examinou os microfones, as luzes e até o tripé.

No carro, vasculharam o motor, pneus, o porta-luvas, porta-malas, as ferramentas. Comentaram entre si que procuravam transmissores, chips de localização que já tinham sido usados por espiões americanos. Esses dispositivos são capazes de transmitir a localização exata, tornando possíveis ataques aéreos cirúrgicos contra alvos específicos.

Até aquele momento, ainda pensávamos que podiam nos liberar depois da revista. A esperança morreu com a chegada, minutos depois, de um caminhão de transportar porcos. Apontaram para a carroceria, ainda suja de animais recentemente transportados.

"Subam! Vamos! Todos. Agora mesmo, sem demora."

Uma caminhonete também chegou e os homens se dividiram entre os dois veículos.

O pequeno comboio saiu rumo ao desconhecido – ao menos para nós. Sob o signo do medo, logo era noite na floresta.

Um guerrilheiro armado nos vigiava logo atrás. Era o único que se sentava, com uma lanterna, arma em punho e olhar de poucos amigos. Estávamos todos de pé, na carroceria do caminhão de porcos. Pedi calma à minha equipe e bravamente ninguém ousou se lamentar. Todos muito sérios, mas – na medida do possível – serenos. Ainda assim, as mesmas perguntas rondavam a nossa cabeça: para onde estamos sendo levados? Será que vão nos executar? Ali, naquele fim de mundo, seria fácil nos matar. Jamais seríamos encontrados.

Minutos depois, tomamos uma estrada ainda mais estreita, repleta de buracos. Tivemos de nos segurar com força para continuar de pé.

Passou algum tempo e, então, escutei latidos de cães. O caminhão parou bruscamente. Chegou aos meus ouvidos o som de uma conversa, seguido do que parecia ser uma porteira de arames sendo aberta. Avistei luzes de uma casa. Estávamos em um sítio, uma *finca*, como dizem os colombianos.

"Desçam."

Indicaram a porta de uma pequena residência rústica. No seu interior, apenas uma pequena sala, um quarto e uma cozinha, mas o exterior era um imenso quintal. Notei que lá morava um casal. A casa fora confiscada pelos guerrilheiros para nos receber.

Em poucos minutos, o casal recebeu ordens para nos alimentar. A mulher saiu de nossa presença. Foi para o quintal, onde havia um galinheiro, e selecionou três galinhas para o abate. Com destreza, depenou-as e as limpou, para depois temperá-las e cozinhá-las.

Observei a minha equipe e vi em seus rostos que haviam percebido o mesmo que eu: não se tratava de uma execução, mas de um sequestro. Éramos prisioneiros.

Os guerrilheiros se afastaram do alcance de nossos olhares, e voltaram minutos depois, um a um. Haviam se livrado das roupas que usavam e agora vestiam uniformes de campanha das Farc.

Ficou claro que vestiam trajes civis apenas quando desejavam se misturar entre os camponeses, a fim de não chamar atenção dos paramilitares e das tropas do governo colombiano. Era visível o orgulho que sentiam ao ostentar as cores da guerrilha.

"Comida pronta!", a mulher avisou do fogão.

Não demorou para que os guerrilheiros nos trouxessem pratos com porções generosas de galinha, arroz e banana-da-terra frita.

Terminávamos de jantar quando o próprio comandante Nilson entrou na casa. Com a luz iluminando melhor o seu rosto, era possível ver que tinha uns 30 anos. Pálido, usando bigode, tinha os olhos claros e seus modos eram educados.

"Vocês disseram a verdade. Agora sei que são mesmo jornalistas de uma TV brasileira e que não possuem envolvimentos políticos. Amanhã, o secretariado [o comando dele] vai me informar por quanto tempo vão ficar conosco."

O ambiente se tornou bem menos carregado, quase amistoso.

Dentro da casa permaneceram, além de nós e o casal, sete guerrilheiros, incluindo o líder; e fora da residência, cerca de dez pessoas. No entanto, apenas três deles conversavam conosco: o próprio comandante Nilson, sua mulher, Suli – uma guerrilheira morena, de cabelos longos, traços delicados e visível força –, e Pedro, de idade próxima à do comandante e o mais alto e claro entre eles. Os outros guerrilheiros o chamavam de "o explosivista". Como sugeria o apelido, ele entendia profundamente de explosivos e também de tecnologia.

A imagem de guerrilheiros retrógrados que não acompanham os avanços tecnológicos em parte foi se desfazendo, pelo menos entre os mais graduados. Usavam rádios modernos para se comunicar com seus comandos, GPS para identificar sua localização e altímetros para medir a altitude em que se encontravam.

Com a chegada de mais guerrilheiros, o arsenal foi ampliado. Incluía, além das pistolas e fuzis que já havíamos visto, metralhadoras e granadas.

A noite avançou, mas ninguém se preocupou em dormir. Os três passaram horas conversando conosco, respondendo as nossas perguntas, querendo saber detalhes sobre o Brasil. E já não se importavam que também falássemos com os guerrilheiros mais jovens, vários deles com menos de 18 anos – praticamente meninos armados.

Os mais novos não demonstravam fazer parte do grupo pela ideologia. Na verdade, ser um integrante das Farc era um dos melhores meios de sobrevivência naquela área miserável, e ainda por cima dava algum *status* entre os camponeses. Semianalfabetos, pouco ou nada sabiam do mundo além de obedecer a ordens de guerra.

Já os três mais graduados – principalmente o comandante Nilson – conheciam em detalhes as vitórias e reveses do quase meio século de história das Farc. O comandante falava com admiração de Ernesto Che Guevara, discorrendo sobre sua trajetória desde os anos na Argentina até a Revolução Cubana, passando pela guerrilha no Congo e o final, na selva boliviana.

Ele sabia do ataque de Marquetalia, em 1964, quando aviões militares atacaram um enclave de camponeses na cordilheira dos Andes.

"Trinta e oito deles conseguiram sobreviver e criaram o 'Bloco Sul'. Entre os sobreviventes, estava Manuel Marulanda, que nós chamamos de Tirofijo [morto em 2008, aos 80 anos]. A guerrilha praticamente começou aí."

Nilson estudou a instituição, em 1978, do "secretariado" – a direção colegiada da elite da guerrilha. Citou as tentativas de negociação nos diversos governos e o assassinato, em 1987, de Jaime Pardo, candidato à presidência apoiado pelas Farc e morto por paramilitares da extrema direita. Também falou sobre a importância de Jacobo Arenas, considerado o principal ideólogo da história das Farc.

"Você defende os sequestros feitos pela guerrilha", comentei.

"Todos eles são moedas de troca. Numa guerra, é preciso ter moedas de troca."

Aqueles três guerrilheiros defendiam com paixão o fundamento do grupo: o comunismo marxista-leninista, que operava mediante táticas de guerrilha.

Nilson se inflamou com o assunto, os olhos chegando a brilhar:

"Todos os dias, acordo pensando ser possível implantar o socialismo na Colômbia, apesar desse governo fantoche controlado pelos americanos."

"Estou nisso porque acredito na causa. Ninguém me obrigou a estar aqui", disse Suli.

Mas ela voltou a ser uma menina ao lembrar-se, com os olhos lacrimejando, das pessoas que já precisou matar. Lembrou-se especialmente do dia em que foi incumbida de verificar os estragos produzidos em uma vila onde estavam soldados do exército.

"Vi entre as vítimas dois meninos e uma menina. Não foi fácil…"

"Como é a questão do narcotráfico nas Farc?"

O jovem comandante demorou para responder. Olhou-me atentamente e, por fim, me perguntou:

"Como cobriríamos os gastos da guerrilha, das armas, das bombas, dos deslocamentos, do treinamento, da alimentação?"

Um breve silêncio e, então, ele continua.

"Sim, os campesinos nos ajudam porque confiam mais na gente do que no governo, mas a receita gerada pela cocaína é vital para nossa sobrevivência. É um mal necessário. Dentro da guerrilha não aprovamos o uso de drogas, mas precisamos desse dinheiro em nome de um ideal maior."

"Existem brasileiros nas Farc?"

"Sim, já vi alguns. Sei que existem outros."

"Quem e quantos são?"

"Não vou falar em nomes ou números, mas quem sabe nossas ideias de justiça social não cheguem um dia a um país tão grande como o Brasil?"

Passados os momentos de euforia ideológica utópica, ele demonstrou também ter ciência da dramática diminuição do número de guerrilheiros nos últimos anos.

"Éramos perto de 20 mil há dez anos. Hoje, somos praticamente a metade. Muitos desertaram, outros foram abatidos em combate. E está mais difícil recrutar gente nova nas vilas. Não são tempos fáceis."

Era madrugada quando ele nos levou ao quarto onde já estavam estendidos colchonetes à nossa espera. Ele nos desejou boa-noite e nos deixou.

* * *

O galo cantou com vigor anunciando o nascer do sol.

Quando acordei, saí para lavar o rosto no banheiro do lado de fora da casa. Então, vi que o comandante Nilson já estava dando ordens para seus homens, todos com uma caneca de café nas mãos.

Dormia-se pouco nas guerrilhas...

Ao me ver, ele avisou que estava subindo à parte mais alta da *finca* para falar com o secretariado – lá os sinais do rádio eram recebidos com nitidez.

Vinte minutos depois, ele apareceu com a notícia:

"Vocês estão liberados. Hoje, no final da tarde, vamos acompanhá-los a uma vila de onde poderão seguir viagem."

O almoço foi o mesmo que o café da manhã, que havia sido o mesmo que o jantar: galinha, arroz e banana-da-terra.

Conforme prometido pelo comandante Nilson, no fim da tarde, fomos levados para outra *finca*, onde estava nosso carro. Dentro dele, todos os nossos pertences, incluindo nosso equipamento, nossas roupas e até o dinheiro que estava nas carteiras de cada um. Não demos falta de nada.

Nós os seguimos até uma vila a 30 quilômetros de San Vicente del Caguán, nosso destino original. Lá os guerrilheiros foram recebidos com entusiasmo. Era um reduto das Farc. Nas casas, muitos moradores tocavam o hino da guerrilha, gravado em fitas e reproduzido em velhos gravadores. A letra exaltava a busca da esperança.

"*Avante, companheiros das Farc*", proclamava o refrão.

Um aperto de mão marcou nossa despedida. De sequestrados passamos a convidados.

Seguimos para San Vicente del Caguán. Na entrada, barreiras do exército, tanques e centenas de soldados. Militares andavam pelas ruas da pequena cidade, mas nem sempre foi assim. Durante quatro anos, entre 1998 e 2002, San Vicente esteve sob o domínio das Forças Revolucionárias da Colômbia. Nesse período, não havia polícia, Ministério Público ou Tribunal de Justiça. Tudo era decidido pelos guerrilheiros.

Procurei o contato no endereço que eu tinha, mas a pessoa partira sem deixar pistas. Na verdade, por linhas tortas, vivenciei muito mais do que poderia ter imaginado.

No caminho de volta a Bogotá, um turbilhão de reflexões. Uma guerrilha como essa não pode ser descrita de modo simplista ou maniqueísta. Não se trata da luta do bem contra o mal... São homens e mulheres que invocam ideais nobres, mas se prestam ao tráfico e ao sequestro. Estão em uma luta contra um sistema que prega a liberdade e tem o apoio da maior potência do planeta, e que, no entanto, também não consegue diminuir as desigualdades de uma terra de poucos donos.

7

A VERDADEIRA HISTÓRIA DO VOO 254

Neste capítulo, Roberto Cabrini conta, com detalhes surpreendentes, como conseguiu desvendar os mistérios do voo 254 da Varig. A aeronave – pilotada pelo comandante César Garcez – ficou perdida na floresta amazônica no final dos anos 1980, e o acidente provocou a morte de 12 pessoas. Trata-se de uma investigação que revelou histórias de heroísmo e tentativas de manipulação da verdade por diferentes origens. A reportagem foi exibida na edição do *Fantástico* de 5 de outubro de 1997, e alguns meses depois conquistou o principal prêmio da época – o Prêmio Líbero Badaró de Telejornalismo.

O comandante reaparece

Miami, Flórida, Estados Unidos.
Verão americano de 1997.

Na elegante Key Biscayne, um homem caminhava na praia tomada por turistas. Seu físico ainda chamava a atenção: músculos, pele bronzeada, cabelos esvoaçantes castanho-claros, andar firme. Em seus 40 anos de vida, quase não mudara. Era de fato César Augusto Padula Garcez: o comandante do voo 254, da Varig, que oito anos antes tinha se afastado inexplicavelmente de sua rota (de Marabá, no sul do Pará, para a capital Belém, ao norte). O voo se perdera em plena floresta amazônica, e mesmo com visibilidade zero na escuridão da noite, conseguira um impressionante pouso forçado sobre remotas árvores da mata. Por milagre, a maior parte dos 54 ocupantes do Boeing 737-200 sobreviveu – mas os 12 mortos no acidente marcaram seu desfecho como uma das maiores tragédias da história da aviação brasileira. Ainda que vivendo quase escondido na Flórida, Garcez havia sido reconhecido por um contato do jornalismo da Globo naquele local.

Nova York, manhã do dia seguinte. Meu telefone no escritório da Globo, na Terceira Avenida, tocou. Do outro lado da linha, direto da base da emissora no Rio de Janeiro, estava o então diretor-executivo de jornalismo da emissora, Carlos Henrique Schroder:

"Cabrini, você se lembra do César Garcez?"

"O do voo que se perdeu na Amazônia", respondi.

"Esse mesmo! Ele foi visto na Flórida. Parece que está trabalhando numa empresa de exportação ou algo assim... Pode ser o começo de uma boa história, não acha?"

"Com certeza!"

Na época, eu era um dos três correspondentes da Globo nos Estados Unidos (os outros dois eram Edney Silvestre e Sônia Bridi). Eu já adquirira bastante experiência como jornalista investigativo, por isso tendia a receber as informações da máquina da emissora quando havia expectativa para esse tipo de atuação.

Àquela altura, Garcez fora condenado a quatro anos de prisão por ter sido um dos responsáveis pela tragédia. No entanto, ninguém jamais revelara a verdadeira história do voo 254. Muitos acreditavam que ele tinha sido o herói que operou com maestria um pouso quase impossível sobre cipós e árvores de 30 metros de altura. Num terreno totalmente desconhecido no coração da Amazônia, o comandante teria sido uma espécie de vítima da negligência de sua própria companhia aérea, que o teria induzido ao erro com um plano de voo confuso. Seus advogados conseguiram facilmente recorrer da sentença, mantendo-o afastado das prisões.

Em uma cidade fortemente marcada pela presença brasileira, não foi difícil confirmar a informação. Afastado da aviação desde o acidente, com seu brevê cassado pela Aeronáutica brasileira, Garcez tentava refazer a vida especulando sobre as chances de atuar no comércio entre Brasil e Estados Unidos. Entretanto, fugia de jornalistas como zebras correm dos leões e mantinha-se no mais profundo silêncio.

O que de fato tinha acontecido na cabine do Boeing 737, que, em vez de chegar a Belém, acabou pousando no norte do estado de Mato Grosso, a mais de 800 quilômetros de seu destino? Como desvendar essa história? Como convencer Garcez a falar? E, se ele se abrisse, como checar as explicações – como medir a distância entre verdades e mentiras?

* * *

Aeroporto de Marabá, sul do Pará.
3 de setembro de 1989, final de tarde.

Tinha tudo para ser apenas mais um voo de rotina. Eram apenas quarenta e cinco minutos de Marabá até Belém: 241 milhas náuticas, ou 446 quilômetros em linha reta. A bordo, estavam 48 passageiros e 6 tripulantes.

Entre os que embarcavam, muitos estavam interessados em saber o que aconteceria a 2 mil quilômetros daquele local: no Estádio do Maracanã, Rio de Janeiro, a Seleção Brasileira decidiria sua sorte nas eliminatórias para a Copa do Mundo de 1990. O adversário daquela tarde seria o Chile, e havia certo temor de um eventual fracasso brasileiro. Um empate seria suficiente para classificar o time canarinho, mas, em caso de derrota, pela primeira vez, uma Copa do Mundo não contaria com o Brasil.

Quando o Boeing 737-200 finalmente levantou voo no meio da tarde, quando o jogo já havia começado, vários passageiros faziam planos para assistir ao segundo tempo em Belém.

No comando do avião, estava um gaúcho de 32 anos. Embora nascido em Santa Maria, já cultivava um pronunciado sotaque carioca – consequência de sua mudança para o Rio de Janeiro, onde morava em um confortável apartamento da Zona Sul. Com 8 mil horas de voo, César Garcez era a imagem da autoconfiança em pessoa: boa-pinta, tinha a fama de fazer bater forte o coração de muitas comissárias de bordo. Precoce, entrara na FAB (Força Aérea Brasileira) com apenas 17 anos, e aos 24 conseguiu ingressar na Varig.

Desde as escolas de pilotagem, Garcez construíra a reputação de ter mãos habilidosas no controle de manches e manetes. Havia também quem achasse que ele era uma pessoa arrogante e que seu talento encobria certo desleixo em sua postura na cabine. Mas, no geral, ele era respeitado pela maioria dos outros pilotos.

Ele já havia enfrentado alguns percalços. Os registros mostravam um incidente que lhe rendeu uma advertência pouco tempo antes daquela viagem: no aeroporto de Paramaribo, no Suriname, Garcez deixou a ponta da asa de seu 737 tocar na escada de um DC-10. Por causa disso, ele parecia empenhado em não permitir que informações negativas chegassem aos ouvidos da direção da Varig. O objetivo era afastar tudo que pudesse ameaçar a suprema posição para a qual ele havia se preparado desde menino, a fim de realizar um sonho: ser piloto de grandes aeronaves da aviação civil.

O 254 não era exatamente um voo disputado pelas tripulações da Varig, que já vivia seus anos de decadência. Porém, no final dos anos 1980, a empresa ainda conservava certa aura de eficiência, sonho de consumo dos jovens brasileiros candidatos a um posto na aviação civil. Era o que se podia chamar de pinga-pinga dos ares. O voo sempre começava no Aeroporto de Cumbica, em São Paulo, às 9h40. Depois fazia escalas em Uberaba, Uberlândia, Goiânia, Brasília, Imperatriz e Marabá, até chegar ao destino final: Belém. Em outras palavras, uma via-sacra com suas sete paradas, um cansativo sobe e desce de passageiros e uma sucessão de procedimentos de pouso e decolagem.

Naquele domingo, a tripulação liderada por Garcez tinha assumido o voo a partir da escala em Brasília. O copiloto, Nilson Zille, era um mineiro de 29 anos radicado no Rio de Janeiro. Baixinho, atarracado e comunicativo, não escondia seu sonho de, um dia, tornar-se piloto de voos internacionais. Naquele dia, com a supervisão do comandante, ele havia assumido o controle da aeronave até a penúltima etapa, em Marabá. Já no apertado Aeroporto de Marabá, o próprio comandante Garcez retomou os procedimentos, enquanto o embarque era finalizado.

Havia ainda um detalhe importante: naquela época, fazia pouco tempo que a companhia aérea havia introduzido um novo plano de navegação. Garcez leu no documento: "Marabá-Belém 0270". O último algarismo à direita, o zero, era na verdade um decimal, e na prática só teria utilidade em outros tipos de aeronave, mas não em um 737-200, quando deveria ser simplesmente desprezado.

O plano de voo a ser inserido no computador de bordo teria de ser 27 graus norte. Por distração, falta de treinamento ou excesso de confiança, Garcez interpretou a informação como 270 e girou o botão de seu HSI (computador de bordo onde eram marcadas as proas) até a posição 270. Ele não percebeu seu erro, e Zille – a quem também caberia checar tudo no *briefing*, o conjunto de dados passados em uma reunião entre piloto e copiloto antes do voo – também não.

Aproxima-se o final de uma tarde bem ensolarada quando o avião levantou voo. Em vez de seguir para o norte, a aeronave iniciou uma jornada para o oeste. À sua frente, não havia Belém, mas apenas milhares de quilômetros da imensidão da floresta amazônica. Para multiplicar a falha do comandante, não existiam naquela época radares na Amazônia, e o GPS (Global Positioning System) – tecnologia que permitiria a localização por meio de satélites e que, anos mais tarde, equiparia até celulares de qualquer mortal – ainda era um sonho para pilotos do 737. Ninguém desconfiava, mas se tratava do início do último voo daquele avião de 14 anos de fabricação e da última decolagem do comandante Garcez à frente de grandes aviões.

O 254 decolou às 17h49. O comandante parecia tranquilo, tanto que permitiu que o copiloto captasse algumas das centenas de rádios que transmitiam o jogo da Seleção no Maracanã. Planejava, assim, informar o placar aos passageiros. Passados vinte e cinco minutos de voo, o piloto demonstrava estar convencido de que se aproximava de seu destino final: a capital do Pará.

Obedecendo ao procedimento padrão, Garcez chamou o Centro de Belém e chegou, inclusive, a solicitar permissão para iniciar os procedimentos de pouso. Para piorar a situação, ele recebeu a autorização da torre de controle. Entretanto, ele estava, na verdade, a mais de 400 quilômetros do aeroporto Val-de-Cans, em Belém. Só então estranhou não avistar as luzes da cidade e perguntou:

"Está faltando energia em Belém?"

"Negativo."

Era um diálogo louco entre cegos. Mais desconfiado ainda, Garcez avisou que não estava recebendo as ondas de rádio que auxiliam os pilotos em suas viagens.

"Não recebo 128.2 e não recebo informação do VOR."

Isso implicava que Garcez não estava captando o sinal de 128.2 MHz, uma das frequências do Controle de Belém. Mais grave ainda: ele não recebia a principal onda (VOR), tida como a estrada aérea dos pilotos, numa época em que o Centro de Belém não dispunha de radar de aproximação.

Eram sinais mais do que claros de que o 254 apresentava sérios problemas para chegar à capital paraense, mas o Centro de Belém simplesmente sugeriu:

"Tente a aterrissagem visual."

O comandante recebeu orientação para procurar o aeroporto Val-de-Cans em Belém com os olhos. Mas a aeronave estava agora a mais de 500 quilômetros de seu suposto destino, afastando-se cada vez mais – e queimando, a cada segundo, mais querosene.

A chefe dos comissários, a paulista Solange Nunes, de 25 anos, foi até a cabine e informou que os passageiros estavam inquietos com a demora. Em resposta, Garcez explicou que o avião apresentava problemas de comunicação e que o aeroporto de Belém estava sem energia. Então, a essa altura, ele decidiu dar uma satisfação aos passageiros pelo PA, o microfone de bordo.

"Senhores passageiros, informo que o aeroporto de Belém está, neste momento, sem energia. Mas, felizmente, ainda temos autonomia para mais duas horas de voo."

A comissária saiu de lá convencida de que não se tratava de nada sério. Em cada fileira do avião em que era abordada pelos passageiros, repetia a mesma frase:

"São apenas problemas de falta de energia, mas já está tudo sob controle."

Alguns se satisfaziam com a explicação; outros, não.

O engenheiro Epaminondas Chaves conhecia bem a geografia da região, pois já tinha feito o trajeto inúmeras vezes. Ele se surpreendeu com a paisagem avistada:

"Onde está o rio habitual? Por que o sol está do lado contrário?"

Então, veio a gota-d'água. Como a aeronave voava em baixa altitude, pelo esforço que Garcez fazia para se localizar visualmente, Epaminondas enxergou um estranho rio com cachoeiras, uma imagem que ele jamais tinha observado naquela rota.

"Aeromoça, o piloto está indo pelo caminho errado. Estamos perdidos! Avise o comandante. Eu conheço bem a região para onde estamos indo, e perto de Belém não existe um rio como esse!"

"Passageiro, o comandante sabe bem o que faz", respondeu de pronto a comissária.

Mesmo assim, discretamente, ela decidiu ir até a cabine para transmitir o comentário do passageiro ao comandante, que respondeu:

"Vamos liberar mais bebidas para relaxar os passageiros."

Estes, aliás, já conversavam entre si sobre o fato de não verem as luzes de Belém.

***

O começo das investigações

"Me deixem em paz. Não quero mais falar sobre aquele voo."

Essa foi a primeira posição de Garcez, repetida com certo mau humor. Sua entonação denunciava que seria apenas questão de tempo até que ele aceitasse conceder uma entrevista.

Uma semana depois, ele já exibia outro tom na conversa pelo telefone:

"Olha, se eu tiver certeza absoluta de que minha posição vai ser fielmente retratada, eu topo. Mas meu advogado precisa assistir à edição da entrevista antes de ela ir ao ar."

"Não fazemos isso, comandante."

Semanas de conversas com Garcez e, enfim, decidimos permitir que o advogado assistisse à edição. A nossa estratégia: Garcez só veria o bloco editado da entrevista que concedeu, mas não teria de aprovar o restante que eu, eventualmente, apurasse. Eu sabia que a história não se resumia ao que Garcez nos contaria, e ele não teria nenhum controle sobre as outras partes da reportagem. Isso era a garantia de uma investigação imparcial.

"Tenho um pedido, comandante." Eu tinha percebido que, mesmo depois daqueles anos, ele ainda apreciava muito ser chamado de comandante.

"Pode falar, Cabrini."

"Comandante, gostaria que o senhor me cedesse os diálogos da caixa-preta – digo, o CVR [*cockpit voice recorder*, áudio dos últimos trinta minutos do voo] do 254. Sei que o senhor possui uma cópia."

"Isso está fora de cogitação. É confidencial!"

Não era o momento de insistir. *Primeiro garantiria a entrevista*, pensei.

"Está bem, comandante."

Nova York, três semanas depois...

Garcez desembarcava no aeroporto de La Guardia. Ao seu lado, a namorada, uma brasileira de Santa Catarina, e o advogado que ele havia mencionado e que chegara do Rio especialmente para acompanhar a entrevista. Reunidos, seguiram direto para o luxuoso Hotel Hilton, no coração de Manhattan, que eu tinha reservado atendendo a seu pedido. Além do local designado para sua estada na Big Apple, essa seria a base para a entrevista, que prometia ser tensa.

Às 2 horas da tarde do dia seguinte, lá estava eu no saguão do Hilton, acompanhado da artilharia pesada da produção de imagens do escritório: Paulo Zero, cinegrafista sempre elegante e perfeccionista em suas imagens, e Helio Alvarez, que, se não fosse cinegrafista, poderia ser dublê do Clark Kent – ostentava óculos de grau *fashion* de leitor contumaz de, pelo menos, um livro de crônicas ou poesias por semana.

"Comandante Garcez, aqui é Roberto Cabrini. Estou com minha equipe na recepção."

"Olá, Cabrini!", respondeu em tom simpático. "Pode subir. Estou na suíte do último andar."

Quando a porta da suíte se abriu, apareceu diante de mim alguém que definitivamente aparentava ter menos de 40 anos. Atrás dele, identifiquei outro homem, de terno italiano impecável e pele bem morena, consequência do sol carioca. Percebi se tratar do advogado do comandante. Notei também que a namorada de Garcez não estava presente. O local era praticamente um apartamento, com três ambientes, incluindo uma espaçosa sala com requintada decoração: móveis escuros e quadros de paisagens da ilha de Manhattan feitos por pintores americanos desconhecidos, porém talentosos. O olhar e a voz do comandante revelavam certo nervosismo. Tratava-se de alguém polido, ansioso, preocupado. Tudo ao mesmo tempo.

Ele abriu um sorriso de boas-vindas e anunciou:

"Tenho uma excelente notícia para você."

"Que bom. Qual é?"

"Como prova de minha boa-fé, além da entrevista, vou atender ao seu pedido."

"A gravação do voo?", interrompi.

"Isso mesmo! Como prova de transparência, palavra que você usou naquela conversa, vou lhe ceder o material."

"Na íntegra?"

Garcez, agora, procurava demonstrar firmeza:

"Claro, na íntegra. Não tenho nada a esconder."

"Isso mesmo!", falou o advogado, que estava sentado no sofá ao fundo do cômodo. Ele se levantou para dar um tapinha nas costas do comandante, como se parabenizasse a posição segura de seu cliente.

"Eu lhe agradeço, comandante. Sem dúvida, é uma demonstração de transparência", disse, sorrindo levemente.

Houve um breve silêncio na suíte, e então fui direto ao ponto:

"O senhor está pronto para a entrevista? Podemos montar o 'circo'?"

"Claro. Prepare tudo. Vou descer para tomar um café com meu advogado, e voltamos em uma hora. Pode ser?"

Acenei com a cabeça, assentindo. Quando eles voltaram, tudo já estava arrumado.

"Comandante, podemos começar?", perguntei.

Ele respirou fundo e soltou longamente o ar, como se estivesse assoprando um balão colorido de criança.

"Pode, sim. Vamos lá."

Assim começava a primeira entrevista exclusiva do comandante do voo 254 desde o acidente. Antes, ele concedera apenas uma confusa, truncada e breve coletiva logo após ter sido resgatado do acidente. Eu me concentrei e procurei encontrar seus olhos, a fim de fitá-los diretamente, tentando detectar alguma alteração em seu estado emocional.

"Comandante César Garcez", falei enquanto ele apertava firmemente o encosto do braço de sua poltrona de veludo. "O senhor tinha quinze anos de experiência e mais de 8 mil horas de voo, correto?"

"Correto."

"Então, como um piloto com esse currículo marca no computador de bordo 270 graus, e não 27, que seria o certo para levar os passageiros com segurança? Como o senhor cometeu um erro tão elementar?"

A expressão de Garcez mudou completamente. Era como se, em segundos, tivesse envelhecido vinte anos: expressão cerrada, músculos faciais contraídos.

"Porque esse rumo fazia parte do meu plano de voo. Introduziram o plano na companhia na época, mas não o explicaram, induzindo os pilotos ao erro."

Chegara o momento do confronto:

"Comandante, as pessoas que têm experiência em navegação – e eu presumo que o senhor tenha – sabem se localizar por meio do mais elementar e antigo método de orientação: a posição do sol. O senhor concorda?"

"Sim."

"Então, me responda: se você está viajando do sul para o norte, qual a posição do sol nesse caso?"

Garcez gaguejou levemente...

"Do sul para o norte?"

"Sim."

Ele pensou um pouco e respondeu.

"O sol estaria à minha esquerda."

"Isso mesmo! E onde estava o Sol naquele dia?"

O comandante recebeu o golpe. Nos segundos que se seguiram, demonstrou não conseguir responder como alguém com tanta bagagem não foi capaz de consultar sequer a posição do sol, tão visível de sua cabine.

Garcez procurou se recompor:

"O que acontece é o seguinte, Cabrini. Eu não voava geograficamente porque, naquela era da aviação, voávamos por números."

"Mas o senhor chegou até a ser avisado por um passageiro que a paisagem não condizia com o caminho para Belém. Até ele notou que o sol não estava do lado que deveria estar."

Garcez respirou fundo mais uma vez:

"Veja bem, Cabrini! Com a experiência que eu tinha, não podia aceitar que um passageiro me dissesse algo. Como eu ia saber se ele tinha bebido ou não?"

"Uma passageira chegou a dizer que o senhor estava bebendo durante o voo e ouvindo o jogo do Brasil, e que, por essa razão, se distraiu."

"Claro que não! Talvez só tenha bebido água e informei, sim, em alguns momentos, o placar do jogo a pedido dos passageiros, como cortesia."

"Houve também comentários de que o senhor teria consumido cocaína durante o voo."

"Negativo. Fui submetido a exames médicos depois do acidente e nada foi constatado."

"Sinceramente, comandante..."

Ele segurou o queixo e me olhou diretamente.

"Qual foi a sua responsabilidade nessa tragédia?", confrontei-o.

"Eu passei a vida toda na aviação para não precisar fazer aquilo nunca."

Lágrimas rolavam no rosto do comandante, que até então se esforçara para manter o controle. Agora parecia genuinamente emocionado.

"Foi difícil informar a todos que realmente faríamos um pouso na selva. Pedi-lhes que mantivessem a calma. Não seria fácil", completou, com os olhos vermelhos. "Mas a responsabilidade é do comandante do voo, e eu não fujo disso."

Essa era a forma que o novo Garcez encontrara para aplacar as cobranças. Embora ele assumisse a responsabilidade, ao mesmo tempo, recusava-se a assumir a culpa. À sua maneira, deixava claro que a causadora do acidente foi a Varig: a companhia aérea teria induzido os pilotos a cometer erros ao distribuir um plano de voo sem antes alertá-los sobre possíveis enganos.

Ao final da gravação, Garcez tirou do bolso uma fita cassete:

"A gravação que eu prometi. Está tudo aí."

Ao deixar a suíte daquele hotel em Manhattan, decidi caminhar pelas ruas e avenidas em meio ao barulho próprio de uma megalópole. Táxis amarelos cortavam as ruas, dirigidos por indianos de turbantes, porto-riquenhos, negros e, em número bem reduzido, brancos americanos. Nas lojas, judeus tentavam atrair fregueses para comprar câmeras e computadores, turistas brasileiros passavam falando alto em português. Eu costumava fazer isso para refletir... Tinha uma exclusiva do comandante – e isso era bem interessante –, além da gravação dos últimos trinta minutos do que, teoricamente, havia acontecido na cabine do voo 254 (o equipamento só preservara a última meia hora de tudo o que se falou a bordo, incluindo contatos com outras aeronaves).

Muitos vibrariam intensamente com um material desses, mas eu não me iludia. E, embora soubesse que ainda faltava muito para conseguir a verdadeira história do voo, eu estava decidido a persegui-la.

A fita fornecida pelo comandante César Garcez revelava toda a tensão dos últimos minutos do voo 254. Com o áudio, havia também uma transcrição de todas as falas e conversas. Cada trecho considerado importante era destacado com marca-texto fosforescente. Aquela fita tinha sido ouvida à exaustão.

As gravações deixavam claro que, mesmo depois de ter descoberto que tinha usado um plano de voo errado, Garcez não conseguiu se localizar: ele insistia, na maior parte do tempo, que estava próximo a Belém. Nos momentos finais do percurso, acreditou que estaria na região de Carajás, sudeste do Pará, a 720 quilômetros da capital.

O comandante chegou a pedir que as luzes do aeroporto de Carajás fossem acesas; porém, ele se encontrava a mais de 500 quilômetros do local.

O piloto de outro avião da Varig, estacionado no aeroporto de Santarém, no oeste do Pará, fez contato com Garcez, tentando ajudá-lo, e perguntou:

"Garcez, por que você não consegue chegar a Belém?"

"É que eu não tinha a indicação de Belém; a bússola estava com outra proa. Então, ficamos andando entre Belém e Marabá, mas não conseguimos chegar a lugar nenhum. Agora, estamos a caminho de Marabá, embora não tenhamos combustível para ir para lugar algum, entendeu?"

Em outros diálogos, falava sempre sobre problema de *compass*. Na terminologia da aviação, isso significava que haveria uma falha no sistema de bússolas da aeronave. Era a história que ele mantinha, embora jamais tivesse sido detectado qualquer defeito desse tipo no Boeing 737 que pilotava. Ao longo dos anos, ele se acostumara a receber elogios por sua capacidade de executar, à perfeição, as manobras mais difíceis da aviação; por isso, naquele momento, não era fácil admitir um erro tão primário. Havia ainda, talvez inconscientemente, a questão da advertência que recebera pelo incidente no Suriname. O que pensariam dele?

O diálogo com o piloto de Santarém prosseguiu:

"O motor 1 acabou de parar. Vamos ter de descer agora. Não vou poder falar mais, porque vamos nos preparar para o pouso, ok?"

A voz de César Garcez soou no Boeing 737-200, onde demonstrou surpreendente firmeza:

"Senhoras e senhores passageiros, é o comandante que vos fala. Tivemos uma pane de desorientação dos nossos sistemas de bússolas. Estamos com o nosso combustível já no final... Ainda dispomos de quinze minutos."

Garcez continuava usando um tom surpreendentemente suave. Como se tentasse confortar cada ocupante de seu avião, ele continuou:

"Esperamos... Deixamos todos com a esperança de que isso não passe de um... susto para todos nós... Pela atenção, muito obrigado, e... que tenhamos todos um... bom final..."

"Bom final." Essa foi a expressão que 48 passageiros ouviram de seu comandante – e da qual nenhum dos sobreviventes jamais se esqueceu.

Preparar para o pouso forçado

O comandante Garcez sabia que era preciso esquecer as oportunidades perdidas de encontrar algum campo de pouso. Tudo o que ele conhecia de controle de grandes aviões precisava ser demonstrado agora. No setor de passageiros, todos ouviram a voz da chefe das comissárias, Solange Nunes, que passou serenidade:

"Prestem bastante atenção a estas instruções: coloquem as poltronas na posição vertical e protejam a cabeça entre os joelhos."

Quase todas as bagagens de mão tinham sido entregues minutos antes e colocadas no banheiro. Só não conseguiram tirar a valise do mecânico Shikuo Fukuoka, que transportava os dólares ganhos depois de uma temporada de trabalho no Japão. Ele insistiu e não mudou de ideia.

"Não entrego minha valise de jeito nenhum."

Muitos passageiros invadiram a área da cozinha no fundo da aeronave à procura de tudo o que tivesse álcool. Bebiam o que podiam, na tentativa de aliviar a tensão insuportável da iminência da morte.

Na cabine, Garcez repassou os últimos procedimentos com o copiloto Zille e tratou de esgotar a última gota de combustível – sabia que assim eliminaria o risco de explosão no contato com o que estava embaixo.

Luzes apagadas. O medo em cada centímetro da aeronave, em cada fileira, em cada rosto. Mãos, inclusive de desconhecidos, se apertaram. Casais chegaram a agradecer pelos anos de convivência e combinaram que, caso um dos dois morresse, o outro cuidaria da família. Mentes repassaram suas vidas em frações de segundos. Houve pedidos de um milagre ou de morte rápida, sem dor. Primeiro, ouviram-se gritos, gemidos, murmúrios, choro, lamentos, preces, xingamentos, palavrões, e então houve um silêncio total e perturbador. O pouso se aproximava... Pouso? Um mergulho na selva sobre árvores remotas e imensas, com a esperança de não encontrar rochas nem morros pelo caminho; caso contrário, isso provocaria a fulminante desintegração da aeronave.

A primeira turbina parou de funcionar, e o avião foi perdendo altura. A velocidade foi reduzida para 200 quilômetros por hora. Com habilidade, Garcez levantou o bico do Boeing 737. Usou os *flaps* e, com os freios aerodinâmicos, conseguiu que a cauda fizesse o primeiro contato com a copa das árvores – e só depois o resto do corpo da aeronave, suavizando o impacto. Ainda assim, foi imenso.

As asas foram arrancadas, e a parte da cabine onde ficava o copiloto foi atingida. Foram cinco minutos que pareceram uma eternidade, até ouvirem um estrondo ainda maior. Um som seco, forte. Fileiras inteiras de poltronas foram arrancadas; passageiros, arremessados para a frente como bolas de basquete.

O caso mais dramático foi o do amazonense José Antônio Nascimento, que voou pela aeronave, chocando-se violentamente contra a porta da cabine. A morte foi instantânea. A valise que o passageiro Fukuoka se recusou a entregar acabou prensada contra seu peito e provocou sua morte por asfixia. Apenas 7 das 109 poltronas mantiveram-se fixadas.

Após deslizar, quebrando árvores em seu curso, a velocidade foi baixando. A gigantesca máquina de 56 toneladas finalmente se acomodou na selva. Em seu estrondoso processo de estacionamento, abriu uma clareira de 100 metros de extensão e 40 metros de largura.

Era noite de domingo, 3 de setembro de 1989. No Maracanã, o Brasil tinha vencido o Chile por 1a 0 – apesar das encenações do goleiro chileno Rojas, que se aproveitou de um foguete disparado por uma torcedora para fingir que tinha sido atingido. Mas, em plena floresta amazônica, ao norte do estado de Mato Grosso, um grupo de tripulantes e passageiros lutava pela própria vida.

Após o pouso forçado, as luzes de emergência se acenderam. O cenário dentro do avião era desolador. Gemidos, lágrimas e cheiro de sangue por todos os lados. Das 54 pessoas a bordo, apenas 12 apresentavam ferimentos leves.

Epaminondas Chaves logo percebeu que não sofrera um único arranhão e se empenhou em conseguir abrir uma das saídas de emergência. Quem conseguiu se mexer caminhou até ela. Um após outro, mais de uma dezena de sobreviventes se atiraram de uma altura de 2 metros. A queda era amortecida pelas folhagens. Só depois disso alguns deles se lembraram dos avisos para se afastar da aeronave devido a uma possível explosão e gritaram para que os sobreviventes corressem ou andassem rumo à mata, tropeçando em raízes e se cortando em espinhos e pedaços de pau.

Na cabine, César Garcez também percebeu que, além de leves arranhões, pouco sofrera. Ao seu lado, o copiloto Zille estava ferido e desacordado. O comandante conseguiu sair, e minutos depois procurou ajudar os que estavam presos: primeiro, com suas próprias mãos; depois, com uma machadinha que conseguiu retirar de dentro do avião. Era complicado respirar lá dentro, e, como um louco, o comandante quebrava janelas. Os que conseguiam agradeceram; outros apenas tiveram forças para gritar de dor e pedir ajuda.

Entre o impacto e as primeiras horas, havia dez mortos e dois sobreviventes em estado desesperador: o bebê Bruno Melazo e Cleonilde Nunes de Melo. Na segunda-feira pela manhã, os corpos dos mortos já exalavam odor atordoante. As crianças choravam alto, encobrindo os gemidos dos outros feridos. Os poucos comprimidos de analgésicos e anti-inflamatórios encontrados nos destroços foram bem disputados – inclusive a tapas –, assim como o que se encontrava de alimentos.

Mesmo com ferimentos na cabeça, Afonso procurava acalmar os sobreviventes. Ele explicou que conhecia a mata em virtude de sua experiência como agrimensor, mateiro e garimpeiro. No vigor de seus 19 anos, subiu em árvores com destreza e localizou igarapés de água barrenta e, depois, um pequeno riacho de águas cristalinas. Assim, aquelas pessoas não morreriam de sede. Além disso, encontrou marcas da passagem de seres humanos pelo local: tratava-se de uma trilha.

Com a aprovação do comandante, uma expedição foi organizada para tentar buscar ajuda. Os escolhidos foram os seguintes: o garimpeiro Afonso Saraiva, o engenheiro Epaminondas Chaves, o comerciante Antonio Farias de Oliveira e o funcionário da Petrobras Marcionílio Pinheiro Filho. O próprio Garcez distribuiu uma espécie de *kit* de sobrevivência para eles: uma pequena sacola de alimentos contendo frutas e umas poucas bolachas, um canivete e dois sinalizadores.

Eles seguiram a trilha que tinha sido achada por Afonso e avançaram. Após duas horas de caminhada, a floresta virou pasto, e mais alguns quilômetros adiante chegaram a uma cerca. Cambaleantes e exaustos, caminharam como puderam até serem avistados pelo administrador da fazenda, de nome Quincas. Soluçavam e gritavam de euforia. Quincas os levou até a sede da fazenda Crumaré e, em seguida, partiu a cavalo para a fazenda vizinha, que dispunha de um rádio.

Bombardeados por vários alarmes falsos, os funcionários da Salvaero (serviço de busca e salvamento) inicialmente não acreditaram naquela história: não compravam a ideia de que o avião teria feito um pouso forçado no Xingu, em Mato Grosso, região totalmente afastada da rota do comandante Garcez. Quincas precisou voltar à fazenda Crumaré para buscar um dos sobreviventes, para que ele próprio se identificasse. Coube a Epaminondas Chaves dar seus dados e, só depois disso, convencer a Salvaero e a Aeronáutica de que eles eram de fato os sobreviventes do 254.

Com o empenho do comandante – auxiliado diretamente pela chefe dos comissários, Solange, e pelas outras comissárias –, os sobreviventes foram assistidos na medida do possível ainda no local do acidente. O oftalmologista paraense João Roberto da Silva Matos, naquelas circunstâncias, tornou-se clínico geral. Ele caminhava entre os feridos, levando conforto e tentando imobilizar membros fraturados e desinfetar feridas.

Horas depois do pouso forçado, a fazenda Crumaré foi tomada por aviões e helicópteros da Força Aérea Brasileira. Quando o primeiro avião da FAB avistou enfim os destroços do Boeing 737, quarenta horas depois do acidente, a emoção tomou conta da clareira no coração da floresta. Sobreviventes se esqueciam da dor e da fome e gritavam, pulavam e se abraçavam.

Para a passageira Cleonilde, era tarde demais. Um helicóptero conseguiu içá-la a bordo, mesmo já sendo o começo da noite. Ela chegou a comemorar o salvamento com os bombeiros – mas, a caminho da fazenda, não resistiu ao quadro de hemorragia interna.

Afonso abriu mão de ir para a base aérea mais próxima – a de Cachimbo, no Pará – e seguiu com um grupo de mateiros em plena noite para o local do acidente. Eles salvariam Bruna – uma menina de 3 anos –, que sobreviveu apenas com sequelas na perna.

Feridos eram transportados para o Hospital de Base de Brasília, e os casos mais graves seguiam para São Paulo. Garcez fez questão de ser o último a ser resgatado. O bebê Bruno Melazo morreu dois dias depois em virtude de um severo quadro de traumatismo craniano.

O voo 254 terminava com 12 mortos e uma série de sequelas e incertezas.

A versão do copiloto

Uma semana depois de entrevistar Garcez, fui para o Rio de Janeiro. A direção de jornalismo da Globo decidiu apostar na história e me deu sinal verde para continuar a me aprofundar no assunto. A matéria seria exibida no *Fantástico*.

Primeira parada: ir atrás do copiloto Nilson Zille, agora um organizador de eventos no Rio. Fiz várias ligações para ele, mas a resposta era sempre a mesma:

"Me desculpe, mas não gostaria de falar sobre esse assunto."

Insistência, porém, é muitas vezes quem dita o jogo. Dois dias depois, estava em frente a um prédio de classe média, na Zona Sul do Rio.

Arredio, Nilson respondeu pelo interfone que não queria sequer que eu subisse até seu apartamento.

"Me espere na frente, a uns 50 metros da entrada do edifício."

Após dez minutos de conversa, ele permitiu que eu subisse com ele até seu apartamento para gravar seu lado da história. Então, em vinte minutos, começava a entrevista. Ele mais parecia o advogado de César Garcez e repetia, item por item, toda a versão que já fora apresentada pelo comandante em Nova York. Às vezes, até as frases eram iguais, como se os dois tivessem estudado cuidadosamente o mesmo roteiro, as mesmas falas.

Zille só saiu da zona de conforto quando perguntei:

"Mas todas as decisões do comandante durante o voo tiveram o seu apoio?"

O ex-copiloto arregalou os olhos e fez sinal de negativo com a cabeça.

"Isso você corta, Cabrini. Não acho justo, com a pureza de minha alma, responder a coisas assim."

Zille rapidamente agradeceu, disse que tinha um compromisso e me acompanhou até a saída do seu prédio, desaparecendo depois pelas ruas do Rio de Janeiro.

Ao caminhar naquele dia, não consegui deixar de pensar que seus olhos não concordavam com suas palavras. Era como se um robô tivesse me concedido uma entrevista. *Onde estaria o homem por trás dessa máquina?*, eu me perguntava.

Nos vinte dias que se seguiram, liguei para ele pelo menos uma vez por dia, fazendo sempre a mesma pergunta:

"Zille, tem certeza de que não quer me contar algo mais?"

"Por que essa pergunta? Garanto que falei tudo o que sabia."

Nilson Zille continuava sem me convencer. O tom de sua voz, seu olhar sendo constantemente desviado… eu sentia que algo estava errado. Era o tal do *feeling* que tiramos não se sabe de onde. Tinha a impressão de que o copiloto do voo 254 desejava que eu continuasse perseverando, insistindo.

Decidi que precisava, primeiro, falar com o maior número de personagens daquele voo e ir até onde aconteceu o pouso forçado do avião – só então, quem sabe, insistiria em um novo depoimento de Nilson Zille.

"Vou dar a ele um tempo, para que fique pensando se tinha algo mais a dizer", falei em voz alta, diante do espelho de um quarto de hotel, enquanto me arrumava para me encontrar com a equipe de jornalismo do *Fantástico*.

Novos passos da investigação

Ao chegar à redação do *Fantástico*, no Rio, relatei a situação para o diretor do programa, Luiz Nascimento – o Luizinho. Ele ouviu tudo, passou a mão em seus longos cabelos negros, e disse:

"Concordo com tudo. Você tem todo o nosso apoio para seguir em frente. Vamos lá, Cabrini."

A produtora do programa, Karina Dorigo – uma formiguinha das redações, dona de um sorriso doce – foi escalada para me ajudar. Passamos vinte dias localizando os sobreviventes do 254, tanto passageiros quanto tripulantes. A cada pessoa localizada, o quebra-cabeça era montado. Era um jogo de paciência, pois havia sobreviventes em Marabá, Belém, Imperatriz, Goiânia, São Paulo, Rio de Janeiro, e por aí vai. Um garimpo lento e minucioso.

No período de duas semanas, coletei vários depoimentos de sobreviventes em diferentes cidades. Suas vozes e expressões não saíam de minha mente.

"Nós nos curvamos, e as luzes se apagaram. Todos já estavam em seus lugares quando foi rezado um Pai-Nosso em voz alta", lembrou-se, emocionada, Marinês Coimbra, oito anos depois de passar pelo maior trauma de sua vida. Sobrevivente, ela é mãe da menina Bruna.

"Um silêncio mortal tomou conta da aeronave", disse Régia Azevedo, outra sobrevivente.

Em Belém, eu estava diante de Giuseppe Melazo, no sofá de sua casa, vendo fotos de sua família. Ele tinha perdido a mulher e dois filhos no acidente.

"Perdi minha esposa Cátia e meus filhos Giuseppe e Bruno."

Lágrimas escorreram em sua face, então esperei que ele se recompusesse.

"O senhor acha que vai conseguir superar tudo isso?"

"Quem sabe? Parece que até hoje estou no aeroporto esperando o 254 chegar."

O que a Varig teria a dizer?

No Rio de Janeiro, oito anos depois do pouso na floresta, era tempo de mergulhar sobre todo e qualquer documento relacionado ao acidente. Telefonemas, encontros com fontes da Varig, promotores que atuaram no caso e tripulantes do voo – foi buscando esses contatos que cheguei a uma cópia de uma circular distribuída pela Varig aos pilotos pouco mais de dois meses antes do acidente. Estava claro: o documento não chamava mesmo a atenção dos pilotos para o quarto algarismo. Somente dois dias após o pouso forçado na Amazônia a Varig passou a alertar sobre a possibilidade de confusões na interpretação do plano de navegação recentemente adotado pela empresa.

De posse dessa informação, procurei a Varig, onde fui atendido pelo Departamento de Comunicação. Revelei que estava levantando todas as informações sobre o 254. Ao perceber que a veiculação da reportagem seria inevitável, a direção da companhia decidiu escalar seu gerente de instrução para me atender. Para demonstrar que haveria total transparência, concordaram que a entrevista fosse realizada em um simulador da cabine do mesmo modelo pilotado por Garcez.

No dia combinado, fui à sede de treinamentos e reciclagem da Varig, no Rio de Janeiro. César Prates me recebeu.

"Bom dia, Cabrini."

A voz era simpática e vinha de um homem de aproximadamente 40 anos, estatura mediana, bigodes fartos e negros. Ele disse ter muito orgulho de ser o gerente de instrução da Varig. Ele estava agora com o "rojão" na mão e tinha a missão de defender a empresa no episódio do 254.

O corredor longo me levou a uma sala onde tudo envolvia alta tecnologia. Ele então apontou para o simulador. A perfeição era notável; era como estar dentro de uma aeronave de verdade. Prates se sentou na posição do piloto e acenou, indicando que estava pronto para minhas perguntas.

Decidi começar mostrando a ele uma cópia da circular que localizei, que alertava os pilotos para possíveis enganos com o quarto algarismo. O mais importante era que apenas distribuíram o documento aos pilotos depois que a porta do galinheiro já tinha sido arrombada pela raposa.

"O senhor concorda que a ausência dessa informação, que só foi passada dois dias depois do acidente, pode ter confundido o piloto do 254?"

Ele olhou para mim, revelando certo nervosismo. Ele tinha um estilo bonachão, característico de um tio contador de histórias, e por instantes cheguei a me sentir mal por estar apertando-o daquela maneira. Mas isso logo passou. A pergunta não podia deixar de ser feita.

"Bem... Isso é sujeito a interpretações pessoais. A partir do momento em que você tem um treinamento, onde todos entendem a mesma linguagem e fazem aquele procedimento, eu entraria no lado subjetivo se eu dissesse que o piloto, ou qualquer piloto, poderia se enganar."

Prates não era político, mas demonstrava ter talento para isso. Ele se equilibrava, usava frases longas que nem sempre diziam muito. Mas ele não desconfiava que eu tivesse ainda outras informações. Eu descobrira que não era a primeira vez que confusões desse tipo haviam acontecido com pilotos da Varig.

"Constatei que, naquela época, oito pilotos cometeram erros semelhantes. Essa não é a prova de que a Varig já deveria ter tomado providências?"

"De fato..." César Prates contorceu o bigode. "Oito pilotos cometeram o mesmo erro, mas só um resultou em acidente."

Então, ele olhou para mim, como se procurasse aceitação para aqueles argumentos.

De volta à floresta

Aeroporto de Marabá.
Oito anos depois do acidente.

Ali estava ele: magro, pele morena curtida, fala baixa, quase murmurante, agora com 27 anos. O garimpeiro maranhense Afonso Saraiva era tímido e humilde, mas não havia dúvidas de que, sem ele, a tragédia do 254 teria sido bem maior. Após a queda do avião, seu otimismo e seus conhecimentos de selva foram vitais para o resgate dos sobreviventes do 254.

Embarcávamos em um pequeno bimotor de fabricação canadense: eu, o cinegrafista paraense Antônio Gouveia Júnior – um moreno alto e forte, acostumado a entradas na selva – e Afonso, o sobrevivente, emocionado diante da perspectiva de reviver os detalhes da experiência vivida anos antes.

Hélices em funcionamento, Afonso se benzeu. A decolagem foi perfeita. Nosso destino era o norte do estado de Mato Grosso. Ali embaixo, a imensidão da floresta amazônica intercalada por clareiras – marcas do desmatamento impiedoso que desafiava a soberania da mata.

Após quarenta minutos de voo, estávamos, por fim, sobrevoando a região onde o comandante Garcez pousou sua aeronave havia oito anos. Vimos muita mata e algumas poucas fazendas; mas, do alto, nem sinal do avião. Avistamos, sim, a sede de mais uma propriedade rural. Podia-se ver o gado pastando a pouca distância da mata fechada. As coordenadas não deixavam dúvidas: sobrevoávamos a fazenda Crumaré, onde Afonso e outros três sobreviventes conseguiram chegar no começo da tarde do dia 5 de setembro de 1989, mais de 30 horas depois do pouso forçado.

O piloto de nosso bimotor fez um voo rasante, e uma pista rústica surgiu à nossa frente. Uma manobra cuidadosa, e o pequeno avião pousou na pista da Crumaré. Quando a porta do aviãozinho se abriu, um homem de chapéu de palha, rosto muito vermelho, bigode e barbas longas enfiou a cabeça dentro da aeronave com um sorriso. O sotaque e o português truncado revelaram sua simplicidade.

"Que 'bão' que 'ocês' chegaram."

Era o mesmo Quincas, o trabalhador da Crumaré que vira quatro homens trôpegos andando com dificuldade, ladeando as cercas da propriedade de gado oito anos antes. Afonso abraçou Quincas carinhosamente. Dois homens do mato que se entendiam no olhar. Esperei alguns segundos até a emoção deles baixar e perguntei a Quincas:

"O senhor se lembra do dia em que esse rapaz chegou aqui, em 1989?"

"Eu lembro que eu trouxe ele, achei ele no alto daquele morro. 'Nois' trouxe ele aqui então."

"Pois bem!", emendei sorrindo. "Agora nós vamos fazer a viagem de volta, a viagem inversa em busca do avião."

O dono da Crumaré nos emprestou um trator relativamente novo, que puxava uma carroceria caindo aos pedaços. Isso era suficiente. À procura da aeronave, nós entramos na selva.

Os primeiros 5 quilômetros foram percorridos no pasto, até chegarmos à mata fechada. Era impossível seguir de trator. Não havia outro jeito; tínhamos de nos embrenhar pela floresta. Conseguimos dois mateiros, e eles iam na frente com imensos facões cortando a vegetação e abrindo caminho, ao som de grilos e pássaros. Já não existiam mais as trilhas que, na época, ajudaram a expedição liderada por Afonso.

Quando o fim da tarde se aproximou, os mosquitos deram o ar da graça e atacaram sem dó. Repelentes pareciam mera ironia – nem de longe os detinham. Afonso apontava pássaros, escutando sons e encontrando marcas deixadas por animais, que eram rapidamente identificados por ele.

"Cuidado! Isso é um rastro de cobra."

Naquele território, o introvertido da cidade se transformava em um rei, no senhor da mata. Era fácil entender por que ele tinha sido tão decisivo para buscar o resgate para os sobreviventes do 254.

"Estou vendo, estou vendo", ele gritou sem disfarçar a excitação.

Tratava-se do mesmo riacho que fora encontrado por Afonso no dia seguinte ao pouso forçado, cuja água que ele recolhera em garrafas de refrigerante tinha salvado a vida de tripulantes e passageiros.

"Essa foi a primeira água que tomamos."

"Tem certeza de que foi neste mesmo lugar?"

"Tenho, sim."

Mas nem sinal do avião, e o sol já se punha na floresta.

Redes de dormir foram penduradas nas árvores da mata. Naquela noite, elas seriam a nossa cama. A escuridão rapidamente tomou conta de tudo. O tempo nublado impedia até que mirássemos as estrelas no céu. Acendemos uma fogueira, conversamos sobre a possível localização dos destroços da aeronave e dormimos ao som das corujas.

O despertar aconteceu assim que o sol nasceu. O café da manhã foi rápido: com a ajuda de uma fogueira, esquentamos a água para coar o café, e os sanduíches que levamos completaram a refeição. Não havia tempo a perder. Facões voltaram a abrir caminho.

Afonso continuava reconhecendo pequenas pistas; ele sentia que estávamos na rota certa. Uma rocha, um igarapé em meio a árvores altas. Foram dois dias caminhando na selva, e então o grito conhecido:

"*Tá* ali, *tá* ali…"

O cansaço era grande, mas corri para ver: não tinha como ficar parado. A imagem forte atiçava a imaginação de imediato. Escondida entre muitos cipós, lá estava a fuselagem do velho avião. Era um retrato vivo, incrustado na remota floresta – preservado, à sua maneira, entre a vegetação, pássaros, mamíferos roedores e insetos.

Oito anos depois, o Boeing 737 do comandante Garcez repousava na floresta. Na verdade, o que tinha sobrado dele. A fuselagem do charuto, parte principal da aeronave, estava muito riscada e corroída pelo sol e pela chuva.

Mesmo assim, nela ainda se lia o nome Varig pintado. Eu me aproximei pisando sobre tocos e arbustos, estiquei o pescoço e coloquei a cabeça no lado de dentro. Imediatamente arregalei os olhos, surpreso e curioso. O local onde viajaram os 48 passageiros era agora moradia de cupins e morcegos, que demonstravam estar incomodados com a invasão diurna ao seu refúgio. Pássaros voavam na floresta. Estávamos em uma remota área de São José do Xingu, cidadezinha de Mato Grosso a 800 quilômetros de Belém.

Pendurado no que restou do charuto do avião, Afonso Saraiva viajou no tempo:

"As poltronas se soltaram e ficaram empilhadas na frente. Ou seja, em cima da gente. Pessoas presas às ferragens gritavam. Foi muito triste."

A hora da verdade

Após conversar com os sobreviventes do voo 254, voltei a procurar o copiloto:
"Nilson Zille, aqui é o Roberto Cabrini."
"Puxa, Cabrini, estava achando que era você mesmo. Eu até peço desculpas por não ter atendido você antes."
"Pois é, Zille, serei sincero. Senti que você não me falou tudo o que sabia em nosso primeiro encontro. Nem o que gostaria de me dizer. Penso ser a hora de conhecermos a verdade, Nilson."
"Você parece sentir as coisas mesmo, Cabrini. Quer saber de uma coisa? Venha até meu apartamento."

No fim da tarde do dia seguinte, estava diante do copiloto do voo 254, acompanhado pelo cinegrafista Toninho Marins, especialista em grandes reportagens especiais.

Dessa vez, ele me mandou subir imediatamente. Quando atendeu a porta do pequeno apartamento no Rio, notei que seu semblante estava completamente diferente em relação à primeira vez.

"Acho que você tem razão. Chegou a hora de falar a verdade, Cabrini. Que bom que você não desistiu."
"Vamos lá, então."
"Vamos, sim!", disse com convicção.

Em dez minutos, a câmera estava montada na casa de Nilson Zille. A verdadeira história do 254 enfim seria elucidada.

Na antiga poltrona da sala, o copiloto deu um sinal para que eu começasse a entrevista. Zille piscava muitas vezes. Sua ansiedade era visível.

"O voo estava previsto para durar cinquenta minutos?"
"Estava."

Em uma palavra, já mostrou um tom firme.

"Após esse tempo, vocês pediram permissão para pouso, correto?"

"Correto."

"Baixaram a altitude e então viram Belém?"

"Não vimos Belém."

"Viram o quê?"

"Só a mata."

Pausei por um momento para que Zille respirasse. Então prossegui:

"O que aconteceu a partir daquele instante dentro da cabine?"

"O clima ficou muito intenso, e eu solicitei ao comandante Garcez que ele retornasse. Eu falei assim: 'Comandante, vamos voltar?' Mas ele não concordou."

"Por que você queria voltar?"

"Porque para mim é básico: se o voo é de A para B, mas o piloto não encontrou B, volta para o A. Pelo menos o A está ali. O clima dentro daquela cabine foi o tempo inteiro assim, Cabrini. Eu falava com ele as coisas, e ele me cortava: 'Zille, já não mandei você fazer isso? E aquilo outro?' Ele não me deixou ajudar, ele não teve a humildade, Cabrini, de virar para mim e falar assim: 'Cara, o que você acha? Me dá a sua opinião'. Eu fiquei chateado, sabe? Triste. Quando comecei a guardar as cartas de descida de Belém, ao abrir um procedimento de descida – que se chama arco DME – percebi que a entrada desse arco era 027. Quando eu peguei, olhei para aquilo e gelei. Na mesma hora, mostrei para ele. 'Aqui, comandante, a merda que você fez.' Nessa hora, Cabrini, ele fez um gesto com a mão e fez assim."

Zille repetiu o gesto de Garcez naquele momento do voo: o dedo na boca pedia silêncio, e depois apontava para cima. Garcez estava sinalizando para que eles não fossem gravados pelo *file recorder* da caixa-preta. Então, o copiloto continuou:

"Tipo: fique calado para não ser gravado. Aí, ele pegou a carta de rota e insistiu que estávamos perto de Carajás. Ele estava falando com um piloto da Varig que estava pousado em Santarém. Porém, ele não contou àquele piloto o que tinha acontecido: a origem do acidente... a origem daquilo..."

Seu tom de voz aumentou, a emoção estava à flor da pele. Fitei-o mais uma vez atentamente:

"Durante a gravação, o comandante Garcez sempre falava em falha no sistema de *compass*. Traduzindo, seria uma falha nas bússolas. Havia alguma falha nas bússolas?"

"Nunca teve isso."

"Ou seja, ele mentia? E sabia que estava mentindo?"

"Mentia." O copiloto nem hesitou em confirmar. "Ele sabia que estava mentindo, porque não teve pane nenhuma ali."

"Mas essa é a história que ele pretendia contar?"

"Essa foi a história que ele contou."

Nesse momento, eu respirei fundo antes de perguntar:

"Qual foi a reação do comandante quando você mostrou que ele tinha errado ao marcar um plano de navegação diferente do recomendado?"

"Ele bateu no meu ombro e disse: 'Me desculpe, o erro foi meu, e nós nos vemos do outro lado da vida'." Ele cerrou os punhos e espremeu os olhos. "Depois de uns dois meses do acidente, fui pegar minha carteira de identidade que estava na casa dele. Então, o Garcez virou para mim: 'Você se lembra de ter me pedido para voltar?' Eu falei: 'Se lembro! Até hoje, comandante, eu me pergunto por que você fez isso!' Então, ele respondeu: 'Quer saber mesmo? Não voltei porque os dois estariam na rua'."

"Você está sugerindo que, com receio de ser demitido, ele provocou a morte de 12 pessoas?"

Zille agitou as mãos nervosamente.

"Olha, Cabrini, realmente acredito que esse tenha sido o caso."

"Então, na sua opinião, o comandante Garcez foi o culpado por essa tragédia?"

"Sim, por causa de sua prepotência, arrogância e falta de humildade. Acho que, se tivesse sido humilde, muitas coisas teriam sido evitadas."

O copiloto estava ofegante. Esperei que recuperasse o fôlego, antes de lhe perguntar:

"E você, teve alguma culpa?"

"Sim. A minha culpa foi confiar e depositar nas mãos do meu comandante a minha própria vida."

A entrevista acabava. Nilson Zille parecia outro homem após tirar um peso enorme das costas.

"Há muitos anos precisava ajustar contas com essa história, Cabrini, resgatar a verdade, mas me faltava coragem", desabafou ele, segurando minha mão. "Você conseguiu me fazer transpor essa barreira, esse bloqueio."

"Por que você demorou oito anos para contar a verdade?"

"Veja bem, Cabrini. Hoje eu não tenho mais compromisso com ninguém, o único compromisso que eu tenho é comigo. Penso que, desse modo, conseguirei resgatar a minha identidade como ser humano... Quero dizer, desabafar hoje foi muito bom, contar toda a verdade. Estou me sentindo aliviado, porque botei para fora uma coisa que eu deveria ter feito há oito anos."

Antes de deixar o apartamento, comentei com ele:

"Zille, sei que você tem uma cópia da gravação da caixa-preta, do áudio das conversas dos últimos trinta minutos..."

"Tenho, Cabrini, mas nunca quis ouvir nem dei para ninguém."

"Você pode ceder esse material para mim?"

"O Garcez não lhe deu uma cópia?"

"Sim, mas quero conferir se está na íntegra."

Zille pensou por alguns instantes e, então, voltou-se para mim com voz muito resoluta:

"Está bem, Cabrini. Vou fazer uma cópia para você agora mesmo."

Uma hora depois, Nilson Zille se despediu de mim, mas não deixou de me entregar uma cópia do áudio dos diálogos na cabine do voo 254, parte importante da caixa-preta.

Naquela mesma noite, conferi o teor do material trecho por trecho. Tudo parecia igual ao que o comandante me dera.

"Espera aí!", gritei para mim mesmo, quando percebi algo importante.

Acabara de encontrar uma parte que não estava na versão que Garcez me entregara como prova de sua transparência.

"É, Zille... Todos nós temos um dia... Eu causei tudo isso e... Uma pena que não... Que a gente não tenha descoberto antes..." O comandante reconhecia seu erro.

Alguns segundos depois, a frase que ficara marcada na cabeça dos passageiros do voo 254:

"Atenção, tripulação. Preparar para o pouso forçado."

* * *

Em minhas andanças ao redor do mundo fazendo reportagens, incluindo os lugares mais remotos, aprendi que não existem heróis ou vilões absolutos. O melhor herói tem algo de bandido, e o pior bandido tem alguma coisa de herói. O nome disso é: vida real.

O mesmo comandante que se deixou trair por certa dose de arrogância a bordo daquela aeronave – onde encerrou sua carreira como piloto de aviação comercial ao errar a rota e se recusar a admitir o equívoco – exibiu também notável perícia ao realizar um difícil pouso na floresta e demonstrou bravura ao amparar os sobreviventes como se fossem sua própria família.

8
FRENTE A FRENTE COM "O SENHOR DO TRÁFICO"

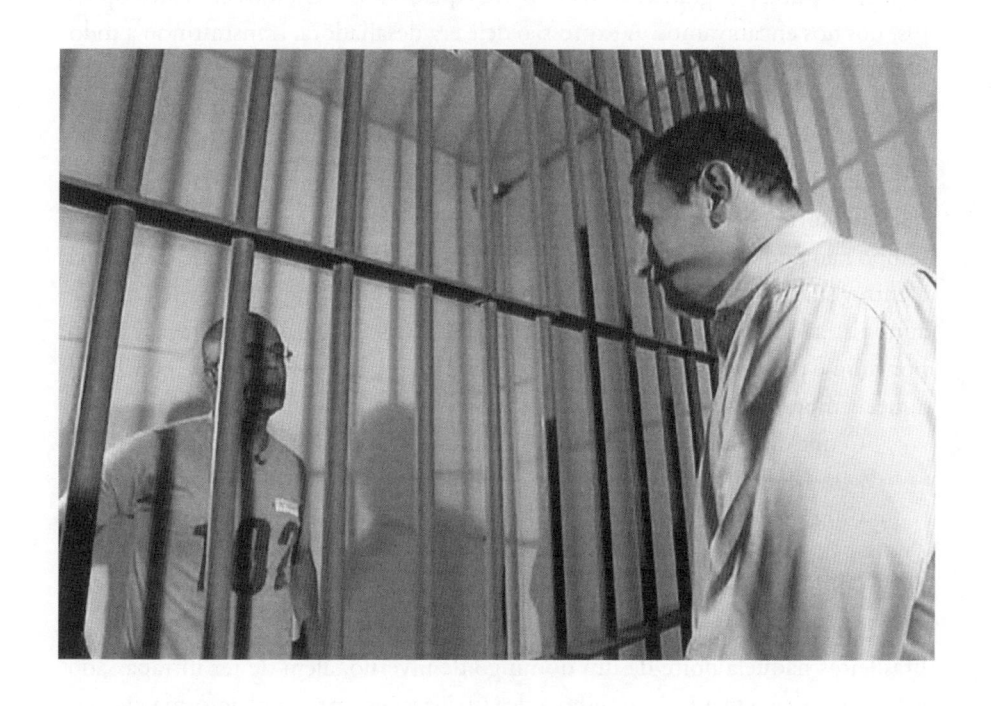

> Neste capítulo, Roberto Cabrini narra o desafio de entrevistar um dos criminosos mais perigosos e engenhosos do Brasil: Fernandinho Beira-Mar. Da preparação para a entrevista até chegar aos seus desdobramentos – passando, é claro, pelos momentos frente a frente com o bandido –, a conversa com o traficante foi um jogo mental difícil como poucos que o jornalista enfrentou. Qualquer instante não previsto, qualquer passo não pensado, qualquer palavra imprecisa colocaria tudo a perder. Um relato eletrizante.

* * *

A sala, dividida por grades, tinha 8 metros quadrados. Sentados em lados opostos, nós nos encarávamos. A expressão dele era desafiadora, transmitindo a todo instante um desejo por controle, por ditar as regras do jogo. Havia também naquele olhar um misto de intimidação e sedução, próprio de quem procura inspirar admiração e medo no outro.

Eu tentava não desviar o olhar, evitando assim demonstrar fragilidade ou qualquer forma de submissão. Sabia que precisava fazê-lo se abrir, mas ao mesmo tempo não podia exagerar na dose das perguntas – ele já afirmara que cancelaria a entrevista caso se sentisse irritado ou traído. Lembrei-me da vaidade daquele administrador de negócios clandestinos. De todo modo, ele demonstrava respeito por mim e por meu trabalho, e isso era suficiente para, pelos menos, continuar aquela empreitada.

"O que dá mais lucro no mundo do crime: tráfico de drogas ou de armas?"

Beira-Mar sorriu maliciosamente e respondeu com indisfarçável ironia:

"Cara, no mundo do crime, acho que é a política que dá mais dinheiro." O silêncio de alguns segundos preencheu a pequena cela antes que ele repetisse: "É a política".

A entrevista com o mais célebre dos narcotraficantes do país hipnotizou brasileiros naquela noite de um domingo de inverno, além de ter ultrapassado em poucos dias a marca de 4 milhões de visualizações em uma plataforma *on-line*.

Tudo começou, na verdade, com uma ideia que não deu certo. No jornalismo, isso é bastante comum. Você idealiza um determinado projeto, mas, ao longo de sua elaboração e desenvolvimento, ele acaba se tornando algo bem diferente do que a princípio havia sido arquitetado – e muitas vezes os novos rumos são ainda melhores. No passado, já havia tentado entrevistar Fernandinho Beira-Mar, o desafiador "senhor do tráfico" do país. Como ele estava (e ainda continua) preso em um presídio de segurança máxima, o caminho para que ele concedesse uma entrevista era contatando um de seus inúmeros advogados. Estes me davam sempre o mesmo padrão de resposta: "Não é possível"; "Não é a hora de ele falar"; "Ele não confia na mídia"; "Ele simplesmente não quer e pronto".

Em dado momento, decidi desistir – momentaneamente. Nosso objetivo, então, passou a ser ouvir outro traficante importante, preso em Rondônia, na Penitenciária Federal de Porto Velho. Por meio de seus advogados, conseguimos o sinal verde para nos encontrarmos com o criminoso.

Tratava-se de Antônio Bonfim Lopes, conhecido como Nem, o audacioso chefe do tráfico na favela da Rocinha e outras controladas pela A.D.A. (Amigos dos Amigos), uma das três maiores facções criminosas do Rio de Janeiro. Nem era conhecido por ter comandado 200 homens, comercializando 200 quilos de cocaína por semana e faturando 100 milhões de reais por ano. Ele ostentava uma vida de luxo em sua fortaleza do crime. Sua cobertura sofisticada na Rocinha era cercada por vidro fumê, com salão de festas, academia de ginástica, piscina com deque e vista espetacular para o mar e para a Pedra da Gávea, destoando completamente das modestas lajes de seus vizinhos de favela. Nem também alcançara projeção ao usar uma invasão de seus comparsas ao luxuoso Hotel Intercontinental de São Conrado, no Rio, para despistar a polícia – empreendendo, assim, sua fuga do cerco dos agentes.

A facção A.D.A. que ele liderava – e que, para muitos, continuava liderando – era ferrenha rival do Comando Vermelho de Fernandinho Beira-Mar, considerado o maior traficante não só do Rio e do país, mas também da América Latina.

Em uma manhã de uma segunda-feira do inverno de 2016, eu me sentia confiante de que Nem nos daria entrevista. Assim, embarquei no aeroporto de Cumbica, em Guarulhos, com a produtora Flávia Prado, o cinegrafista Daniel Vicente e o auxiliar Reinaldo Dantas (o Vavá) para a região da floresta amazônica, a fim de me encontrar com Nem.

O avião decolou. São Paulo-Porto Velho, aqui íamos nós. Um voo longo de quase 5 horas, com direito a escala em Cuiabá, no Mato Grosso. No caminho, ao revisar minhas anotações, lembrei-me de que no mesmo presídio também estava encarcerado Fernandinho Beira-Mar, inimigo de Nem. Recordei as muitas e infrutíferas tentativas de entrevistar Beira-Mar e até pensei com meus botões: "Desta vez, estarei perto dele... Pena que o cara jamais topou fazer uma grande entrevista com ninguém".

Cercada pela floresta e também pelas longas áreas devastadas, avistamos enfim Porto Velho, a capital de Rondônia. O inverno paulista tinha ficado para trás. Ali, no coração da floresta tropical, o clima era o de sempre: quente, úmido e misterioso. Era começo de tarde quando pousamos, certos de que entrevistaríamos o Nem da Rocinha. Projetei que seria apenas uma questão de tempo, um ou dois dias, no máximo, até ele estar diante de mim e de nossas câmeras.

Na manhã seguinte, tivemos tempo apenas para um café da manhã no hotel e já pegávamos a estrada. Era um trajeto de cinquenta minutos que nos levaria até o presídio. A Penitenciária Federal de Porto Velho surgiu no meio da mata, um tanto assustador com suas torres altas e austeras e seus muros cobertos de arame farpado.

Ainda do lado de fora, aproveitando o contraste entre mata e construção de concreto, comecei a gravar após o "ok" do cinegrafista Daniel.

"Em todos os detalhes, em todas as formas. Estamos na Penitenciária Federal de Porto Velho. Um presídio de segurança máxima, onde estão presos cerca de 80 homens. Todos de alta periculosidade, entre eles Fernandinho Beira-Mar: o número um do sistema."

Sim, embora fôssemos entrevistar Nem da Rocinha, não podia deixar de citar que, naquele presídio, também estava o mais conhecido dos traficantes brasileiros.

Gravada a passagem, nós chegamos ao primeiro de muitos pontos de averiguação daquele presídio de onde alguém jamais escapou. Um ritual que se repetiria muitas vezes: revista, raios X, detector de metais.

"Bom dia, sou Roberto Cabrini, jornalista. Estou com a minha equipe, e o diretor está à nossa espera."

Apresentamos nossos documentos. Nosso carro foi revistado.

"Podem passar."

Seguimos até o portão de entrada da penitenciária e estacionamos. Caminhamos até o pesado portão do gigantesco prédio principal. Bati com os punhos na escotilha do portão. Instantes depois, a janelinha se abriu, mostrando o rosto de um jovem que aparentava estar na casa dos seus 20 anos.

O velho portão se abriu e, diante de mim, mais um agente uniformizado – este de barba e bigode, armado com fuzil e modos educados.

"Bom dia, Roberto Cabrini. Sou o agente federal Marco Rottava. Vou acompanhá-lo nessa visita. Vou levá-lo ao diretor."

"Obrigado, agente."

Sabia que primeiro teria de conversar com o preso no chamado parlatório, uma sala especial, monitorada, onde o detento e a visita – inclusive advogados – ficam separados por um vidro grosso, de um centímetro de espessura e à prova de choque. O único modo de conversar era por meio de um interfone. Passamos por seguidas revistas e detectores de metal, e depois fomos encaminhados a um escritório em uma área relativamente distante da ala dos presos. Ali, por alguns instantes, deixei de me sentir dentro de um presídio de segurança máxima.

"Bom dia, Roberto Cabrini."

"Bom dia, diretor."

Cristiano Torquato era um diretor de penitenciária da nova geração, com seus 40 e poucos anos. Desde o início, mostrou-se prestativo e cordial, embora rigoroso em relação à segurança do presídio. Ele tinha uma visão mais humanística do que outros diretores de presídio que eu conheci. Ele acreditava que o sistema penal devia reeducar o preso, não apenas punir o crime e os criminosos. Não demorou muito e permitiu que eu me encontrasse com o chefe dos Amigos dos Amigos no parlatório.

O preso já me esperava do outro lado do vidro. Tinha o rosto de um homem ainda jovem, expressão forte, lábios e sobrancelhas grossas e fala surpreendentemente macia. Naquele momento, Nem era apenas o Antônio – como, aliás, preferia ser chamado.

"Bom dia, Roberto Cabrini."

"Bom dia, Antônio."

A conversa com ele foi positiva; então estava tudo certo para o entrevistarmos no dia seguinte, logo de manhã. Voltamos para o hotel e, assim que amanheceu, tomamos café e enfrentamos a curta viagem até o presídio. Estava concentrado na missão de falar com o chefe do tráfico da Rocinha, o rival do poderoso Fernandinho Beira-Mar.

Acontece que o destino muitas vezes nos reserva surpresas que nos fazem mudar completamente de caminho.

"O Nem quer falar de novo com você no parlatório", informou o diretor do presídio.

"Mas não está tudo certo para irmos direto para a entrevista?"

"Ele insiste em primeiro falar no parlatório."

Percebi que havia algo de errado. Eu sabia que entrevistas de presos não aconteciam no parlatório, mas em uma sala dividida por grades.

Passei por toda a longa checagem de metais e me levaram até Nem, que me recebeu com uma feição fechada. Só deu tempo de segurar o interfone no ouvido para ele disparar:

"Desculpe, Roberto Cabrini. Pensei bem e decidi não fazer mais a entrevista. Decisão minha."

De nada adiantou argumentar com veemência que tínhamos vindo de muito longe, que estava tudo combinado etc. Ele estava inflexível.

"Desculpe. Pelo menos por ora, não vou falar."

Eu me despedi do preso e voltei frustrado e irritado para a sala do diretor. Lá fiquei sabendo que outro preso havia tomado conhecimento de minha presença no presídio e praticamente exigira falar comigo.

"Quem é esse preso?", perguntei.

"Luiz Fernando da Costa."

Enchi os pulmões de ar enquanto processava a nova informação.

Era aquilo mesmo, Fernandinho Beira-Mar soubera que eu falaria com o chefe da facção rival, e tinha reclamado que queria o mesmo direito. Logo ele, cujos advogados tantas vezes recusaram o meu pedido para entrevistar o poderoso cliente.

Aquilo que eu mais prezo é ter palavra

Beira-Mar ficava em uma ala distante e isolada de onde estava Nem, exatamente por pertencerem a organizações inimigas. Mas isso não impedia que as notícias corressem a penitenciária, ultrapassando as fronteiras entre uma ala e outra. A informação de que eu entrevistaria o rival da Rocinha chegara até ele e provocara uma surpreendente reação.

"Estou à disposição", afirmei em tom sóbrio, procurando não demonstrar o entusiasmo que tomava conta de mim.

O som estridente da tranca dos portões, o barulho característico das prisões. Em poucos minutos, eu estava de volta ao parlatório. Cheguei antes de Beira-Mar. Sentei-me na mesma cadeira de ferro com encosto de tecido azul que usara para falar com Nem. Enquanto esperava por alguns minutos, cheguei a duvidar de que Fernandinho fosse, de fato, aparecer para falar comigo.

As dúvidas desapareceram quando surgiu diante de mim uma figura magra, de cabelos raspados, óculos de grau e uniforme azul-claro: uma bermuda e uma camiseta, onde, na vertical, estava escrito "interno" e o número 102, em letra e numerais brancos.

Do outro lado do vidro, Luiz Fernando da Costa, o "senhor do tráfico", exibia uma imagem diferente da figura agressiva do traficante de barba longa e olhar feroz tantas vezes exibida durante sua prisão ou transferências de cadeias país afora.

Inevitável lembrar que estava diante de um criminoso com fama de poderoso, desafiador e inteligente. Beira-Mar passara pelos maiores presídios, sempre deixando a impressão de que nada era capaz de detê-lo. Condenado por homicídio e tráfico de drogas e armas, acusado de comandar rebeliões, empreender fugas, e, mesmo preso, comandar o tráfico, ele se tornou uma lenda no imaginário brasileiro. Eu sabia também, por meio de conversas anteriores com seus advogados, que Fernandinho se sentia perseguido pela mídia.

Depois de nos cumprimentarmos, comentei:

"Fui informado de que você está disposto a me contar um pouco de sua história."

"Depende de como seria essa entrevista. Conheço seu trabalho e o respeito, mas já fui tantas vezes sacaneado pela mídia que hoje sou uma pessoa desconfiada. Precisaria ver como seriam as perguntas e vou logo avisando que não posso falar sobre tudo."

Impressionei-me com a velocidade e espontaneidade com que ele se expressava. Seu olhar era atento. Sua voz não era muito grave nem muito alta, mas quando abria a boca parecia uma metralhadora de palavras.

"Tenho certeza de que podemos fazer uma ótima entrevista e, ao mesmo tempo, agir com ética com você", respondi com firmeza e num tom amistoso. Sabia que era importante mostrar simpatia e, principalmente, convicção.

Combinamos os detalhes para, no dia seguinte, gravarmos a nossa conversa. Mas a experiência anterior com Nem ainda rondava a minha cabeça... E se Beira-Mar desistisse como fizera o seu rival?

Foi exatamente essa resposta que recebi na manhã seguinte da boca do diretor:

"Cabrini, o preso desistiu."

"Mas como?"

"Ele apenas mandou este recado: pediu desculpas, mas disse que desistiu da entrevista."

"Posso, ao menos, falar com ele no parlatório de novo?"

"Vou ver se ele aceita."

"Obrigado, diretor."

Quinze minutos depois, lá estava eu de volta ao já conhecido parlatório. Mais uma vez, cheguei antes e mentalmente tracei uma estratégia para reverter a situação. Sabia que Beira-Mar tinha orgulho de sua palavra. Outros bandidos sempre diziam isso. Essa seria minha tática.

A porta se abriu e guardas traziam o detento.

"Desculpe, Cabrini. Pensei melhor. Acho que não é o momento certo para dar entrevista", disse calmamente em seu forte sotaque carioca.

"Luiz Fernando, eu também preciso me desculpar com você. Peço desculpas por estar errado a seu respeito..."

"Errado por quê?"

"Pensei que você fosse um homem de uma só palavra. Eu estava enganado."

O efeito foi imediato, seus traços e olhar mantendo uma frieza impressionante. Ele balançou a cabeça até sorrir timidamente.

"Você não é fácil, né, Cabrini? *Tá* usando aquilo que eu mais prezo, que é ter palavra."

Suspirei aliviado com a virada de mesa, porém tentava ser o mais discreto possível. Era um intricado jogo mental.

Beira-Mar me encarou atentamente, sequer piscando os olhos. Percebi que aquele era o seu jeito de extrair a verdade. Após algum tempo, falou em tom um pouco mais grave do que o habitual:

"Mas como seria de verdade essa entrevista?"

"Vou sempre tratar você com respeito, e você não será obrigado a responder o que não quiser."

Ele pensou um pouco, mexeu os dedos nervosamente e então levantou as sobrancelhas, dizendo mais agitado:

"Olha, a cada resposta você terá que voltar a gravação para que eu possa conferir como ficou. E vou logo avisando: se eu não gostar, paro tudo, e você vai ter que se comprometer a apagar tudo se eu decidir por isso."

Pensei rapidamente. Não era o momento de contestá-lo. Minha experiência me dizia que na hora da gravação tudo poderia mudar. O melhor seria aproveitar a oportunidade de gravar. Eu sabia muito bem que seria impraticável parar a entrevista a cada pergunta e resposta para mostrar para ele o resultado. Uma situação absurda. Achei até graça quando escutei a condição do criminoso, mas não demonstrei. Definitivamente, aquela não era a hora de contrariá-lo.

"Ok, Luiz Fernando. Combinado. Então se prepare, pois em 3 horas começamos."

Ele se levantou, deu dois passos em direção à porta onde o agente federal o esperava para levá-lo de volta à cela e, então, voltou-se para mim. Mexeu a boca lentamente, para que eu entendesse o que ele dizia olhando apenas para os movimentos labiais, já que ele não estava mais com o interfone.

"Lembre-se do que combinamos...", entendi e apenas sorri, fazendo sinal de ok.

Beira-Mar foi levado de volta à sua cela enquanto eu explicava ao diretor que finalmente estava tudo certo para a realização da entrevista.

Segurança máxima

Eu caminhava do lado de dentro da penitenciária observando cada detalhe. Naquela prisão federal – uma das quatro do país – trabalhavam 300 funcionários, dentre agentes penitenciários, psicólogos, médicos, dentistas e farmacêuticos, entre outros.

Na palavra do diretor e de seus comandados, era visível o que sentiam em relação a outros presídios. Eles se orgulhavam de contar com alta tecnologia e agentes federais exaustivamente treinados, avaliados e investigados para combater possíveis subornos ou facilitações.

Acompanhado pelos agentes, passei por uma sucessão de longos corredores, quatro alas e seguidos pontos de inspeção. Pareciam inexistir pessoas isentas de checagem.

Ouvi uma voz feminina. Uma jovem agente controlava um dos detectores de metal.

"Não importa quem seja..." Outro jovem agente, aparentando uns 30 anos, me explicava. "Uma chave que esteja na mão... Um relógio... O lixo... A comida... Tudo tem que ser investigado, checado..."

"Mesmo que você conheça a pessoa?"

"Pode ser qualquer pessoa, até o diretor."

"E se a pessoa for seu amigo?"

"Qualquer pessoa", repetiu ele.

"E se for seu irmão?"

"Olha, aí que tem que ser revistado mesmo. O ministro da Justiça, por exemplo, teve detectado em sua roupa um clipe de metal, desses de documentos, e foi obrigado a se desfazer dele. Tem gente que fala que isso é exagero, mas nós respondemos que não é, pois sabemos com quem estamos lidando."

Após passar por outro ponto de raios X e de detector de metais, ouvi a mesma voz feminina de antes. A jovem agente, que agora percebi ter cerca de 30 anos, notou a minha curiosidade pela rotina do presídio, e começou a me explicar de modo educado, mas direto.

"Está vendo aquela câmera?"

"Sim", respondi.

"As imagens captadas em todo presídio são enviadas em tempo real para a sala de monitoramento e também para nossa base em Brasília. Tudo aqui é controlado e vigiado 24 horas por dia."

Caminhei ao lado do agente penitenciário em direção ao setor das celas, onde estavam os "internos", como são chamados os presos na terminologia interna. O agente que me acompanhava inseriu seu cartão magnético no dispositivo de segurança para abrir a pesada porta de ferro. Mais alguns metros e mais um portão se abriu. À medida que avançava, confirmei que realmente havia câmeras por todos os lados: a cada 2 metros, nos pontos estratégicos, apontadas para vários ângulos.

A sala onde eram recebidas as imagens das 250 câmeras tinha 15 metros quadrados. Era chamada de quartel-general de monitoramento, exatamente por estar repleta telas de TV de vários tamanhos, sendo as principais bem maiores. Observei agentes mudando, de tempo em tempo, as imagens recebidas. Por esses monitores, os agentes checavam cada setor do presídio.

Quando algo lhes chamava a atenção, a imagem era cortada para as telas maiores. Eles assistiam não só as imagens ao vivo, mas também podiam verificar a gravação do que fora captado ao longo do dia. Todas as cenas ficavam arquivadas durante pelo menos um mês. Para comprovar, um dos agentes me mostrou a imagem de minha entrada, o procedimento de revista, a passagem pelos detectores e os meus passos pelos corredores da penitenciária. Em seguida, assisti à gravação do preso 102, o mesmo "senhor do tráfico" tomando seu banho de sol horas antes. O agente se apressou em lembrar que, como manda a lei, o interior das celas e as visitas íntimas não eram focalizados.

Também me permitiram ver o paiol de armas onde eram guardados dezenas de fuzis calibre 12, uma potente arma, capaz de dilacerar quem por ela for atingido.

"Isso aqui é usado em último caso", explicou o agente.

Autorizaram a minha entrada em uma cela igual à de Fernandinho Beira-Mar (e de qualquer outro preso cumprindo pena). Quando a porta da cela se abriu, vi um espaço de 6 metros quadrados. Sentei-me no colchão antichamas instalado em cima de uma espécie de gaveta de concreto que fazia as vezes de cama. Contei um banquinho, uma mesa, uma prateleira – tudo feito de cimento. No fundo da cela, parcialmente escondidos por um pequeno muro, havia um vaso sanitário e uma minúscula pia. No teto, um cano de onde saía a água fria para o banho.

A construção do presídio levara dois anos, a um custo de 25 milhões. A inauguração foi em 2009, e seu retrospecto era impecável.

A cada passo daquela visita, eu enchia os agentes de perguntas.

"Número de fugas?"

"Zero."

"Risco de um resgate de presos aqui?"

"Posso garantir. Zero."

Convenci-me de que se tratava de uma fortaleza concebida como intransponível. Ficava claro por que a penitenciária fora designada para receber presos que representassem ameaça à segurança nacional.

O início do jogo mental

Montamos, o mais rápido possível, nossas câmeras na sala cedida para a entrevista. O preso ficaria no espaço menor, e eu, o cinegrafista Daniel e o assistente Vavá ficaríamos do outro lado das grades, em um espaço um pouco maior. No lado de Beira-Mar, instalamos uma pequena câmera, de modo a permitir que a conversa fosse filmada em vários ângulos – inclusive sob a perspectiva dele.

No começo daquela tarde, agentes armados buscaram o preso na cela 102. Escutei o ranger estridente e soturno da abertura de seguidos portões: ele se aproximava. Enquanto Fernandinho não chegava, eu me questionava se ele desistiria da entrevista, se a pararia no meio, e se voltaríamos de mãos abanando para a redação.

Eu tinha consciência de que caminharia em uma fina linha. Lembrei-me uma vez mais das suas promessas de abandonar a entrevista e ordenar que as imagens fossem apagadas. Não poderia ser muito incisivo, como sempre gostava de ser, mas, por outro lado, não podia permitir que ele dominasse a gravação, produzindo um diálogo inútil, sem conteúdo.

Seria preciso calma e psicologia. Luiz Fernando era uma pessoa vaidosa, e eu usaria isso a meu favor, ao mesmo tempo que seria totalmente honesto com ele. Sempre defendi e pratiquei que todos, inclusive criminosos, têm o direito de contar a sua versão da história, sem julgamentos ou preconceitos.

Escutei ao longe trancas sendo destravadas – o abrir e fechar das grades reverberava por toda a prisão. O som foi se aproximando e, então, juntou-se ao barulho de passos. O temido Beira-Mar passou pelo último portão antes da sala onde eu o esperava. Pude avistá-lo. O criminoso estava algemado com as mãos para trás e escoltado por três agentes federais, que vestiam camiseta, calça e botas pretas, discretos distintivos da corporação e óculos escuros, apesar de estarem em ambiente interno.

O primeiro agente o guiava, segurando com firmeza em suas algemas, enquanto os outros logo atrás caminhavam com submetralhadoras em punho. Beira-Mar mantinha a cabeça visivelmente erguida, quase imponente, mas sem desafiar os agentes.

Eu o esperava do outro lado das grades que nos separariam. Ao chegar, Luiz Fernando sorriu amistosamente. Tomei a iniciativa e o cumprimentei:

"Boa tarde, Luiz Fernando. Pronto para nossa entrevista?"

"Vamos nessa."

"Vai abrir o coração?"

"Não sei se vou abrir o coração. Vou falar o que puder ser dito."

As algemas foram retiradas. Ele se sentou em uma cadeira de ferro.

"Você prefere ser chamado de Fernandinho ou de Luiz Fernando?"

"De Luiz Fernando, né?"

"E por quê?"

"Fernandinho Beira-Mar, além de ser uma lenda, tem uma conotação pejorativa. Então, eu prefiro ser chamado pelo que eu sou", e ele sorriu marotamente.

Da Baixada Fluminense para o poder nos morros cariocas

Eram 13h57 de um dia de agosto na penitenciária federal. O preso número 102 saía para seu banho de sol. Tiraram-lhe as algemas, assim como as de outros presos. Permanentemente vigiado, aquele era seu único contato diário com o que se podia chamar de natureza.

Um preso federal permanece vinte e duas horas dentro de uma cela e duas no banho de sol. Assim, o pátio onde os presos costumavam tomar o banho de sol representava um oásis no deserto de privações deles. O piso é revestido para dificultar escavações; o teto, reforçado para impedir possíveis resgates por helicóptero; toda a área é monitorada por dezenas de câmeras.

A história do preso 102 começou na favela Beira-Mar, no município de Duque de Caxias, região metropolitana do Rio de Janeiro. A comunidade com seus becos, labirintos e dilemas deu origem ao nome com o qual ele ficaria famoso no mundo do crime. Ali ele nasceu. Fernandinho não chegou a conhecer o pai. Foi criado pela mãe, a faxineira Zelina, que morreu atropelada. A rua foi sua verdadeira escola.

"Como você vê essa lenda que se criou sobre Fernandinho Beira-Mar?", perguntei ao "senhor do tráfico".

"É complicado, porque as pessoas me idealizam pelo que eu não sou. Lógico que não sou nenhum santo."

"Você é um monstro como a sociedade diz?"

"Eu cometi erros. Sou humano, com todos os defeitos inerentes."

"Do que você se arrepende?"

"Me arrependo de tanta coisa. Se eu tivesse oportunidade, não teria entrado para o crime."

"Como você entrou para o crime?"

"Como a maioria. Você é criado numa comunidade carente, sem muitas opções. Você começa a ver do seu lado pessoas com poder porque estão envolvidas no crime, e isso cria em você a ilusão de que esse é o melhor caminho para conquistar algo."

"Com que idade você entrou para o tráfico?"

"Mais ou menos aos 13 anos."

"Qual foi o primeiro crime?"

"Assalto", afirmou. "Comecei a assaltar lojas e depois bancos. Logo passei a conviver com o tráfico. Na favela, tinha a boca de fumo, e fui naturalmente entrando nesse mundo. Via nisso uma forma de sair da pobreza. Você olha para o traficante do pedaço e percebe que ele tem carro, roupas boas, uma casa de praia... E aí você quer ser igual a ele. A ambição vem, e você não percebe que aquilo tudo é uma ilusão. Primeiro, você quer ter um carro, depois uma casa de praia... Mas aí, da casa de praia, você pula para um *jet ski*, uma lancha, uma ilha. Não tem mais limites."

A liderança de Beira-Mar não demorou a aparecer.

"Conheci quem tinha ponto de drogas, fui liderado por essa gente. Alguns vão morrendo e vai acontecendo uma troca no comando. Os melhores sobrevivem e se estabelecem. Entre 14 e 15 anos, eu me tornei favorito do então chefe do tráfico na favela Beira-Mar. As pessoas viam o respeito que ele tinha por mim, e esse prestígio se transferia para mim."

"O que atraía você nesses chefões?"

"O cara ser verdadeiro, ter palavra. Quem *tá* na vida errada, só tem um patrimônio verdadeiro: a sua palavra. No crime, é imprescindível que você tenha palavra para sobreviver."

Aos 20 anos, o jovem Luiz Fernando foi preso pela primeira vez, condenado a dois anos por assalto. Após cumprir a pena, voltou para a favela, já consolidado como um dos cabeças no tráfico local.

"Foi um projeto virar o chefe do tráfico?"

"Nunca imaginei isso. Nunca imaginei que seria o chefe do tráfico, que estaria hoje na sua frente dando uma entrevista, nunca pensei em fazer do crime uma profissão."

O tráfico e o roubo caminhavam juntos para Luiz Fernando. Um para alicerçar o outro. Sua audácia rendia admiração entre os criminosos locais. Assaltou até depósitos de materiais militares para revender armas potentes aos traficantes. Ganhou força, superou rivais, passou a ser temido. Entre os 23 e 28 anos, abriu seus próprios canais de distribuição de drogas. Passou a dominar morro atrás de morro. Da comunidade Beira-Mar para o Complexo do Alemão, a Rocinha, o Chapéu Mangueira, o Vidigal. O céu era o limite.

Cercado, caçado e perseguido pela polícia, morou em vários países sem perder sua força. Virou também especialista em fugas das prisões. O presídio de Belo Horizonte, onde esteve recluso em 1996, não conseguiu segurá-lo nem por um ano. Cortou cadeados, subornou funcionários, organizou ajuda externa. Sempre deu um jeito. A fama de audacioso só cresceu. O suborno de agentes públicos se tornaria algo rotineiro para o traficante. O passo seguinte foi a construção de uma malha de policiais corruptos que facilitassem sua máquina do tráfico.

Decidi arriscar e ir um pouco adiante.

"Fazendo aqui um exercício de sinceridade, Luiz Fernando... Quantas pessoas você mandou matar?"

"É difícil dizer, cara. É difícil dizer porque a vida que eu levo..." Engasgou e se corrigiu: "A vida que eu levava, a morte faz parte dela."

Percebi que se recusara a me dar um número.

"Matar e mandar matar é mesmo inevitável?"

"Vamos dizer assim: em alguns casos é inevitável. Mas eu nunca fui aquele cara de matar por matar."

"Você não tolera traição?"

"Em hipótese alguma. É a pior coisa em qualquer meio."

"O que é mais difícil controlar: o tráfico de drogas ou o de armas?"

"Cabrini, uma coisa *tá* associada à outra. Como vai haver tráfico se não houver armas? Essa é a lógica. Você tem que proteger sua 'boca', e isso segue para coisas maiores."

Com o princípio de sempre proteger sua "boca" – já consolidada em boa parte dos principais morros cariocas –, ele construiu um império com seu sistema de entrega de drogas por meio de peruas Kombi acima de qualquer suspeita. Dos morros para conexões em todo o país e, depois, fora dele: passou a operar em vários países da América Latina, como Paraguai, Uruguai e Colômbia. Era o líder supremo do temido Comando Vermelho.

"Por que você se tornou tão poderoso?"

Por um breve momento, ele não conseguia esconder seu orgulho e se permitiu sorrir discretamente, mas logo fez expressão compenetrada por trás dos óculos que lhe rendiam uma almejada aparência intelectual.

"Que poder é esse que vocês tanto atribuem a mim? Gostaria que me explicassem que poder é esse."

"O poder de controlar uma organização importante e forte como o Comando Vermelho, de chefiar muitos homens...", respondi.

"Eu nunca fui líder do Comando Vermelho. Isso é uma ilusão."

Decidi mudar de tática e navegar por outras águas.

"Fala-se muita coisa a seu respeito", comentei.

"É? O que falam?"

"Que você é uma pessoa detalhista..."

"Sou."

"Vaidoso?"

"Depende do que você chama de vaidade."

"Audacioso?"

"Depende também..."

"Seus crimes sempre foram audaciosos..."

"Não se trata de ser audacioso. O que eu sempre pensei foi: se você vai fazer alguma coisa, procure ser o melhor naquilo que você faz, em qualquer área da sua vida."

"Você foi o melhor no crime?"

"O que posso dizer é que, na época em que eu fazia coisa errada, tentei ser diferenciado, procurei chegar aonde poucos chegaram. Meu objetivo era ganhar meu dinheiro e parar, mas não consegui."

Lembrei como ele dominou o tráfico no Rio de modo implacável, eliminando amigos e construindo pontes com setores da polícia e da política. Assim, chegara a comercializar 70% das drogas em território brasileiro.

"Qual o poder do tráfico no Brasil?"

Ele apertou os olhos, pensativo. Entrou a lógica do "réu, sim, confesso, jamais".

"É também ilusão. Falam que eu traficava 80% das drogas, que ganhei bilhões, mas eu sou o traficante e digo que eu não vendi isso. Estatística é uma coisa bem relativa."

"E você tem orgulho de ser considerado o bandido mais perigoso do país?"

"Seria muita sem-vergonhice de minha parte dizer que eu tenho esse orgulho."

Pensei que ele manejava bem a arte do politicamente correto.

"Como você convive com esse título de 'o mais perigoso'?"

"Isso é um carma na minha vida. Só me traz problemas."

Beira-Mar transitava entre policiais corruptos que às vezes o protegiam, às vezes o achacavam.

"Você respeita policial honesto?"

"Muito. Bem mais do que o corrupto", respondeu ele. "Eu entendo a cabeça do corrupto. Você está ali na viatura, sabendo que só ganha 2 mil reais para arriscar a pele. Aí, alguém chega e fala: 'Olha, tem 30 mil *pra* dividir com a guarnição'. Se você não aceitar, na hora que você entrar na favela, seu próprio colega vai dar um tiro na sua cabeça."

Beira-Mar atraiu seguidores que até hoje o veneram, incluindo uma parte do universo do *funk* conhecido como "proibidão". Quando se tornou uma lenda no submundo carioca, até mesmo o funk *underground* passou a celebrar seu poder. Na comunidade Beira-Mar, estridentes autofalantes instalados em carros envenenados propagavam versos como: "Beira-Mar falou: Osama sou eu. O Celsinho chorou. O Uê 'se *fudeu*'". Letras como esta idolatram o morador que saiu de lá para dominar o comércio clandestino de drogas e de armas.

Seria o fim do jogo?

De volta à sala de entrevista, Beira-Mar fez um sinal, pedindo que parássemos a conversa. Tentei manter a calma. Havia combinado com meu cinegrafista uma jogada para aquela circunstância. Ele, um homem de cabelos encaracolados, era bastante comunicativo quando precisava.

De qualquer modo, ao menos, a situação estava melhor do que a prevista. Ele não mandara parar a cada resposta como praticamente ordenara antes, e nem tinha se irritado com as perguntas. Será que logo agora tudo se perderia?

Beira-Mar falou em tom mais alto do que estava usando na entrevista.

"Posso ver como está ficando?"

Daniel, nosso câmera, se adiantou:

"Posso falar?"

"Pode, sim", Fernandinho concordou.

"Está excelente. Você está mostrando sua alma."

Daniel voltou um pouco da gravação, rodando o começo da entrevista. Beira-Mar se viu no visor da câmera e sorriu, o rosto levemente mais vermelho.

"*Tá* bom mesmo."

Aquela foi a deixa que eu precisava:

"Luiz Fernando, está tudo perfeito. Vamos continuar a entrevista, pois meu tempo aqui é limitado pela direção do presídio."

"*Tá* certo. Você tem razão. Vamos lá."

Respirei lentamente aliviado e engatei a próxima pergunta, sempre com a mesma preocupação de fazê-lo falar sem exagerar no questionamento. A guerra mental continuava.

"Você construiu a lenda de que nenhuma prisão o segura..."

"Que reputação é essa, quando eu já estou há quinze anos preso?"

"Você sabe que já fugiu muitas vezes..."

"Sim, mas antigamente a estrutura era outra." Ele coçou a cabeça, hesitante. "Como eu posso dizer isso, Cabrini? As coisas vão evoluindo. Tanto no crime quanto na segurança."

Realmente, no crime, para ele, as coisas evoluíram. Em determinado momento, chegou a comercializar toneladas de cocaína e maconha, além das armas. Beira-Mar criou uma estrutura complexa para fazer suas mercadorias clandestinas circularem em várias partes do mundo.

Ainda assim, quando perguntei se estava bem financeiramente, ele me respondeu que era mais uma ilusão. Segundo ele, as pessoas o enxergavam como um multimilionário apenas porque ele recebia visita toda semana, ou porque tinha muitos advogados. Argumentou que essas pessoas se esquecem de que ele fez muita coisa errada na vida, sendo impossível que ele não tivesse condição para esse tipo de gasto. Além disso, a irmã dele trabalhava, e seus filhos também.

"Dizem que você é o preso que mais tem advogado do Brasil. Que só para um você paga mais de 1 milhão por mês..."

"Isso é mentira. Tudo história, Cabrini. Falam isso porque eu já tive 70 advogados nesses quinze anos."

"Você tem sido vítima de extorsão?"

Ele concordou com a cabeça.

"Minha família tem sido vítima de extorsão. Meu filho foi ameaçado por uma equipe de mineradores que pediram 3 milhões para ele por ele ser meu filho. 'Vocês são bandidos. São piores do que eu', eu disse para os caras."

Sabia que ele costumava defender o lema "para os aliados, tudo; para os inimigos, a implacável crueldade". Então, perguntei-lhe sobre isso.

"Eu trato as pessoas como gostaria de ser tratado por elas. A questão é: o meu inimigo é inimigo, mas vou respeitá-lo como respeito meus amigos."

"Orelha é gostoso?"

A polícia, certa vez, interceptou uma conversa em que Beira-Mar ordenava uma execução, um exemplo bem claro de como ele trata seus inimigos.

Pelo telefone, o traficante mandou torturar até a morte o estudante de informática Michel Anderson Nascimento dos Santos, de 21 anos. O crime acontecera em agosto de 1999. Michel teve um único encontro amoroso com uma das namoradas de Beira-Mar, e isso já foi o bastante para acender a ira de Luiz Fernando. O traficante ordenou que seus homens capturassem o rapaz, que foi levado para a favela controlada pela organização criminosa. Michel foi torturado durante uma hora.

Depois de saber pelo comparsa como estava Michel, Beira-Mar pediu para conversar com o rapaz. Na gravação, Beira-Mar exibia seu estilo irônico. Parecia preocupado com as condições do estudante, severamente torturado e ferido.

Beira-Mar: "Alô. Fala, Mascote!"
Comparsa: "E aí, patrão, tranquilo?"
Beira-Mar: "Tranquilo."
Comparsa: "A outra orelha aqui ele já comeu também."
Beira-Mar: "Já comeu as duas?"
Comparsa: "Já, já."
Beira-Mar: "Cadê? Deixa eu falar com ele um pouquinho."
Vítima: "*Tô* todo cortado, sem as duas orelhas, sem os dois pés. Os dedos *tão* tudo pendurado. A orelha direita arrancaram tudo, não dá *pra* ouvir não, *tô* ouvindo só um barulho. E na orelha esquerda arrancaram um pedaço só *pra mim* tentar ouvir, senão não ia conseguir falar com você."
Beira-Mar: "Mas você *tá* falando ainda."
Vítima: "Porque eu *tô* ouvindo baixinho."
Beira-Mar: "*Tá* ouvindo bem?"
Vítima: "Não. Fala mais alto."
Beira-Mar: "Continua falando, *tá* falando bem... Orelha é gostoso?"
Vítima: "É muito grande. Entrou na boca, quase engoli."
Beira-Mar: "É mesmo, é? Mas que boceta maldita, hein, *veio*? Caralho, essa boceta é maldita, né, não? Bocetinha cara, né, meu irmão?"
Vítima: "Se eu soubesse, nunca teria me envolvido com ela."
Beira-Mar: "É mesmo, é? Caramba..."

O chefe do tráfico chegou a dar esperanças de que o torturado ainda escaparia vivo.

Beira-Mar: "Não vou deixar eles fazerem isso contigo, não. A costela tem que ficar inteira. Quando você for agora *pra* casa, vou mandar um táxi te levar até a porta de casa. Tu quer que ele vá para o Duque ou que vá direto *pra* tua casa?"

Em determinado momento, Fernandinho pediu para falar com um comparsa chamado Bomba. De acordo com a polícia, tratava-se, na verdade, de Marcos Marinho do Santos, o Chapolim, homem de confiança do chefe do tráfico.

Chapolim: "Fala, Patrão."

Beira-Mar: "*Pô*, mas ele *tá* reagindo bem *pra* caramba, hein? *Tá* falando *pra* caramba, né?"

Chapolim: "Ele é sinistro."

Beira-Mar: "*Marrudo pra* caralho, né?"

Chapolim: "Não, *tá* humilde, *tá* humilde. *Tá* aqui miudinho, miudinho."

Beira-Mar: "Não, dá mais um *corinho* nele, mais um *corinho* legal. Daqui a pouco, eu ligo. Valeu?"

O traficante ainda quis que o amigo José Ailton, que estava com ele em uma fazenda no Paraguai, também falasse com a vítima.

Beira-Mar: "Fala com o meu amigo aqui. Fala com ele como é que você *tá*, que meu amigo aqui é médico e vai ver se pode te dar um receituário."

Vítima: "Fala mais alto."

José Ailton: "Oi, companheiro."

Vítima: "Não *tô* ouvindo direito, não."

José Ailton: "Ah, é?"

Vítima: "O sangue *tá* tapando o ouvido."

José Ailton: "Ah, vou mandar limpar teu ouvido já. Como é que *tá* aí?"

Vítima: "*Tô* sem as duas orelhas. Só tenho o calcanhar só, parece que passou um trator em cima de mim."

José Ailton: "Às vezes, o cara vai foder e se fode, né? Mas *tá* bom."

Quando o celular voltou para Beira-Mar, reiterou a ordem de torturar o rapaz.

Beira-Mar: "Dá só mais um coro nele, que daqui a uns dez minutos eu ligo de novo *pra* ver o que a gente vai fazer. Bem devagarzinho, não quero pressa, não".

Quando começou a namorar Fernandinho, aos 14 anos, Joelma Carlos de Oliveira não imaginaria que, anos mais tarde, seria o pivô e a vítima em uma história que, no início, ela acreditava ser um conto de fadas. Seu corpo nunca foi encontrado.

Na gravação, dava para escutar os tiros da execução de Michel após ser cruelmente torturado.

"Ninguém faz nada de graça"

O mesmo homem que ordenara essas matanças continuava diante de mim, com um olhar quase atencioso.

"Luiz Fernando, as gravações mostram que muitas vezes você ordenou as execuções com requintes de crueldade. Por que fez isso?"

"Olha, Cabrini... Essa é uma pergunta que eu prefiro nem responder. Mas uma coisa eu posso dizer a você. É o seguinte: ninguém faz nada de graça."

"Você sentia remorso depois de dar aquelas ordens?"

"Não é questão de remorso, mas se fosse hoje eu não as faria. Só digo isso."

"Por quê? O que mudou em você?"

"Mudei muito. Amadureci. Você vai ganhando conhecimento e experiência de vida. Nenhum ser humano nasce e morre do mesmo jeito. No decorrer da vida, você vai mudando muita coisa, entendeu? Às vezes, tem coisa que você achava certo, mas que hoje em dia você não considera mais certo. O homem sempre muda."

"Por que você disse que mandar matar é inevitável na lógica do tráfico?"

"Faz parte do *modus operandi*. Na sua profissão, há uma ética dentro dela. Existe também uma ética dentro do crime."

Veio à minha mente o nome de Pablo Escobar, líder do cartel de Medellín que também exibia inteligência mercadológica e frieza para executar inimigos.

"Fernandinho Beira-Mar é a versão brasileira do Pablo Escobar?"

"Não chego nem perto do Pablo Escobar. É a ilusão que as pessoas têm. Todo mundo sabe que o Brasil serve de entrada e saída das drogas para o exterior. Tem traficante que trafica dez, vinte vezes mais que eu traficava e ninguém sabe. Os verdadeiros 'Pablos Escobares' estão lá em cima bem protegidos."

"Por que acha que se criou essa lenda em torno de você?"

"Porque tem que ter alguém, né, cara? O melhor jogador de futebol é o Messi, mas no Brasil a gente tem que criar um. Então é o Neymar. As pessoas vivem disso. Tem que ter alguém para ocupar um certo espaço. A atriz mais *sexy*, o melhor cantor... É algo cultural."

"Então você sabe que é visto dessa forma?"

"Claro, não sou burro. Eu leio as coisas que saem sobre mim. As pessoas me rotulam. No passado, esses rótulos me incomodavam, mas hoje em dia não me importo mais. Sei quem sou."

Beira-Mar chegou a se aliar às Farc – Forças Armadas Revolucionárias da Colômbia. Protegido pela guerrilha na selva amazônica, uniu as estruturas do comércio ilegal de drogas e armas. Ambas lucravam.

"Qual a sua relação com as Farc? É verdade que eles o protegeram?"

"Bastante. Eu estava numa situação bem delicada, sendo procurado no Brasil. Então fui morar no Paraguai, mas a minha estadia lá ficou inviável. A qualquer momento eu seria preso, e estava prejudicando as pessoas do meu meio. Estava sendo inconveniente para os meus amigos. Assim, achei por bem buscar um local em que eu me sentisse seguro. Naquele momento, achei que a melhor opção eram as Farc."

"Você tinha alguma identificação ideológica com eles?"

"Não, porque as Farc realmente começaram como um grupo revolucionário de esquerda. Só depois elas se tornaram uma narcoguerrilha. Não tinha uma ideologia."

"O que se fala é que você fornecia armas para as Farc."

"Os nossos negócios favoreciam os dois lados. Eu os ajudava em algumas coisas, e eles me ajudavam em outras coisas."

Em abril de 2001, o traficante foi localizado e preso na floresta pelo governo colombiano e, em seguida, deportado para o Brasil. A imagem de um Beira-Mar barbudo, usando cobertor escuro e fita vermelha ao ser escoltado pelas forças colombianas correu o mundo. O governo de Bogotá celebrou: "Desde Escobar não pegávamos um traficante tão poderoso!".

"É verdade que você chegou a ser perseguido depois pelas Farc?"

"Isso é lenda. Eles sempre foram muito corretos comigo, tanto é que eu fui preso lá. Eu estava na mão deles. As pessoas querem vender jornal e divulgar as mesmas mentiras muitas vezes na esperança de que se tornem verdades."

"Eu já sento na cadeira diante do júri como condenado"

Quando preso no Complexo de Bangu, no Rio de Janeiro, Beira-Mar se mostrou audacioso. Durante os dez meses que ali ficou detido, ele teve acesso a celulares, além de ter sido acusado de comercializar fuzis, granadas e até um míssil de fabricação americana.

A gravação de uma conversa entre traficantes gerou a suspeita de que Beira-Mar estaria envolvido com o tráfico de mísseis usados em conflitos no Oriente Médio.

Traficante 1: "Você já ouviu falar daquele Stinger [míssil usado para o abate de aeronaves]? Aquele que a Al-Qaeda *tava* usando?"

Traficante 2: "Ah, eu sei o que você está falando. Vou ver essa *parada* pra você."

Agora, conversando frente a frente com o traficante, lembrei-o dessa história.

"Em Bangu, consta que você chegou a encomendar até míssil..."

"A história não foi minha. Outro cara estava conversando com um amigo. Não fui eu, mas disseram que foi."

"Mas isso não foi verdadeiro?"

"Não foi, Cabrini. Perto da minha casa tinha uma banca que vendia todo tipo de jornal. O jornaleiro era nosso amigo e contou um fato que era muito interessante. Na capa do jornal, eles põem assim: 'Fernandinho Beira-Mar', e todo mundo compra o jornal. Aí, lá dentro: '*tá* fazendo aniversário hoje'. A mídia tem poder."

Senti que o clima não estava pesado; portanto, bom o suficiente para abordar outro tema delicado. Em 21 de setembro de 2002, durante uma rebelião no Presídio de Bangu, Beira-Mar foi responsabilizado pela execução de Ernaldo Pinto de Medeiros, conhecido como Uê – um traficante desafeto, acusado de trair o Comando Vermelho para criar uma facção criminosa rival, a Amigos dos

Amigos. Uê morreu carbonizado a mando de Beira-Mar, líder do Comando Vermelho (posição que sempre negou). Também foi atribuída a Beira-Mar a responsabilidade pela execução do cunhado de Uê, Robertinho do Adeus – chefe do tráfico no Morro do Adeus, no subúrbio carioca de Bonsucesso.

"Você admite a responsabilidade por essas mortes?"

"Eu não participei de nada disso, mas, como meu nome tem um peso, as autoridades me chamaram... Luiz Fernando, vamos negociar. Os próprios presos falaram: 'Pô, aceita aí!'. Então, eu concordei. Por quê? Porque eu sou bonzinho? Não. Acontece que, se houvesse uma invasão, quem seria o primeiro alvo a ser morto? Ou vocês não se lembram do massacre do Carandiru? Não aceitei porque sou bonzinho, porque sou teleguiado, porque queria ser simpático para vagabundo ou autoridade. Aceitei por vários motivos, entre eles resguardar minha integridade física e a dos meus companheiros, porque ia morrer muita gente, ia ser um banho de sangue. A gente sabe que José Dirceu ligou para Benedita, pessoas pressionaram a Benedita para liberar. Depois disso, por eu ter negociado a rebelião, criou-se a falsa imagem de que eu fui o líder da rebelião e que eu sou o líder do Comando Vermelho. Nunca fui e nem sou o líder do Comando Vermelho."

"Você nega a autoria de vários crimes, mas ainda assim reconhece que não é santo?"

"Com certeza. Você acha que, se eu fosse santo, estaria condenado a duzentos e poucos anos de cadeia?"

"A sua condenação a duzentos anos é justa, então?"

"Algumas são injustas. O caso do Uê, por exemplo, em que peguei 120 anos..."

"O Uê foi morto a tiros porque era de uma facção rival à sua... É o que consta pelo menos."

"Não sei se ele morreu só de tiros, porque nada tenho a ver com a morte dele. Mas é um fato que mostra o quanto já fui injustiçado. Você chega e leva Fernandinho Beira-Mar para o júri. Chega lá, tem sete jurados leigos. A mídia toda hora divulga que eu sou um monstro. Diga qual é o jurado que vai me absolver? Eu já sento na cadeira condenado."

"Por causa da imagem que se criou de você, é isso?"

"Sim, eu não sou julgado pelas provas. Sou julgado pelo meu 'vulgo'."

"Não quero ser hipócrita"

Após a rebelião no Complexo de Bangu, começou uma verdadeira epopeia. As transferências de Beira-Mar entre presídios requeriam aviões da Força Aérea, dezenas de agentes e veículos blindados. O traficante se transformou no preso mais caro do país.

"Você ainda é considerado um bandido perigoso. Como você vê essa reputação?"

Luiz Fernando chorou discretamente.

"Complicado, né, cara. Muito complicado."

"Percebo, pela primeira vez, emoção em você..."

"Não é bem emoção. Tem certas perguntas que você me faz, Cabrini... Veja bem, eu não quero ser hipócrita. Prefiro não responder."

E ainda assim continuava comandando seus negócios.

A polícia encontrou pequenos bilhetes que teriam sido enviados pelo traficante para seus comandados nas favelas do Rio quando estava preso no presídio de Mossoró, no Rio Grande do Norte. Essas mensagens revelavam um sofisticado esquema de lavagem de dinheiro que incluía centenas de contas bancárias em nome de laranjas.

"Luiz Fernando, fala-se que de dentro da prisão você conserva um grande poder, que daqui você comanda o crime. Isso procede?"

"Isso não existe. Estamos em um presídio federal com toda a estrutura de segurança."

"Qual o seu poder daqui de dentro?"

"Sabe qual é o meu poder? Tenho visita toda semana, pago advogados particulares, e aí *nego* chega e fala: 'Ele paga dez advogados'. Só que o cara esquece que eu respondo a trinta processos, então um advogado não daria conta. Acham que eu tenho poder porque estou preso há quinze anos, consigo pagar advogado e tenho visita toda semana."

"Esses papéis que foram encontrados, com recados para os seus subordinados, não provam que você continua no comando de sua organização criminosa?"

"Esses papéis não me pertencem. Na verdade, foi uma equipe de policiais mineradores que, bem antes, pegou esses bilhetes e então tentou me extorquir. No dia em que fizeram uma operação no Complexo do Alemão, eles jogaram esses papéis lá para dar repercussão, para me prejudicar."

"Saindo daqui você volta para o tráfico?"

"Nunca mais passo nem perto do tráfico."

"Mas o tráfico não está em você, não vai atrás de você?"

"Isso é lenda que as pessoas não podem sair. Não saem porque não querem."

"Você conseguiria se libertar da máquina do tráfico?"

"Eu e qualquer um. Tráfico não prende ninguém ao tráfico. É que tem cara que não tem coragem. Tem que largar bonito, de cabeça erguida, sem fazer safadeza com os outros, largar sem estar com dívida, sem ter feito sacanagem."

Fernandinho arregalou os olhos, transparecendo ódio ao completar:

"Mas se largar fazendo sacanagem, caguetando, falando mentira, se escondendo atrás das asas do poder... Tipo aqueles hipócritas que deixam e depois posam de 'bambambam', que vão para eventos com o secretário de Segurança Pública. Esses chegaram ali não porque largaram o crime de cabeça erguida, mas porque não tinha mais espaço no crime para eles. Se continuassem, morreriam."

"É tudo mentira"

Perguntei a Beira-Mar se ele havia mandado sequestrar autoridades como moeda de troca, visando à facilitação de sua fuga. Como de costume, ele afirmou ser outra "lenda". Dessa vez, teria sido criada por Juan Carlos Abadia, em conluio com autoridades do presídio federal e juízes.

Traficante colombiano preso em São Paulo no ano de 2007, Juan Carlos Abadia ficou famoso por seus crimes – e também por suas cirurgias plásticas no rosto para se disfarçar. Extraditado para os EUA, lá foi condenado a 250 anos de prisão. Chegou a ser considerado pelo FBI como o segundo homem mais perigoso do mundo, depois apenas de Osama bin Laden. Considerados por muitos como os reis do narcotráfico em seus países, Beira-Mar e Abadia ficaram detidos no Presídio Federal de Campo Grande, no Mato Grosso do Sul. Segundo a Polícia Federal brasileira, eles teriam se unido na penitenciária de segurança máxima, ordenando aterrorizar juízes que atuavam em seus processos e autoridades que tivessem o poder de atrapalhar seus negócios milionários fora da prisão. O esquema incluía extorsão mediante sequestro e organização de assaltos.

"Mas você mandou sequestrar alguém?", perguntei.

"Eles inventaram que a gente estava querendo sequestrar o filho do Lula, depois que sequestraríamos juízes. É tudo mentira."

No período em que esteve no presídio de Campo Grande, seu maior inimigo foi o juiz federal Odilon de Oliveira, que o mandou algumas vezes para o RDD – o Regime Disciplinar Diferenciado – e condenou mais de 200 traficantes.

Quando estive com o juiz Odilon, em Campo Grande, perguntei-lhe:

"O que significa para o senhor ter alguém como Fernandinho Beira-Mar como seu inimigo?"

"Nada além dos cuidados que se tem que tomar com a vida."

Vi de perto como são esses "cuidados". Onde quer que estivesse – nas ruas, no trabalho dentro do Tribunal de Justiça, em sua própria casa ou durante os deslocamentos –, o juiz ficava permanentemente cercado por pelo menos três agentes federais armados com fuzis e metralhadoras.

"Vou tentar viver uma vida honesta"

"Qual o seu futuro? Como você se imagina daqui a dez anos?"

É sabido que Beira-Mar passa boa parte do tempo lendo livros jurídicos para discutir estratégias de defesa com seus advogados e, por vezes, para orientar outros presos. Sua resposta mostra seu embasamento.

"Bom, estou condenado a mais de duzentos anos. Assim, tenho que 'puxar' trinta de cadeia. Já estou 'puxando' quinze... Eu tenho remissão, estou terminando minha faculdade este ano, estou me preparando para chegar nas ruas. Tenho certeza de que se eu tiver uma oportunidade de sair pela porta da frente, eu vou tentar viver uma vida honesta."

Beira-Mar comentara sobre os duzentos anos de condenação. Na verdade, somavam, no momento do meu encontro com ele, trezentos e vinte anos e dez meses. Ele respondia por sete homicídios e uma tentativa de homicídio. Foi condenado quatro vezes por tráfico internacional de drogas e sete por associação ao tráfico. Uma vez por corrupção ativa, uma por lavagem de dinheiro, uma por extorsão e uma por tráfico internacional de armas. Ele estava recorrendo de várias sentenças. Pouco estava conseguindo.

"Você não tem receio de que seus filhos acabem vítimas das mesmas drogas que você trafica?"

Malabarista, deu um jeito de não entrar na armadilha das palavras e na contradição entre o que ele faz e o que prega para os filhos.

"Tenho receio de tanta coisa na vida, Cabrini."

"Disso também?"

"Tenho receio que sejam vítimas das drogas, que meus filhos morram, que não sejam felizes. Tantos receios na vida."

"A sua vida tinha que ser assim?"

Ele parou para pensar um pouco, e respondeu com uma pergunta:

"Qual ser humano normal gostaria de ter a vida que eu tenho?"

"Que tipo de orientação você passa para os seus filhos?"

"Quando eles vêm me visitar, falo para eles: 'Se vocês pensarem em fazer alguma coisa errada, vejam se é isso [Beira-Mar aponta para as grades] que querem para a vida de vocês'. Ter visita do modo que a gente está tendo, não poder acompanhar o desenvolvimento do seu filho, não poder dormir com a sua esposa, não comer o que você gosta, não ter o direito de ir e vir... É isso o que você quer para a sua vida? Você é roubado pelos seus próprios familiares, é traído principalmente por seu próprio advogado... Quem mais se beneficia do seu dinheiro não é a sua família, mas o advogado."

Beira-Mar respirou fundo e continuou em seu desabafo. Não ousei interrompê-lo.

"Comecei no crime pensando apenas em tirar minha mãe da favela, mas aí você se deixa levar e depois não consegue parar." O preso 102 abaixou a cabeça e murmurou: "Esse foi um dos meus maiores erros".

"Qual sua religião?"

"Sou deísta. Acredito em uma força maior que criou tudo. Mas eu confesso que sou muito fã de Jesus Cristo. Leio a Bíblia."

"Fala-se que você lê muito…"

"Sim, leio bastante."

"O quê?"

"Sou eclético, mas tenho preferência por biografias, livros de história, investigativo…"

Beira-Mar disse conhecer segredos de grandes crimes praticados no Brasil. Histórias diferentes das oficiais. Ele me revelou estar preparando um livro de memórias, no qual quer surpreender a muitos, além de detalhar sua trajetória. Restava saber se, de fato, conseguiria publicá-lo.

"Quem não tem a curiosidade de saber como foi de fato a morte do Tim Lopes, contada do lado de cá? Quem não tem a curiosidade de saber como foi mesmo o assalto ao Banco Central contado por quem sabe os fatos? Vou contar isso no meu livro…"

"O caso Celso Daniel, você sabe dos detalhes?"

"Sei, sim, mas não adianta falar agora. Vai estar no meu livro, que vai se chamar 'Fernandinho Beira-Mar, somos bandidos?'."

"Por que esse título?"

"Porque eu fui bandido, né? Mas tem várias autoridades que posam como paladinos da justiça quando, na verdade, são muito mais bandidos do que eu."

Na fortaleza de grades e câmeras na floresta amazônica, tinha chegado a hora de me despedir dele.

"Você é um cara de grande conhecimento do mundo do crime. Existem criminosos que têm recuperação e outros que não têm…"

"Em qualquer área da vida é assim."

"Você tem recuperação?"

"Cabrini, eu quero me recuperar. Estou me preparando para isso, estou estudando e tudo mais. Estou tentando… Se vou conseguir, só o tempo dirá, mas eu quero me recuperar."

"Você vai conseguir não traficar mais, não matar e não mandar matar mais…"

"Não só isso. Quero recuperar o tempo com meus filhos, com minha mulher…" Fez cara de sofrimento. "Puxa, estou há quinze anos preso. Quando não estava, tive que morar em outros países, longe da minha família…"

Percebi que a entrevista chegava ao fim quando os agentes penitenciários sinalizaram que precisavam levá-lo de volta à cela.

"Você volta para sua cela neste momento de que forma?"

"Cara, com a cabeça erguida. Fui verdadeiro com você. Não menti, não subestimei você…"

Os guardas começaram a algemá-lo.

"Luiz Fernando, obrigado pela entrevista."

"Obrigado, *cara*. Valeu."

Luiz Fernando da Costa, o preso de número 102, foi levado de volta para sua cela. Para seus livros, planos, reflexões e inquietações.

* * *

Nove meses após esse encontro, Beira-Mar foi transferido de avião de Porto Velho para outro presídio federal – o de Mossoró, no Rio Grande do Norte. Pelo menos vinte agentes federais participaram dessa operação. Beira-Mar ficaria no RDD, o regime disciplinar diferenciado, teoricamente sem contato com outros presos da unidade. A transferência foi decidida após a descoberta de que, mesmo do presídio, ele continuava comandando seus negócios, que chegaram a movimentar R$ 9 milhões nos últimos anos. O esquema funcionava mais uma vez por meio de bilhetes repassados para as celas de outros quatro presos por "terezas", espécie de corda entrelaçada com panos e lençóis. As ordens de Beira-Mar eram, então, transmitidas a advogados e familiares.

Ainda hoje, lembro-me de que, naquele dia em que o entrevistei na penitenciária em Rondônia, anotei em minha agenda:

"Fernandinho Beira-Mar é causa ou consequência dos usos e costumes de um país onde o tráfico de drogas se tornou quase inatingível?"

Acredito que essa seja uma reflexão que o Brasil precisa fazer.

9

O MONSTRO DOS MÚSCULOS

Neste capítulo, Roberto Cabrini conta como foram os bastidores de suas célebres entrevistas com o velocista Ben Johnson. O atleta e seu treinador, Charles Francis, foram entrevistados sobre o *doping* das Olimpíadas de Seul, em 1988, um dos maiores escândalos da história do esporte mundial. Um furo internacional: o então homem mais rápido do planeta e seu treinador aceitaram contar, em detalhes, como e por que assumiram o risco de usar substâncias proibidas para conquistar a qualquer custo a medalha de ouro na prova mais badalada do programa olímpico – os 100 metros rasos.

* * *

O que são dez segundos na vida? É só começarmos a pensar sobre isso, e o tempo já se esgotou... Mal dá para sorrir, reagir, falar, vibrar... Parecem insignificantes, fugazes, meteóricos... Ao atravessarmos a rua, levamos mais tempo do que isso. Quando dizemos quem somos, então...

Entretanto, para uma casta seleta de humanos, dez segundos – ou, na verdade, bem menos tempo – representam a eternidade. Essas pessoas são chamadas de velocistas, e o nome "Ben Johnson" é, queiram ou não, um mito entre eles. Pelo bem ou pelo mal, pelo legal ou pelo clandestino, esta é a história de minha bombástica entrevista exclusiva com esse atleta.

Seul, Coreia do Sul.
17 de setembro de 1988.

Naquele dia, com a participação recorde de 159 países e 8.391 atletas, foram abertos oficialmente os Jogos Olímpicos da Coreia do Sul. Seul, a capital do país, antes enigmática e desconhecida do mundo ocidental, tornara-se o centro do planeta.

Para alcançar esse feito, havia derrotado a cidade japonesa de Nagoya em uma disputa para ser a sede da 24ª Olimpíada da Era Moderna. A emergente Coreia do Sul gastou mais de 700 bilhões de wons para organizar os Jogos – à época, equivalente a mais de 847 milhões de dólares –, o que incluía a construção de dezenas de arenas esportivas. Entre elas, estava a mais impressionante de todas: um imponente estádio olímpico com capacidade para 100 mil pessoas.

A Guerra Fria estava no fim, e havia, antes de tudo, a intenção de mandar uma mensagem para a irmã carnal do Norte: o sistema capitalista era superior ao modelo comunista. Os aliados americanos auxiliavam em tudo, com o objetivo de se impor sobre os então decadentes soviéticos e sobre a Coreia do Norte, seu satélite na região.

Entre todas as disputas, uma chamava claramente a atenção: a final dos 100 metros rasos, prova que consagra o humano mais rápido de todos. E essa corrida colocaria em xeque a maior rivalidade esportiva do mundo naquela época: Carl Lewis, dos Estados Unidos, e Ben Johnson, do Canadá.

Nascido em um dos epicentros do racismo americano, o estado sulista do Alabama, William Frederick Carlton Lewis – o Carl Lewis – era o protótipo do atleta perfeito, capaz de disputar várias provas, dos 100 e 200 metros ao salto em distância. Em tudo era a referência, o orgulho americano, o modelo do sistema no auge de seus 81 quilos distribuídos em um corpo esculpido de 1,88 metro. Ele terminaria a carreira como uma lenda do esporte: nove medalhas de ouro em quatro edições dos Jogos Olímpicos e dez medalhas nos campeonatos mundiais de atletismo. Porém, jamais se colocou tanta expectativa sobre ele quanto naquela final de Seul.

Nos Jogos de Los Angeles, em 1984, Lewis conquistou quatro medalhas de ouro – 100 metros, 200 metros, revezamento 4x100 metros e salto em distância –, igualando o recorde de 1936 do também norte-americano Jesse Owens. Mas agora havia um rival que o assustava, que o tornava mais mortal do que gostaria: um jamaicano naturalizado canadense de notável musculatura, que esbanjava desafiadora autoconfiança. Seu nome era Benjamin Sinclair Johnson, conhecido como Ben Johnson ou, ainda, "Big Ben".

Missão quase impossível

Naquele verão coreano de 1988, desembarquei em Seul como repórter da TV Bandeirantes. Com 27 anos de idade, dez de profissão, duas Copas na bagagem, já tendo coberto as Olimpíadas de Los Angeles e estudado em uma universidade nos Estados Unidos, tinha recebido uma missão definida pessoalmente pelo chefe da equipe, Luciano do Valle:

"Encontre formas de vencer barreiras e conseguir grandes entrevistas com as principais celebridades dos Jogos."

Ele se referia a atletas como o saltador com vara ucraniano Serguei Bubka, a tenista argentina Gabriela Sabatini, a tenista alemã Steffi Graf, o nadador americano Matt Biondi, ou com o próprio Lewis – mas nada me fascinava mais nessa tarefa do que apresentar a história do incrível Big Ben e, é claro, conseguir uma exclusiva com ele.

Havia pesquisado bastante sobre o velocista que rivalizava com Lewis, o orgulho americano. Sabia, por exemplo, da fascinação de Ben pelo futebol brasileiro.

Em Falmouth, na Jamaica, onde nasceu e viveu em uma família pobre até os 15 anos, antes de ir para o Canadá com a mãe, Ben brincava de atacante de equipes amadoras e tinha uma quase veneração pela ginga brasileira.

No aeroporto de Guarulhos, momentos antes de embarcar para a Coreia, comprei uma camisa amarela da Seleção Brasileira e pensei: "Isso abrirá portas para conseguir falar com o Big Ben".

Após dias tentando cruzar com ele, o desânimo já tomava conta de mim. O chefe de imprensa da delegação canadense tinha sido quase brusco:

"Ben não dará entrevistas antes da prova. Pode esquecer!"

Havia, entretanto, um fio de esperança: às vezes, no final da tarde, Ben ia a um campo isolado e quase esquecido da Vila Olímpica para se exercitar levemente, alongar, conversar com seu treinador, Charles Francis, e relaxar. Era um local distante da pista onde ele fazia seu treino principal, um lugar protegido por um grande aparato. O parque pequeno, muito arborizado, aparentemente era onde Ben buscava um pouco de paz. Seria, para mim, uma questão de acreditar e esperar.

No primeiro dia, apareceram apenas alguns atletas do time de basquete do Egito; no segundo, ninguém. No terceiro, eu tinha de tomar uma decisão: precisava ir atrás de outras histórias, e não podia ficar eternamente trocando o certo pelo duvidoso. Já começava a escurecer, e as competições do atletismo começariam dentro de alguns dias. De repente, senti alguém tocar levemente em meu ombro. Era o meu cinegrafista, José Carlos, o Mosca.

"Vamos embora, Cabrini. Melhor desistir…"

"Acho que você tem razão", assenti.

Demos alguns passos em direção à saída do parque e, quando estávamos a uns 200 metros da via de acesso principal, vi como num passe de mágica duas pessoas entrando. Olhei fixamente para os dois novos visitantes e, daquela vez, fui eu quem segurou o braço do cinegrafista:

"Olha lá! São eles: Ben Johnson e Charles Francis…"

"Não é que são eles mesmo?!"

"É agora ou nunca!"

Esperamos enquanto Ben dava pequenos trotes com intensidade média, fazia demorados exercícios de alongamento e, ainda, terminava uma conversa ao pé do ouvido com Francis. Os dois isolados de tudo.

O único segurança presente se afastou e, passados quinze minutos, reparei que tomavam o caminho de volta para o setor da Vila Olímpica onde estava a delegação do Canadá. Então, tirei a camisa da Seleção da bolsa e me aproximei o mais rápido que pude, procurando, ao mesmo tempo, não fazer movimentos bruscos que pudessem assustar atleta e técnico.

O segurança, que parecia distraído, de repente notou minha movimentação e correu para impedir que eu passasse. Ele me segurou pelo braço quando já estava a apenas 10 metros dos dois. Mesmo assim, falei em inglês com o tom mais simpático que pude:

"*Hey*, Ben, somos da televisão brasileira e queremos falar sobre sua paixão pelo nosso futebol."

O musculoso segurança já estava nos retirando do caminho das duas celebridades quando ouvi uma voz:

"Está tudo bem!"

Então, vi Ben sorrindo levemente. O atleta, gago de nascença, balbuciou:

"Bra... brasileiros, há, ok, cinco minutos..."

Agradeci e já emendei a primeira pergunta:

"De onde vem sua paixão pelo futebol brasileiro?"

"Cresci na Ja... ja... maica, ouvindo *reggae* e escutando histórias sobre a ginga e a habilidade dos brasileiros no fu... futebol. Quando jogava, eu me inspirava nos brasileiros. Não consegui continuar e acabei no atletismo, mas a admiração jamais deixou de existir."

"Trouxe uma camisa da Seleção para você."

Ele fez uma cara de menino encantado e abriu um sorriso largo.

"Sócrates, Zico, Falcão, Pelé. Eu amo essa gente."

Era nítido nele o impacto da Seleção Brasileira de 1982, que maravilhou o mundo mesmo perdendo para a Itália de Paolo Rossi – além, é claro, de saber sobre o rei do futebol, de uma geração bem anterior.

"Precisamos ir", alertou o treinador Charles Francis.

"Uma pergunta sobre o duelo com Carl Lewis?"

Ben acenou positivamente.

"Estou aqui para ve... vencer. Sou o mais rápido do mundo e mostrarei por quê", disse.

"E Carl Lewis?"

"Sou o melhor."

Ben vestiu a camisa, acenou alegremente e caminhou rumo à sua casa temporária.

A entrevista, exibida horas depois, fez enorme sucesso no Brasil.

Da Jamaica para o mundo

A história do homem mais rápido do planeta começou na Jamaica, onde ele nasceu, no último dia de 1961. Seus pais se separaram, e a mãe, Gloria, decidiu migrar com o filho para Toronto, no Canadá, quando Ben tinha 15 anos.

Um ano depois, o treinador Charles Francis o descobriu correndo entre amigos no subúrbio da cidade e o treinou na Universidade de York. Francis tinha sido corredor dos 100 metros. Era um herói local, três vezes campeão nacional, e chegou a representar o Canadá nas Olimpíadas de 1972, em Munique, na Alemanha. Jamais ganhou títulos internacionais relevantes, mas quando encerrou a carreira de atleta, tornou-se o principal treinador de velocistas do país: um descobridor incansável de talentos. Sem ele, Ben Johnson não existiria, não ganharia provas nem teria usado substâncias proibidas em nome do esporte. Não teria sido herói nem vilão…

Sob os cuidados de Francis, o mito nasceu. As vitórias começaram e não pararam mais. Tinha início também a rivalidade com o grande orgulho americano: o até então imbatível Carl Lewis.

Em 1984, nas Olimpíadas de Los Angeles, deu Lewis. Ben ficou em terceiro lugar e não se conformou. A resposta definitiva veio no mundial de Roma, em 1987, quando Ben venceu Lewis pela 5ª vez consecutiva e estabeleceu novo recorde mundial: 9 segundos e 83 centésimos. As marcas de Ben Johnson passaram a incomodar Carl Lewis, que, no final de 1987, foi claro:

"Se Ben não tomar drogas, não corre tudo aquilo."

Tira-teima

Seul, Coreia do Sul.
24 de setembro de 1988.

Final dos 100 metros rasos. Estádio Olímpico lotado. Os olhos do mundo hipnotizados pelas telas da TV. Ben Johnson parecia ter asas nos pés: ele deu 46 passadas, respirando somente duas vezes, e atingiu a espantosa velocidade de 43,37 quilômetros por hora ao chegar aos 60 metros. "Big" Ben Johnson pulverizou seu próprio recorde, que era de 9,83 segundos, e alcançou a incrível marca de 9 segundos e 79 centésimos, algo digno de um ser sobrenatural. Seu rival, Lewis, o segundo colocado, sequer se aproximou.

O mundo estava assombrado e a seus pés. Seu físico impressionava, músculos saltavam aos olhos… Porém, dois dias depois, o herói virou bandido. Michelle Verdier, do Comitê Olímpico Internacional, anunciou: Ben correu dopado.

"Em seu exame *antidoping*, foi encontrada a substância estanozolol, um esteroide anabolizante proibido no esporte."

Ben perdeu a medalha, o recorde e ganhou um pesadelo: voltou para o Canadá em silêncio.

O Canadá se recusava a acreditar na verdade, e até surgiram teorias para inocentar Ben. Uma delas mostrava imagens de um cinegrafista amador, feitas momentos antes da prova em Seul: Johnson teria tomado um líquido misterioso oferecido por outro atleta. Teria havido sabotagem! Mas foi pura ilusão, e Ben tentou se defender em uma conturbada entrevista coletiva.

"Nunca tomei drogas. Nunca!"

No entanto, a investigação do governo canadense foi rígida. Todos os envolvidos foram obrigados a depor durante oito dramáticos dias em um processo que ficou conhecido como "Inquérito Dubin". O nome era uma referência a Charles Dubin, chefe da Corte de Apelações de Ontário (Canadá) e dirigente desse trabalho.

Não foi fácil, mas a verdade apareceu, e Ben viveu um longo período de explicações, desculpas e humilhações.

"Eu menti para vocês", confessou na frente das câmeras.

Tudo passou a dar errado, a ponto de arrumar até confusão no trânsito. Fugindo dos repórteres em alta velocidade, foi multado e, mais uma vez, humilhado.

Um jogo antigo de gato e rato

O comando internacional de exames *antidoping* travava uma corrida paralela contra aqueles que, em uma luta obsessiva por destaque em competições cada vez mais mercantilizadas, buscavam encontrar meios para burlar as regras.

Em 800 a.C., nas Olimpíadas da Antiguidade, os atletas tentavam ganhar vantagem usando ervas e cogumelos em chás entorpecentes que aceleravam o metabolismo. Um milênio depois, nos primeiros Jogos da Era Moderna – organizados em Atenas, em 1896, pelo célebre barão de Coubertin –, foi detectado o uso de estimulantes como cocaína, efedrina e estricnina. Essas substâncias eram consumidas em pequenas esferas, dando origem ao termo "tomar bola".

O uso de substâncias não se resumia às arenas esportivas; incluía ainda os *fronts* de guerra. Da Segunda Guerra Mundial, resistem registros de uso dos chamados hormônios anabolizantes para combater a fome e o cansaço nas trincheiras.

Os que defendem a pureza do espírito esportivo jamais deixaram de combater esses métodos clandestinos, apoiados secretamente por governos que vão da China à antiga Alemanha Oriental. Mortes de atletas "turbinados" foram documentadas nos anos 1960, até que, finalmente, exame e punições por dopagem foram instituídos a partir dos Jogos de 1968, no México.

Exames cada vez mais rigorosos buscam descobrir os grupos principais de drogas proibidas no esporte: estimulantes psicomotores, como a anfetamina;

cocaína; moderadores de apetite; aminas simpaticomiméticas, que estimulam o sistema nervoso central; efedrina; cafeína; aminofilina; e os analgésicos de efeito narcótico, como codeína, morfina e heroína. Além desses, há os muito comuns "esteroides anabolizantes" – os hormônios masculinos.

Os esteroides foram desenvolvidos para o tratamento de enfermidades em que exista um claro déficit da produção de hormônios masculinos. Só depois foram desviados para o submundo do esporte, com o propósito de aumentar a massa muscular, a força e a agressividade. Entre os possíveis efeitos colaterais conhecidos, estão danos ao fígado e ao sistema cardiovascular, predisposição ao câncer e comportamento agressivo.

Ben Johnson usava estanozolol, vendido com o nome de Winstrol, um esteroide anabolizante sintético derivado da testosterona. Desenvolvido em 1962, o estanozolol mostrou-se eficaz no tratamento de humanos em casos de anemia e angioma. Veterinários prescrevem a droga para melhorar o crescimento muscular, a produção de células vermelhas do sangue, aumentar a densidade óssea e estimular o apetite de animais fracos ou debilitados. Seu uso para competições foi banido pela Federação Internacional de Atletismo.

* * *

Toronto, Canadá.
Setembro de 1990.

Foram dezenas de *e-mails* pedindo a entrevista mais disputada do planeta.

"O mundo quer falar com ele. Pode esquecer."

A resposta de seus agentes não deixava muita esperança. Mas, conversando com um amigo – o então diretor de jornalismo do SBT, Ademar Altieri –, ele lembrou que a Perdigão, empresa brasileira do setor de alimentos, fazia naquele instante uma campanha antidrogas. "Talvez o Ben aceitasse um cachê para participar da campanha", pensei. "Isso mesmo! Então, esse seria um passo a mais para conseguir fazer uma entrevista."

Por princípio, jamais paguei cachê por entrevistas, mas, nesse caso, ele receberia para dar uma mensagem em uma campanha nacional de uma empresa, e a entrevista seria cortesia.

Falei com a Perdigão.

"É uma superideia. Se você conseguir, topamos."

Ben se lembrou de mim e da nossa curta conversa nas Olimpíadas de Seul – e topou. Ele ganharia 15 mil dólares para deixar uma mensagem contra as drogas. Embora não estivesse no contrato, concordou em me conceder uma entrevista em

Toronto, no Canadá. Era a primeira vez que ele aceitava dar entrevista *one-one*, como americanos e canadenses chamam as entrevistas exclusivas. Seria a primeira vez que falaria longamente sobre isso.

Entretanto, ele andava instável, fugindo de jornalistas, pois ainda estava sob pressão. Será que desistiria na última hora?

No dia 3 de outubro de 1990, desembarquei em terras canadenses na companhia de Luis Carlos Novaes, ex-assistente de câmera de meus primeiros anos na Globo, em São Paulo. Ele tinha corajosamente largado tudo para trabalhar como motorista de táxi em Nova York, onde, com o tempo, também se estabeleceu como respeitado cinegrafista. Todos o conheciam como Tigrão. No começo, não gostava desse apelido, mas depois desencanou. Eu o chamava, para seu deleite, de outra forma...

"Big Tiger, pare seus negócios em Manhattan e venha comigo para o Canadá."

"*Let's go!*"

O médico Astaphan foi banido da medicina canadense; o técnico Francis, afastado do esporte; e Ben Johnson, suspenso por dois anos. Mas ele não desistiu: iniciou nova corrida contra a solidão e a descrença. Com novos empresários, tentava mudar sua imagem. Competiu inclusive em cadeira de rodas. Ele trocou de técnico e ministrava palestras em universidades, embora fosse frequentemente hostilizado. Era um homem em fuga constante de repórteres.

Em um fim de tarde de outono, lá estava eu no campus da Universidade de Toronto para me encontrar com Ben Johnson. O local estava praticamente vazio. Era um prédio antigo, de tijolinhos bem vermelhos e ar bucólico. Já eram mais de 5 horas da tarde, e a entrevista tinha sido marcada para as 4 horas. Será que ele mudara de ideia?

A calmaria foi interrompida pelo som de passos ao longe. Uma figura solitária apareceu no horizonte daquele fim de tarde. A careca e a pele negra se destacavam, e uma blusa pesada escondia seu físico atual. Ele sorriu, mostrando dentes bem alvos, mas, ao se aproximar, olhou para mim fixamente, sério e desconfiado. Em segundos, mudou de novo e, do nada, sorriu levemente.

"Ainda tenho a camisa que você me deu em Seul..."

O gelo inicial estava quebrado.

Nós nos cumprimentamos, e, gaguejando além do normal, ele disse:

"De certa forma, eu me sinto melhor contando tudo para alguém que não está nesse contexto. Sou muito caçado por aqui."

Eu sorri, demonstrando que o compreendia.

"Posso ir até sua casa amanhã. Quero mostrar como você vive, o que faz."

Ele hesitou e ficou pensativo por um momento, até assentir timidamente.

"Combinado."

Na manhã do dia seguinte, estava diante de um sobrado típico dos americanos e canadenses de classe média. Ficava em uma rua calma e repleta de árvores, com garagem, um pequeno jardim e uma tabela de basquete na entrada.

Antes de tocar a campainha, olhei para Tigrão e procurei falar baixo, para não chamar a atenção de quem estivesse dentro da casa.

"Vamos gravar aqui."

Câmera ligada, comecei a gravar andando pela rua em direção à entrada da casa, mas sem deixar de olhar para a câmera.

"Sem sua medalha de ouro, sem seu recorde e, principalmente, sem sua própria honra, a vida de Ben Johnson mudou muito nos últimos dois anos. Nesse período, ele praticamente se isolou aqui, nesta casa, que fica na pequena cidade de Scarborough, na área metropolitana de Toronto. Aqui [apontei para a residência], Ben Johnson tem levado uma vida típica de um cidadão de classe média canadense. Já não há razões para grandes ostentações, afinal, os contratos que assinara para promoção de produtos, totalizando 5 milhões de dólares, foram cancelados. Quem era exemplo a ser seguido transformou-se em exemplo a ser evitado."

Ben percebeu minha presença, abriu a porta com expressão amistosa e me convidou para entrar. Ao seu lado estava uma senhora gorda, de traços sofridos.

"Esta é minha mãe, dona Gloria."

"Olá, que prazer conhecer um jornalista do Brasil", disse ela, demonstrando simpatia.

Em pouco tempo, percebi se tratar de uma mãe superprotetora, alguém que trabalhara duro para sustentar o filho após se separar. Os momentos difíceis de Seul também estavam claros na mente dela. Ben se afastou um pouco, e sua mãe tomou a frente.

"É complicado, mas ele vencerá."

"Qual foi o pior momento?"

"Quando estávamos em Seul, ele me chamou e disse: 'Mãe, eu tenho algo para lhe contar, meu *antidoping* deu positivo'. Eu não acreditei de jeito nenhum."

Dentro da casa, vi outras pessoas... Ben estava acompanhado da irmã, da cunhada e dos sobrinhos. O Big Ben atual pouco lembrava o atleta que, até a divulgação de seu exame, não se cansava de demonstrar orgulho e, às vezes, até arrogância por ter transformado seu rival, Carl Lewis, em um simples perdedor.

À época da entrevista, próximo de completar 29 anos, Ben se tornara uma pessoa tímida, desconfiada e solitária. A maior lembrança dos tempos de herói nacional estava na garagem: coberta de pó, lá estava uma Ferrari Testarossa preta, que valia aproximadamente 275 mil dólares. Ele raramente saía com ela, pois recebera orientação para melhorar sua imagem junto ao público canadense – por isso, não deveria ostentar.

Uma escada estreita me levou a uma sala onde ele se sentia bem mais confiante e relaxado; era uma espécie de sala de música. Na parede, encontrava-se o pôster de uma paixão platônica: a americana Valerie Brisco-Hooks, uma bela e fulgurante negra que ganhara três medalhas de ouro nos Jogos de Los Angeles. Ela foi a primeira mulher a vencer os 200 e 400 metros.

As pernas habituadas a tempo de reação, explosão e alta velocidade agora percorriam lentamente aqueles cômodos ao me propiciar uma *minitour* em sua casa.

"Passei muitas horas nesta sala, tentando esquecer o que acontecera em Seul", revelou, um pouco tímido em admitir suas fragilidades.

Então mudou bruscamente de assunto e me mostrou seus mais de 500 discos, formato predominante na época.

"Escuto de tudo. Ritmos de todas as partes do mundo. Esse LP aqui mexe comigo..."

Na capa, vi a figura do britânico Paul Young.

"*Oh, girl...*", ele cantou um trecho da música. "*Oh, girl... I'd be in trouble if you left me now. 'Cause I don't know where to look for love. I just don't know how.*" [Oh, menina... Eu estaria em apuros se você me deixasse agora. Porque eu não sei onde procurar por amor. Eu simplesmente não sei.]

Ao me mostrar sua sala de troféus, voltou a demonstrar sua fragilidade.

"Quando vejo esses troféus, sinto orgulho misturado com angústia e tristeza."

Ficou claro para mim que Ben trocaria todos eles por um que estava faltando ali: a medalha de ouro que foi obrigado a devolver em Seul.

"Chega de lembranças...", disse dona Glória, interrompendo o filho com carinho. "Ben, está na hora de pensar no futuro, é hora de treinar... Vamos filho."

Ben concordou em silêncio. Caminhou até a garagem e me convidou para entrar em seu outro carro, um modelo popular e discreto, ofuscado pela Ferrari. No caminho, seu humor variou um pouco. Primeiro, confidenciou que pensava em desistir da entrevista, mas então afirmou que manteria a sua palavra.

"Depois do treino, faço a entrevista."

A pista de atletismo da Universidade de Toronto apareceu diante de nós: uma estrutura moderna, rodeada por prédios antigos impecavelmente conservados. Estava deserta, exceto pela figura de um homem sentado em um banco. Reconheci sua fisionomia. Um homem magro, loiro, de bigodes largos. Era Loren Seagrave, o treinador americano contratado por Ben para substituir o antigo, que havia sido banido do esporte.

"Ainda sinto falta do Charles Francis. Ele é quase um pai para mim", Ben confessou cabisbaixo, antes de sair do carro. Notei que, deprimido, ele gaguejava mais do que o normal.

Loren não estava para brincadeiras. Passou meticulosos exercícios de aquecimento, em um ritmo que aumentava progressivamente. Enquanto Ben treinava repetidas vezes as famosas largadas, comecei a gravar.

"A raia escolhida ainda é a número 4, mas esse é o único detalhe que não mudou na vida dele. A partir de agora, para o novo Ben Johnson, a luta contra o relógio é também a luta contra a desconfiança de todo mundo. Sua grande meta é uma só: mostrar que ainda pode ser o homem mais rápido do mundo sem precisar de nada."

Enquanto Ben dava voltas em torno da pista, aproveitei para puxar assunto com o treinador Seagrave.

"É possível ganhar uma medalha olímpica sem usar esteroides?"

Seu discurso saiu mecanicamente, cada palavra previamente planejada.

"Eu acho possível, com certeza. Se Ben se concentrar, se focar em sua missão na pista e executá-la como ele está treinando para fazer, então o resto estará nas mãos das pessoas ao redor dele. Outros poderão correr rápido, mas ele se apresentará em um nível muito alto. E ele terá uma ótima chance de ganhar a medalha de ouro em 1992."

Ben, cansado, retirou a camisa e pediu água. Bastou um olhar para constatar o quanto seu porte físico havia mudado. Já não exibia mais a musculatura superdesenvolvida que o fazia parecer mais uma aberração de laboratório do que um velocista. No lugar do Robô, como era conhecido, agora se mostrava um atleta com físico ainda privilegiado, mas distante do homem de dois anos antes. O monstro de músculos não existia mais. Era como se ele tivesse desinflado, tornando-se, ao menos fisicamente, metade do homem com quem eu me encontrara em 1988.

Ao me procurar em seu campo de visão, ele se esforçou para passar convicção, mas o olhar distante, por vezes, denunciava sua insegurança e um quê de melancolia. Estava longe de dominar seus fantasmas. Buscava ser admirado e amado novamente, mas ele mesmo já não se gostava tanto.

Sentamos em duas cadeiras dispostas na pista de corrida. Antes de começarmos, ele me observou mais demoradamente e me disse algo como se, na verdade, estivesse falando para sua própria consciência.

"O Big Ben promete mostrar agora que não é apenas um produto da química clandestina do esporte... Vamos lá, senhor repórter brasileiro..."

Comecei a entrevista tentando relaxá-lo, para não assustá-lo demais logo de cara.

"O que Seul mudou na sua vida?"

"Nada mudou na minha vida. Continuo sendo a mesma pessoa ao longo dos anos", disse com firmeza, mas, ainda assim, parecia tentar se convencer de que era o mesmo cara de sempre.

"Qual foi a parte mais difícil desses dois anos?"

Ben olhou levemente para cima, como se quisesse ativar lembranças, mas percebi que seu piloto automático predominava. Seus olhos ficaram irrequietos, indo de um lado para o outro, e identifiquei o nervosismo do atleta em sua fala.

"Tentar recuperar meu nome, competir novamente pelo país e tentar conseguir o perdão das pessoas pelo erro que cometi."

Claramente mais humano, o gesso inicial estava caindo...

"Depois de toda essa controvérsia, o que fez você voltar ao atletismo?"

"Provar para o mundo que posso correr rápido e vencer sem o uso de drogas."

"O que você quer provar ao mundo?"

"Que eu sou o melhor". Sem gaguejar, demonstrou convicção.

"Melhor que Carl Lewis?"

"Melhor que qualquer um", reafirmou.

"Fazendo uma autocrítica, quais erros você acha que cometeu?"

Ben respirou profundamente.

"Tomar drogas. Eu..." Abaixou os olhos antes de continuar: "Trapaceei. Paguei o preço e agora tenho que olhar para a frente."

"Por que você começou a tomar os esteroides anabolizantes?"

"Algumas pessoas me aconselharam a tomar."

Senti que suas respostas se mostravam mais firmes. Aquele era o momento de entrar mais no assunto das drogas.

"Quando você começou a tomar os esteroides?"

"1982", respondeu sem pestanejar.

"E quando descobriu as verdades sobre os esteroides?"

"Vou dizer a verdade..." Sua expressão mudou, aparentando genuíno arrependimento. "Descobri apenas nesses últimos dois anos."

Fiz uma pausa, tentando prepará-lo para a minha próxima pergunta.

"Quem te deu as drogas?"

"Meu treinador."

"E o que ele te contou sobre elas?"

"Ele não me contou nada sobre isso." Ben demonstrou irritação no seu tom de voz. "Eu sabia que eram drogas, mas não que elas eram ruins para o corpo."

Eu precisava ir mais fundo no assunto, questioná-lo mais, mostrar que não aceitaria qualquer resposta. Lembrei-me de ter ligado para o treinador Francis, pedindo uma entrevista que aconteceria caso, primeiro, eu conseguisse falar com o velocista. Usei algo que o ex-treinador havia me contado pelo telefone.

"Seu antigo treinador, Charles Francis, não concorda com isso." Dei a minha cartada. "Ele afirma que você sabia o tempo todo dos efeitos do uso de esteroides."

"Em 1982 e 1983, eu não sabia nada sobre isso. Fui descobrir apenas em 1984."

"Então ele mentiu para você?"

"Não! Ele não mentiu", revidou, e em seguida tentou consertar balbuciando: "Ele apenas não me disse nada".

Ofereci-lhe um copo com água, Ben aceitou e bebeu enquanto respirava, tomando fôlego.

Logo voltamos à entrevista.

"Nesse período que estava tomando drogas, o que você sabia sobre os riscos que elas podem representar à sua saúde?"

"Sabia que podiam causar ataque cardíaco, câncer, enfim… Complicações graves, embora nem sempre isso fique totalmente claro."

Mais relaxado, Ben agia como se estivesse em um confessionário. Era como se falar a verdade o ajudasse a carregar o fardo.

"Durante todo esse período você chegou a pensar em parar de tomar os esteroides?"

"Sim, mas havia muita pressão para que eu continuasse."

Quando perguntei qual tipo de pressão, ele desconversou. Achei melhor, por ora, não insistir.

"Você ainda usa esteroides?"

"Não."

"Muitas pessoas acham que, sem os esteroides, você não será mais o mesmo. O que você pensa sobre isso?"

"As pessoas não sabem o que estão falando!" Ele contraiu a face, em uma careta. "Elas não sabem como é o esforço para ser um grande atleta, então só falam coisas sem sentido."

"Quantos atletas de alto nível tomam drogas na sua opinião?"

Ben sorriu, procurando o meu olhar.

"Todos", sentenciou.

"Mas se todos tomam, por que apenas você foi apanhado em Seul?"

"Todos estavam atrás de mim." Seu rosto ganhou uma expressão provocativa e orgulhosa. "Todos atrás de Ben."

"Você temia o exame *antidoping* em Seul? Qual foi sua reação quando você soube do resultado?"

"Não temia o exame. E fiquei chocado quando soube o resultado dele… Mas acho que, no fundo, eu sabia que cedo ou tarde algo do tipo aconteceria…"

Ben sinalizou para fazermos uma pausa. Ele, então, tomou um longo gole de água. Alguns minutos depois, voltávamos à nossa conversa.

"Até que ponto você acha que pode voltar a ser o homem mais rápido do mundo sem esteroides?"

"Eu não 'acho'. Eu sei que posso." Elevou um pouco o tom de voz. "Minha mente me diz isso."

Por momentos, voltou a ser o Ben autoconfiante de antes, quase arrogante... Fiquei convencido de que era hora de fazer perguntas um pouco mais simpáticas.

"Esteroides anabolizantes à parte, qual o seu segredo na prova dos 100 metros rasos?"

"Eu me concentro muito, fico mais focado que os outros. É algo natural em mim, mas com prática, é claro, fica ainda melhor." Ele demonstrou curtir essa nova série de perguntas. Parecia que voltava a sonhar com os estádios cheios e a multidão gritando seu nome. "Ganho vantagem na minha largada. Ela é importante. Além disso, minha aceleração vai entre 40 e 60 metros. É por isso que me mexo muito rápido."

"Onde você é melhor que seu rival Carl Lewis?"

"Bem, Carl Lewis começa mais lento, mas ganha velocidade intensa nos últimos 35 metros. Enquanto isso, eu sou mais rápido nos primeiros 60 metros. Minha aceleração vence o jogo...", sorriu orgulhoso.

Dali a dois anos, aconteceriam os Jogos Olímpicos de Barcelona, e Ben já haveria cumprido seu tempo de suspensão.

"O que você acha que pode conseguir em Barcelona, em 1992?"

"Eu vou ganhar. Isso é certo. Não sei qual será o meu tempo, mas vou vencer a prova."

"Algumas pessoas acham que, na prova dos 100 metros rasos, o homem atingirá uma velocidade limite que não poderá mais ser superada. Você concorda com esse ponto de vista?"

"Enquanto a tecnologia avançar, não haverá limites."

Rapidamente, pensei comigo: *Será que está se referindo a novas drogas proibidas? Ou é apenas um ato falho?* De qualquer modo, Ben não entrou em detalhes.

"E qual seria o tempo impossível para você?"

"Nada é impossível para Ben." O velocista colocou a mão em meu ombro e piscou o olho. E, então, deu a entrevista por encerrada.

* * *

Era noite. Em meu quarto de hotel, refletia sobre tudo o que conversara com Ben.

"Falta agora o Charles Francis", disse para mim mesmo.

Sentei-me na cama, puxei o telefone da mesinha ao lado e disquei um número. Do outro lado da linha, uma voz grave me atendeu.

"Alô, aqui é o Charles Francis."

"Boa noite, Charles. Sou o Roberto Cabrini, jornalista brasileiro que falou com você."

"Boa noite, *Mr.* Cabrini."

"Tenho boas notícias. Ben já gravou comigo. Você disse que só falaria se antes ele também falasse... Vamos fazer a entrevista?"

"Você é mesmo persistente. Manterei minha palavra. Venha até a minha casa, em Rosedale, amanhã no final da tarde."

Agradeci ao ex-treinador, mantendo a voz natural, como se fosse algo bem corriqueiro. Mas, por dentro, eu comemorava. A história estava se fechando!

No dia seguinte, enquanto dirigia para o elegante bairro de Rosedale, imaginava como seria o homem apontado por todos como o mentor intelectual do *doping* de Ben.

Ventava muito quando comecei a gravar em frente à residência do personagem que viveu a ascensão e a queda do mito Ben Johnson.

"Gravando, Cabrini", disse Big Tiger, encolhido em sua blusa pesada.

Apontei para a casa de Francis enquanto gravava, olhando para a câmera.

"Um dos principais envolvidos no caso de Seul vive aqui, nessa casa, no bairro de Rosedale, em Toronto. O técnico e ex-atleta Charles Francis treinou Ben Johnson durante onze anos. Foi Francis quem deu esteroides anabolizantes para Ben Johnson e pagou um alto preço por isso: a Associação Canadense de Atletismo decidiu que Francis nunca mais poderá voltar a esse esporte."

Gravação concluída, toquei a campainha da casa – uma construção antiga, do século XIX, que fora erguida em estilo vitoriano por ancestrais da família Francis.

Um homem de olhos azuis bem claros atendeu a porta. Sua voz era calma e pausada, e a sua aparência um pouco envelhecida, não aparentando, à época, ter 42 anos – fruto, talvez, da tensão vivida nos últimos anos de escândalo. As boas maneiras também chamaram a atenção. Francis era muito educado.

Móveis antigos atraíram meu olhar, junto com peças de ouro e cerâmica. Da mesa onde imperavam finos cristais, ele tirou uma jarra de prata com suco de laranja. Ajeitou-se em uma poltrona de contornos aristocráticos e pôs-se a me mostrar fotos de suas conquistas, chegando a se emocionar quando mencionava as vitórias de Ben.

Conversamos um pouco sobre o esporte no Brasil. Ele disse conhecer Joaquim Cruz, que em 1984, nas Olímpiadas de Los Angeles, vencera a medalha de ouro nos 800 metros. Mas demonstrou mais interesse em saber o que seu ex-pupilo me contou na entrevista. Fiz um pequeno resumo para ele do que Ben havia me dito, e Francis tentou não mostrar emoção com o que escutou.

"Entendo, entendo...", disse calmamente. "Bem, estou pronto. Vamos lá."

A luz da câmera se acendeu. Hora de perguntas.

"Senhor Charles Francis, quando o senhor deu esteroides para Ben Johnson pela primeira vez?"

"Em 1982, quando ele tinha 20 anos. Nós tivemos longas conversas sobre isso, então eu o levei a uma consulta com um médico que conhecia o cenário internacional esportivo e sabia o que os atletas estavam fazendo."

Sua fluência e convicção nas respostas me surpreenderam.

"Ben Johnson tinha consciência de que os esteroides, além de serem ilegais, podiam ser nocivos à saúde?"

Sua expressão séria, mas amistosa, não mudou.

"Ben disse a você que, no começo, não sabia de nada. Se isso for verdade, e se eu dei a ele uma droga sem sua permissão ou conhecimento, isso é um crime. Então é algo que passou a ser necessário pesquisar e provar se sim ou se não."

"Se o Ben Johnson tiver problemas de saúde no futuro, em virtude de ter consumido esteroides, o senhor não vai se sentir culpado?"

"Isso nunca foi comprovado por ninguém. Eu mesmo tomei drogas."

"Que tipo de drogas?"

"Esteroides. Experimentei nele, como técnico, para ver como ele se sairia. Nunca deixei meus atletas fazerem algo que eu mesmo não tenha feito."

Percebi que aquele era o olhar de alguém que me esperava para desabafar.

"No fundo, é muita hipocrisia. A sociedade e as autoridades médicas do esporte dizem para não usar esteroides porque o deixam impotente. Eles estão procurando um jeito de controlar os nascimentos, bloqueando a produção de espermas com o uso de largas doses de testosterona, e a Organização Mundial de Saúde patrocina pesquisas sobre isso. O processo é reversível, então, quando é conveniente, para o controle de natalidade, dizem que é ok, mas quando usamos esse procedimento para o esporte, eles afirmam ser prejudicial. Meu pai morreu de câncer, minha mãe morreu de câncer. Meus tios morreram de câncer. Minhas tias morreram de câncer. Se eu morrer de câncer, eles dirão que foi por causa do esteroide. Isso é ridículo."

Charles se revelava naquele instante um homem de emoções à flor da pele.

"Com que frequência o senhor dava esteroides a Ben Johnson?"

"Ele tomava em períodos curtos do ano. De 1986 a 1988, tomou durante catorze semanas por ano. Em três períodos diferentes: o primeiro, de seis semanas, no inverno. O segundo, de seis semanas, em março e abril. Por fim, duas semanas no final de junho. Sua dosagem era de aproximadamente 14.000 miligramas por ano, mas nós sabemos que *bodybuilders* costumam usar 12.000 miligramas por semana, durante o ano todo. Então, usam 52 vezes ou mais drogas que o Ben."

A expressão do ex-treinador era de quem descobrira a pólvora.

"Por que o senhor não tentou outros caminhos para tornar seus atletas competitivos?"

"Se eu acreditasse, em algum momento, que havia alternativas para as drogas, eu, com certeza, as teria escolhido", disse, se ajeitando na poltrona. "Mas você precisa entender uma coisa. Este é o argumento clássico usado por autoridades esportivas: 'Não vamos autorizar o uso de esteroides, mas vocês podem utilizar outras coisas'. Por exemplo, a Federação do Canadá disse que traria cientistas para mostrarem: 'façam isso e façam aquilo'. Sabemos que vários esportes seguem essas recomendações e mesmo assim usam anabolizantes. Você está sugerindo que nós teremos cientistas melhores que cientistas da Alemanha Ocidental? Que gastaremos bilhões em pesquisas e de algum jeito vamos substituir a vantagem oferecida por anabolizantes?"

Foi Francis quem respondeu à própria pergunta:

"Não faz sentido."

"Se o senhor afirma que os atletas de alto nível usam esteroides, por que somente Ben Johnson foi apanhado em Seul?"

"Tenho informações de que, embora outros vinte atletas tenham sido pegos, eles não foram punidos. É uma questão política. Só isso. Por que, então, só um atleta? Se você aperfeiçoar o teste de estanozolol, no qual Ben foi pego, você vai pegar um número muito maior de pessoas. Garanto que é o esteroide anabolizante mais utilizado por atletas hoje em dia. Seu uso é generalizado. Quem não usa, não vence. Mas só vence quem tem também muito treinamento e talento. Somos todos parte da mesma mentira."

* * *

Dois anos depois, Ben cumpriu sua promessa e disputou os Jogos Olímpicos de Barcelona, em 1992. Porém, não foi além das semifinais. Ao deixar o estádio, já no lado de fora, eu o chamei.

"Ben, aqui!"

Ele me viu e, mesmo cabisbaixo, fez questão de parar para falar comigo.

"Fiz tudo o que podia, mas não deu, meu amigo brasileiro. O Big Ben já não é mais o mesmo", disse antes de se afastar.

Até que ponto Ben poderia novamente recorrer às drogas proibidas para driblar o relógio?, pensei enquanto o via se distanciar, sozinho.

A resposta veio no ano seguinte. Ben foi mais uma vez apanhado num teste *antidoping* em uma corrida em Montreal. Usava os mesmos esteroides anabolizantes. Por se tratar de uma reincidência, Ben foi banido definitivamente do atletismo. O ministro dos Esportes Amadores do Canadá se referiu ao atleta como "desgraça nacional".

"Sugiro que Ben volte para a Jamaica", declarou, irado, em rede nacional.

Sempre se desconfiou da grande quantidade de atletas fazendo uso de substâncias proibidas, incluindo os três que ficaram com as medalhas em Seul após a desclassificação de Ben Johnson. Carl Lewis e Calvin Smith, dos Estados Unidos, e Linford Christie, da Grã-Bretanha. Este último chegou a ser flagrado em exames anos depois por consumo de substâncias ilegais. Mas Big Ben foi o único que admitiu usar drogas e o único que perdeu suas medalhas e seus recordes. Já o treinador Charles Francis, o mesmo que fora banido do esporte, morreu de câncer aos 61 anos, na mesma casa onde me recebeu. Um dia antes, recebeu a visita de Ben e lhe disse:

"Você sempre será meu maior orgulho."

10

A UM PASSO DA ETERNIDADE

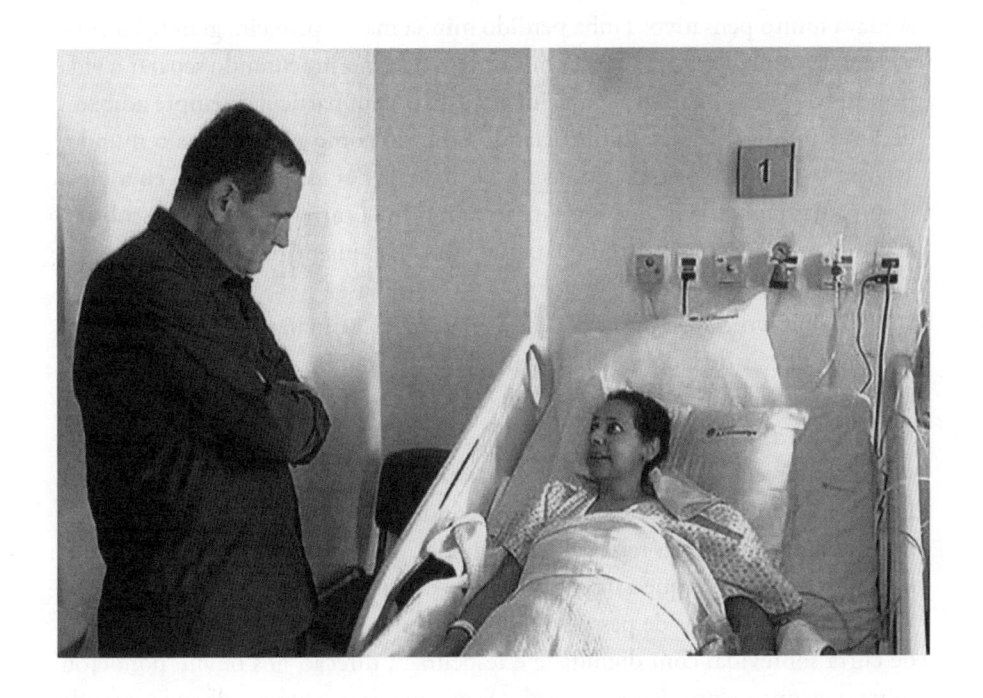

Neste capítulo, Roberto Cabrini nos apresenta Rosa, uma mulher que encara a morte com vivacidade. Diante de um fatídico prognóstico, ela está à espera de um milagre de cura do seu corpo físico – mas se isso não acontecer, estará satisfeita com a cura de sua alma. O que faz Rosa enfrentar seus últimos dias com um sorriso nos lábios? Quais são os seus pensamentos sobre a vida? O que faria diferente, se tivesse a oportunidade?

Em um relato emotivo e envolvente, Cabrini tenta encontrar respostas para essas e outras perguntas com a ajuda de Rosa.

* * *

Andava muito pensativo. Tinha perdido minha mãe, a primeira grande incentivadora de minha carreira, havia poucos dias. Mesmo procurando separar a vida pessoal da profissional, os acontecimentos de ordem particular sempre acabam, de um jeito ou de outro, influenciando o modo como percebemos o mundo, a nossa sensibilidade e, é claro, as nossas pautas. Foi assim que nasceu a ideia de uma das reportagens que mais marcaram minha carreira. Queria descobrir a resposta para a seguinte pergunta: o que muda na vida de uma pessoa ao tomar consciência de que está vivendo os seus últimos dias?

O objetivo do projeto era descrever reações humanas – e somente isso. Precisava deixar de lado ideias preconcebidas de cunho religioso ou filosófico (pelo menos de minha parte). Expliquei a pauta para a produtora Flávia Prado. De cara, ela se entusiasmou com as perspectivas do tema, ao mesmo tempo que sentia certo receio do campo em que entraríamos. Não era uma pauta habitual. Envolveria sensibilidade e delicadeza na condução.

As tratativas foram relativamente rápidas. Entramos em contato com um hospital e explicamos que a intenção era a de desmistificar o fenômeno da morte. Contaríamos histórias de pessoas com pouca ou nenhuma perspectiva de cura, de curta sobrevida, com dignidade e respeito. A direção nos ouviu, ponderou sobre o assunto e nos deu sinal verde. Senti que era o começo de uma jornada incerta. Será que valeria a pena?

Em poucos dias, minha equipe e eu estávamos diante de um prédio de fachada sóbria, com seus oito andares pintados de vermelho contrastando com as janelas brancas dos 441 quartos. Era a sede do A.C. Camargo, hospital de oncologia no bairro da Liberdade, em São Paulo. Foi combinado que teríamos acesso a uma ala de pacientes, em sua maior parte, terminais. Sofriam dos mais diversos tipos de câncer, muitos já em estado extremamente grave, de improvável recuperação.

Tenho que ser honesto... Entramos por aquelas imponentes portas do hospital com muitas dúvidas, poucas certezas e uma dose de angústia existencial. Os primeiros dias em nada contribuíram para atenuar as inquietações ou para solidificar minha convicção na validade da pauta que eu mesmo havia idealizado.

Mas, calma, já falo mais sobre isso daqui a pouco.

* * *

O relógio da vida, a morte. A um passo da eternidade. Os últimos dias de um ser humano.

"Você se considera preparada para a morte?", perguntei para a mulher diante de mim.

"Considero", respondeu ela, de modo sereno.

* * *

Ao caminhar pelos longos e silenciosos corredores do hospital onde 17 mil pacientes de câncer eram tratados todos os anos, o meu questionamento inicial para aquela reportagem atingiu o ponto máximo: até que ponto a proximidade da morte pode ser mais do que um fardo, tornando-se um tempo único de aprendizado e autoconhecimento?

Naquela manhã de segunda-feira, estava pronto para conhecer o grupo de médicas e enfermeiras responsáveis pelos cuidados paliativos. A missão delas é suavizar os momentos quase sempre derradeiros de pessoas com pouca ou nenhuma chance de cura.

Entrei na aconchegante cafeteria do hospital e ouvi vozes animadas conversando descontraidamente sobre amenidades do dia a dia. Em uma grande mesa redonda, vi um grupo de cinco mulheres sorridentes.

"Oi, Roberto Cabrini! Estávamos à sua espera", adiantou-se uma delas.

Ficou bem claro para mim que usavam aquele espaço como compensação para o ambiente tenso, repleto de dores e sofrimentos, com o qual conviviam diariamente.

Como em um jogral ensaiado de vozes, elas foram se apresentando:

"Eu sou a dra. Fabiana Gomes de Campos", falou a que acenou quando eu entrei, seu tom levemente grave chamando a minha atenção. A médica de cabelo castanho-claro e olhos grandes e expressivos estava grávida de quase sete meses.

"Eu sou a dra. Ana Paula Andriguetti." Com 28 anos, era a mais jovem do grupo. Sua presença reluzia como o reflexo do cabelo comprido.

"Prazer, dra. Luciana Dotta", disse uma médica ruiva, de ar compenetrado e calmo, igualmente jovem nos seus 33 anos.

Ao lado dela, estava uma enfermeira de 47 anos, cabelo loiro encaracolado e rosto redondo.

"Prazer, sou a enfermeira Ana Lúcia Teodoro!", disse, passando certa vibração.

A última a me cumprimentar foi a líder da equipe, a coordenadora médica.

"Olá, Roberto Cabrini. Sou a dra. Sandra Caires Serrano."

A médica de 46 anos e cabelo curto e escuro se destacava pela dicção impecável, própria de alguém acostumado a ensinar procedimentos médicos às mais jovens.

Esse foi o ponto de partida para muitas horas — quase dez dias a fio — percorrendo quartos, ouvindo histórias de sofrimentos, encontros e desencontros. Entre tantos casos nessa fase inicial, alguns depoimentos desafiadores foram marcantes para mim. Escutei o relato de um homem idoso, solitário, que raramente recebia visitas e vivia fechado em seu mundo; também ouvi a história de uma mulher que até era visitada pelos seus três filhos, porém quase sempre iam vê-la para discutir nervosamente a herança que ela deixaria a cada um. Para falar a verdade, eu me sentia pesado.

A hesitação começava a rondar a minha mente. Não queria produzir um documentário que fosse tão marcado pela melancolia, pela depressão, pela falta de propósitos. Em maior ou menor grau, encontrei no hospital pacientes desolados, revoltados com seu destino, tomados pela negatividade. Em muitos momentos, tive a impressão de que se consideravam mortos ainda em vida. Esse sentimento esmagador contaminava minha alma. Era difícil acordar sabendo que iria ao hospital para mais um dia de convívio. Cheguei perto de desistir do projeto, com receio de que a reportagem ficasse depressiva demais, com nada de relevante para transmitir. Ao mesmo tempo, porém, a minha intuição me dizia que isso estava para mudar. Será mesmo?

Em uma manhã de segunda-feira, eu cruzava o mais longo dos corredores do hospital quando avistei, bem ao fundo, uma das médicas puxando de leve a minha produtora Flávia pelo braço e, em seguida, olhando em minha direção. Apressei o passo, aproximando-me delas em tempo de ouvir a última frase:

"O Cabrini precisa conhecer a Rosa."

A voz era a da médica mais jovem, Ana Paula. Nós a chamávamos carinhosamente de "Dra. Baby", devido à sua juventude, seu bom humor e jeito extrovertido de falar alto. Quanto a mim, naquele momento, não tinha nada a perder. Topei.

No dia seguinte, a mesma Dra. Baby estava à minha espera.

"Vou levá-lo ao quarto 4010."

Enquanto caminhava em direção ao quarto – do lado direito da ala dos pacientes terminais, era um dos últimos – procurei me certificar com a médica:

"Ela quer mesmo conversar comigo, doutora?"

"Sim, ela quer conversar com você", confirmou. A resposta aguçou a minha curiosidade.

Quando entrei pela porta do 4010 e disse bom-dia, fui recebido com um surpreendente entusiasmo, percebido na entonação de poucas palavras:

"Bom dia! Muito prazer, sou a Rosa!"

A dona daquela doce voz estava deitada na cama, vestindo uma camisola branca cheia de figuras de pequenas folhagens pintadas em verde. Seu cabelo era curto e encaracolado; os grandes e sagazes olhos se harmonizavam com o rosto redondo, muito alvo, de traços finos e delicados. Mesmo pálida e visivelmente debilitada, tratava-se de uma mulher bela, em seus 37 anos. Logo percebi que o sorriso fácil e amplo era a sua marca principal. Mas não era só isso. Rosa emanava algo diferente, uma espécie de luz que, naquele momento, eu não consegui entender bem. Em uma observação mais atenta, notei seus dentes deteriorados. Nada disso, porém, ofuscava seu carisma incomum.

"Tudo bem, Rosa?"

"Tudo bem!"

"Que sorriso lindo!" Foi o que consegui falar. Ainda não havia me recuperado da surpresa daquele encontro.

"Obrigada!"

"Não falei que a Rosa era bonita?", comentou uma enfermeira que entrava no quarto.

"Muito bonita", concordei. "Muito simpática também."

"Obrigada, prazer em conhecer."

"O prazer é todo meu."

Assim conheci Rosa Iria Meira Fitipaldi ou, simplesmente, Rosa. Como repórter, sempre fez parte da minha rotina conhecer personagens de matérias, mas aquele momento era diferente. Naquele instante, eu sequer imaginava, mas nascia uma relação de amizade que produziria grande impacto em mim.

"Podemos conversar um pouco?"

"O tempo que você precisar."

"Por que você fez questão de me receber?"

Rosa sorriu outra vez.

"Eu já conhecia você pela televisão, e acho o seu trabalho lindo. Surgiu uma oportunidade: por que não a abraçar?", explicou-me entre risos.

Já bem à vontade, Rosa me mostrou uma coleção de fotos da família e dela própria antes da internação. Me chamou a atenção como pouco tempo atrás era uma mulher de beleza deslumbrante. Era ainda a esposa dedicada do dono de uma empresa que organizava casamentos, e mãe visivelmente amorosa de um casal de adolescentes.

Rosa descobriu o câncer no ovário havia três anos. Já tinha passado por mais de 50 sessões de quimioterapia. Na época em que nos conhecemos, o câncer havia se alastrado por toda a região abdominal. O que se podia fazer naquele momento era aliviar seu sofrimento.

"O que você sabe sobre a sua situação?"

"Tudo!"

"Por exemplo?"

"Que é uma doença terminal, que não tem cura", respondeu-me com naturalidade. "Que tudo que a medicina tinha para me oferecer, já me foi oferecido."

O modo como enxergava sua situação impressionava. Não havia sinal de contrariedade, revolta ou irritação em sua voz ou fisionomia. Não reclamava de sofrer de uma doença cruelmente avassaladora mesmo sendo tão jovem, com tanto ainda a fazer.

Dois dias depois, eu a encontrei pela segunda vez. Novamente ela me recebeu demonstrando alegria incomum. Parecia, às vezes, até que havia recebido a notícia de que descobriram a cura para a sua enfermidade. Mas a realidade não lhe apresentava perspectivas. Após as conversas iniciais protocolares, ela segurou minha mão direita e disse:

"Não tenha medo. Pergunte o que quiser."

Observei-a atentamente. A seu modo, ela me transmitia o seu desejo de desmistificar a morte, a impossibilidade de lutar pela vida.

"Você se considera preparada para a morte?"

Rosa assentiu com a cabeça.

"Considero, eu me considero. Você começa a avaliar a sua vida e se prepara para morte."

"É o que você está fazendo?"

"É o que eu tenho feito!"

Rosa havia se entusiasmado com a proposta da reportagem, dizendo que fazia questão de ir até o fim. Minhas visitas a ela tornaram-se regulares. As descobertas eram diárias. Estava diante de alguém que me surpreendia a cada encontro, a cada conversa. Arquivei definitivamente a intenção de abandonar a matéria.

"O que é a morte para você?"

"O que é a morte para mim?" Pausadamente, ela repetiu minha pergunta, dirigindo o olhar sereno para o infinito, antes de responder: "É sair desse plano material e passar para um espiritual, muito melhor".

"E você encara isso sem medo?"

"Sem medo, sem medo!" Os olhos mostravam mais do que resignação: expressavam convicção. O que de fato ela tinha descoberto naqueles dias derradeiros?

"Você sente que fez tudo que poderia?"

"Não, não fiz tudo. Não terminei de cuidar dos meus filhos."

"Você passou sua vida em revista?"

"Passei... É o que eu mais fiz, Cabrini. Já conversei muito com os meus filhos e com a minha família. Chegou a hora de ir além, de não ficar só nisso."

"Como assim?"

Rosa sorriu levemente antes de continuar.

"Olha, Cabrini, eu acho que às vezes, mesmo sem querer, acabamos magoando as pessoas ao longo da vida."

Entendi melhor o que ela queria dizer. Com seu pequeno *smartphone*, Rosa vasculhou relacionamentos recentes e antigos, fazendo questão de procurar quem ela pensava ter magoado. Não que Rosa tivesse feito algo sério contra aquelas pessoas. Todos que a conheciam a descreviam como "alguém do bem".

Quando sozinha em seu leito, insistia que queria assumir eventuais erros. Assim, pedia desculpas por atos do cotidiano – algo, na minha opinião, desnecessário. Mas esse era o jeito de Rosa.

Ela me disse que a conversa mais emocionante que tivera fora com o ex-marido, com quem se desentendera no passado.

"Mas contarei essa história para você nas próximas visitas", prometeu, piscando o olho direito para instigar a minha curiosidade.

Rosa parecia ainda mais aliviada naquele dia. Ela tinha plena consciência de seu quadro irreversível, mas isso não a impedia de sentir-se feliz e tranquila.

"Neste instante, você sente que a sua hora está chegando?"

"Sinto que não está muito longe, não!" O seu sorriso amplo apareceu.

"E você consegue dizer isso com esse sorriso no rosto?"

Seu lado de mulher de fé começava a aparecer. Rosa era uma cristã fervorosa.

"Consigo, porque eu estou bem. Quando estamos com Deus, quando estamos bem espiritualmente, não temos motivos para temer. Você vai morrer um dia, eu vou morrer um dia."

Achei melhor quebrar um pouco o clima, já bem emocional.

"Como você conta a história da sua vida, Rosa?"

"Como que eu conto? Com naturalidade", respondeu. "Nasci no dia 7 de agosto de 1976, tive mais seis irmãos. Trabalhei como auxiliar administrativa, me casei. Tive meus dois filhos, que são uma bênção de Deus: David, com 16 anos, e Gabriele, que vai fazer 13 anos."

***

É em Presidente Epitácio, a 650 quilômetros de São Paulo, onde começa a história de Rosa. Com apenas 43 mil habitantes, a pequena cidade está às margens do rio Paraná, no interior paulista.

O vídeo de família que Rosa pediu que me entregassem mostrava a sala da casa simples, de classe média, onde ela vivia antes de se internar em São Paulo. As imagens me transportaram para um dia especial em outubro de 2010. A união já existia, mas Rosa e Ricardo decidiram oficializar o relacionamento.

As portas da igreja se abriram. O filho David, menino magro e alto, conduziu Rosa ao altar; a filha Gabriele, cujo rosto lembrava muito o da mãe, era sua dama de honra. Rosa estava exuberante em um vestido branco com rendas, usando véu e grinalda, ao lado de José Ricardo, que trajava terno preto e uma gravata também de cor escura.

Ao final da cerimônia, o pastor encerrou solenemente:

"O que Deus uniu jamais separe o homem."

Rosa se voltou a Ricardo, declarando, ao mesmo tempo, uma promessa e um pedido:

"Eu te amo muito. Deixo meu juramento de que completaremos muitas bodas... De prata, de ouro e quantas Deus permitir!"

De volta ao quarto 4010, quando contei a ela que tinha visto as imagens do casamento, rapidamente a coloração de seu rosto ganhou tons mais rosados. O olhar de Rosa parecia se perder, lembrando-se da cerimônia.

"Foi o dia mais feliz da minha vida", confessou.

"Você pensa muito nesse dia?"

"Penso, sinto saudades dele. Hoje mesmo eu estava revendo algumas fotos."

"O que você pensou?"

"Se fosse possível, eu o viveria de novo..."

Um retrato da felicidade plena.

"Você vai levar esse dia em seu coração para sempre?"

"Para a eternidade."

Rosa me contou que pretendia despedir-se de todo mundo se tivesse tempo suficiente. Seu marido, porém, não estava conseguindo lidar muito bem com a despedida.

"Ricardo não tem a mesma facilidade que você para aceitar, né?"

"É, não tem. Ele tem sofrido muito, está deprimido. Não aceita a minha morte. Simplesmente não aceita. Fica repetindo 'Como vou viver sem você?', e eu tento lhe explicar, dizendo que a vida dele vai mudar, mas vai continuar... Ele terá a chance de conhecer outra pessoa e se casar novamente."

"Você realmente deseja isso, Rosa?"

"Sim, desejo de verdade. Assim como eu, Cabrini, ele é jovem. Tem apenas 38 anos."

"E você não sente ciúme quando fala isso?"

Rosa abriu o sorriso contagiante que eu já conhecia bem.

"Por que teria ciúme? Nem vou mais estar aqui."
"Isso se chama desprendimento", disse ao segurar a sua mão.
"Total, Cabrini."
"E o que você gostaria de falar, de deixar gravado para o seu marido?"
"Ahhhh, que eu o amo muito, eu o amo muito! Sempre! Vou levar esse amor para a eternidade."
"Você quer que ele saiba disso?"
"Com certeza! Mesmo quando eu não estiver mais aqui."

Rosa assumia, em momentos como aqueles, ares de sabedoria. A expressão de reflexão estampada em sua face indicava que sua mente divagava em sonhos e desejos.

"Se no céu Deus nos desse a oportunidade de viver ao lado da pessoa que amamos aqui na Terra, esse seria o meu pedido", afirmou. "Pediria a Deus que me permitisse encontrar com Ricardo no céu e viver com ele! E também com meus dois filhos! Soa até estranho eu te dizer o que sinto no meu coração, Cabrini... Sinto uma alegria que não sei explicar!"

* * *

Rosa e suas lições de vida roubavam a minha atenção. Eu passava dias e noites no hospital, na sua companhia ou na da equipe médica que a atendia. Seu quadro de saúde tornara-se ainda mais delicado. Respirava com muita dificuldade, quase sempre precisando fazer uso de máscara de oxigênio, além de potentes analgésicos conectados diretamente em suas veias.

Eu procurava animá-la, mas, em geral, era ela quem acabava me consolando, dizendo que não queria que eu me entristecesse com a sua situação. Tentar racionalizar a circunstância era uma espécie de antídoto para enfrentar aquele quadro de impotência. Toda hora eu me pegava pensando: *Bem que podia existir um jeito de curá-la...*

Mas não havia.

Também procurava sempre manter contato com as médicas. Aos poucos, sentia-me mais próximo delas. A aproximação surgiu entre conversas na cafeteria e caminhadas nervosas nos longos corredores do hospital. Às vezes, eu as acompanhava até uma grande sala com piso de mármore e bancos de madeira. O lugar era conhecido como espaço ecumênico, um centro de introspecção, onde preces e meditações podiam ser feitas sem exigência da fé professada.

"Existe esse negócio de último desejo aqui?"

"Existe!", responderam quase ao mesmo tempo três das médicas, enquanto tomávamos café.

"O que já viram como último desejo?"

A dra. Fabiana lembrou que um paciente de Santos, certa vez, perguntou-lhe: "Doutora, eu posso comer ostra e tomar cerveja?"

"Claro que pode, Seu Nilton."

A médica riu ao recordar a história, e prosseguiu:

"Então, os filhos atenderam ao pedido. Fizeram uma festa."

"E o paciente?"

"Acabou partindo no dia seguinte à festa, mas bem mais aliviado. Eles fizeram uma farra! Naquele dia, aprendi que você morre do jeito que vive. Se levou uma vida com sentimentos represados, em meio a invejas e intrigas, brigando com todo mundo, são com essas coisas que você vai lidar no final."

E a dra. Luciana arrematou:

"Se você é uma pessoa tolerante, solidária, positiva... Assim também serão seus últimos dias e minutos." Naquele momento, sua cabeça parecia estar povoada por casos que acompanhara ao longo da carreira.

* * *

Jornalistas costumam se sentir mais seguros e confiantes quando as reportagens podem ser planejadas dentro das redações. Muitas vezes, repórteres saem às ruas apenas para confirmar uma tese previamente estabelecida. É a ditadura da redação, um vício comum na estrutura de produção de matérias. Neste caso, estávamos ao sabor dos ventos da sabedoria de uma mulher simples e ao mesmo tempo fascinante. Para quais caminhos, para quais ondas da psique humana ela nos levaria?

Essas águas nunca navegadas envolviam valores existenciais que transcendiam a frieza dos fatos com os quais nos sentimos confortáveis nesta profissão. O ato contínuo de limitar-se à descrição de acontecimentos impede-nos de entrar no terreno de nossas eventuais fraquezas psicológicas.

Rezam os mandamentos do bom jornalismo que não devemos construir identidade emocional com entrevistados – isso poderia prejudicar a isenção de nossos relatos dos acontecimentos. Mas essa estava longe de ser uma matéria da cartilha-modelo. Era uma viagem diferente, indo além das fronteiras da idealizada relação equidistante e impessoal entre entrevistador e entrevistado. Eu abria concessões emocionais. Eu me permitia sentir. Admitia que laços haviam se fortalecido. Já não via Rosa apenas como uma personagem. Mais do que um repórter, havia me transformado em seu amigo, um confidente. Estaria errada essa atitude?

Com o passar dos dias, percebi que sempre que entrava naquele quarto eu saía diferente. Dentro do 4010, sabia que seria golpeado em minhas habituais tentativas de permanecer na zona de conforto – aquela onde represamos carências com os socos certeiros da razão.

"Como quer ser lembrada, Rosa? Qual mensagem quer deixar?"

Os olhos dela saltaram. A voz ganhou um tom de menina, e ela segurou meu braço. Sempre fazia isso quando queria que eu prestasse ainda mais atenção no que estava para me dizer.

"Quero ser lembrada como a Rosa alegre... a Rosa festeira!", declarou. "E deixar uma mensagem de amor... Que as pessoas não sejam tão egoístas, que amem umas às outras."

"Você mais amou ou mais odiou nessa vida?"

Rosa respirou fundo e tirou a máscara de oxigênio presa ao rosto. Afrouxou um pouco as sondas conectadas a ela para se ajeitar no travesseiro branco. Após um instante, respondeu:

"Mais amei... mais amei! O ser humano veio ao mundo para amar, não veio pra odiar."

"Praticou muito o amor?"

"Sim, e pratico até hoje. Mesmo em um leito, passo amor sempre que possível!"

"Quais reflexões você faz desse momento, Rosa?"

"É...", pensou um pouco antes de continuar: "A vida é tão curta para as pessoas se importarem com coisas tão pequenas... Se todo mundo fizesse o bem sem olhar a quem..."

"É verdade que você pensa: *Se eu tenho só mais sete minutos, vamos fazer esses sete minutos dignos*"?

"Dignos e felizes. É o que penso e o que tenho feito", disse, em seguida recolocando a máscara. Estava ficando mais ofegante.

"Quer dizer, não é um segundo a menos de vida, é um segundo a mais."

"Sim, é um segundo a mais", ela concordou, detrás do respirador. "É o que eu sempre falo: o dia que eu morrer, vou morrer sorrindo!"

"Exatamente como está sorrindo agora?"

"Isso, eu vivo assim!"

A conversa seguiu um rumo inusitado quando lhe perguntei o que vinha fazendo nos últimos tempos que considerava bacana.

"Comer – quando eu posso, né?!", respondeu.

"E qual é o seu prato favorito?"

"Eu gosto muito de feijoada!" A voz saiu mais forte, com ela praticamente gargalhando atrás da máscara.

"Ah!" Segurei levemente a sua mão. "Se deixarem, vou trazer uma feijoadinha para você, pode ser?"

"Opa, claro! Traz que a gente manda brasa."

Naquele dia, saí de lá embalado em suas belas mensagens e com planos de lhe fazer uma surpresa.

***

Novo dia no hospital A.C. Camargo. Encontrei uma Rosa ainda mais debilitada. A noite havia sido difícil, de intensas dores no corpo. Os altos e baixos da doença.

A dra. Fabiana entrou no 4010 e pôs-se a examinar a paciente.

"Vou colocar uma dose contínua para controle da falta de ar", explicou a Rosa. "A morfina funciona melhor assim!"

A dedicação e a sensibilidade da médica costumavam confortar Rosa.

"Eu estou aqui, meu amor, não precisa ficar com medo!"

Não demorou para a medicação surtir efeito. Rosa começou a respirar melhor, relaxando a expressão de dor antes de adormecer. Deixamos o quarto em silêncio. Assim que a porta se fechou, já no corredor, a médica me confidenciou:

"As coisas não estão muito fáceis. A Rosa não está tão plena como ela é!"

***

No dia seguinte, quando entrei no quarto, deparei-me com outra versão da Rosa. Uma bem mais animada que a do dia anterior. Ela e a médica conversavam, e pude perceber o quanto eram próximas. A "ironia" da vida: a doutora, grávida de seu segundo filho, cuidava da fase final de Rosa.

Aproveitei a presença das duas e perguntei à Rosa:

"O fato de ela estar gerando uma vida mexe com você?"

"Muito. É uma bênção de Deus."

Rosa passou a mão docemente na barriga da médica e sussurrou, intercalando o olhar entre mim e a doutora grávida:

"Eu já cumpri o meu propósito na vida, e a criança que está aqui cumprirá o dela!"

"Bonito, isso!", eu disse, enquanto Rosa continuava acariciando a barriga da médica.

"Deus abençoe muito essa vida. Que ela venha cheia de saúde, trazendo muita alegria e paz para o seu lar. Que acrescente amor na sua família!"

Os olhos da médica ficaram marejados, e lágrimas logo escorreram no rosto de pele alva. Suas mãos, cujos dedos elegantes exibiam unhas impecavelmente vermelhas, entrelaçaram-se aos frágeis e amarelados dedos de Rosa. Emocionada, a médica balbuciou algumas palavras de gratidão a Rosa. Antes de continuar, parou para recobrar o fôlego e enxugar as lágrimas.

"Você é uma bênção, Rosa! Se todo mundo tivesse a oportunidade de ouvir cinco minutos do que você tem a dizer!"

Rosa decidiu que era o momento de refrear aquele trem repleto de emoções. Estrategicamente, tirou da cartola sua frase símbolo – aquela que tinha a sua cara:

"*Bora* ser feliz enquanto há tempo, né!"

"É, pois é! Até amanhã, Rosa!" Doutora Fabiana sorriu e se despediu. Tinha sido um dia inesquecível para ela.

* * *

De tempos em tempos, as amigas de infância de Rosa viajavam dez horas de ônibus, de Presidente Epitácio à capital, para visitá-la.

Nesses encontros repletos de lembranças, Rosângela e Danielle – suas amigas mais próximas – alegravam o dia de Rosa. Elas me contaram que na cidadezinha natal não havia um habitante sequer que não a conhecesse. Confirmaram que Rosa havia sido uma jovem de beleza fulgurante e muito poder de comunicação, o tipo de pessoa que não deixava que ninguém ao seu redor ficasse triste.

Enquanto as amigas de longa data trocavam confidências, encontrei-me no espaço ecumênico com a dra. Sandra Serrano, coordenadora das médicas. Seu tato de cientista amenizava o cenário de iminência de perda.

"Doutora, qual a parte mais difícil em cuidar de pacientes terminais?"

"O grande desafio é tentar trazer um pouco de apoio e acolhimento em meio a um contexto de perda."

"O que aprendeu nesses anos todos?"

"A valorizar as pequenas coisas… Algo que observamos muito é que as pessoas ligam doença a envelhecimento. Isso não é real. Há muitos jovens doentes e muitos idosos saudáveis."

"O que este lugar significa para a senhora?", perguntei, apontando para a sala do espaço ecumênico.

"É um refúgio."

"Vem bastante aqui?"

"Sim. Muitas vezes você precisa de um momento de tranquilidade, um momento… de reflexão mesmo."

* * *

Naquela manhã, decidimos fazer algo diferente. Solicitei autorização para acompanharmos a rotina da médica que cuidava de Rosa, a dra. Fabiana. Ela vivia com o marido – um neurocirurgião – e o filho pequeno em um apartamento confortável na Saúde, distrito nobre da Zona Sul de São Paulo.

O dia começava cedo para a médica. Chegamos à sua casa na hora do desjejum. Um pedaço de pão com manteiga, algumas frutas, uma xícara de café com leite e pronto. A médica e o filho já estavam preparados para sair de casa.

"Tudo bem rapidinho, que o dia é corrido!", avisou ela. "Agora vamos deixar o Miguel na escola, e partir para mais um dia de trabalho."

A etapa "mãe" acabava ali, e a etapa "médica" estava prestes a começar, a caminho do hospital.

"Bom dia, tudo bem?", Fabiana cumprimentou os colegas de trabalho ao chegar à sala dos médicos. Trocou algumas palavras amistosas com eles, leu rapidamente o relatório de intercorrências médicas da noite e da madrugada e começou a vestir o jaleco enquanto abria a porta, ganhando o corredor do hospital.

"Vamos começar a rotina do dia, verificar os pacientes internados. Hoje eu vou começar pela UTI."

Andando apressadamente entre as alas, a doutora continuou explicando a sua filosofia de trabalho:

"Sempre brinco que tenho mais interesse em dar vida aos dias desses pacientes do que dar dias de vida a eles. Não importa quanto – importa como."

Naquela manhã, a paciente do 4010 estava particularmente agitada. A médica notou isso antes mesmo de examiná-la, com o estetoscópio ainda pendurado no pescoço.

"Rosa, você acha que de noite piora porque tem um componente de ansiedade maior?"

"Sim…"

"O marido e as crianças vêm no final de semana?"

Rosa confirmou a informação. Disse que achava estar ansiosa com a visita, pois sentia muita saudade deles.

* * *

Dias e semanas se passaram. Quando cheguei ao hospital naquele dia, comecei a me questionar se aquelas gravações estavam sendo positivas para Rosa. Estaria eu incomodando a paciente?

Começávamos mais uma filmagem no 4010, e o cinegrafista Daniel apontou a câmera para mim:

"Gravando!"

"Hoje é quarta-feira, 12 de novembro de 2014. Estamos ao lado da Rosa, que a essa altura já posso considerar minha amiga. Posso? Posso falar isso, Rosa?"

"Com certeza!"

"E como é que você se sente hoje, Rosa?"

"Amanheci com um pouquinho de dor."

"*Tá* fazendo bem para você a gente estar aqui acompanhando tudo?"

"Sim!"

"Vem sendo bacana?"

"*Tá* sendo muito legal, muito bom. Faz a gente se sentir um pouco mais viva todo dia."

Aquelas palavras foram ditas com tanta convicção, que desde aquele momento não tive mais dúvidas de que os nossos encontros faziam bem a ela. Confrontada com as minhas perguntas, ela aumentava suas certezas e se sentia mais perto de alcançar suas buscas pelo sentido de tudo. A imagem de Rosa tateando as fronteiras entre uma vida que terminava e outra que começava era muito forte em mim.

"Vi que você ficou muito tocada ao conversar com a doutora sobre uma vida sendo gerada…"

"Você sabia, Cabrini, que eu descobri o câncer porque eu queria ter mais um bebê?"

"E como foi isso?"

"Estava fazendo tratamento para engravidar novamente e precisava passar por uma cirurgia. Quando o médico abriu, ele encontrou o câncer."

"Você não sentia nada antes?"

"Nunca senti nada!"

Observando Rosa, pensei por rápidos instantes em como a vida é repleta de reviravoltas. Mas eu estava ali também para cumprir algo que lhe havia prometido dias antes.

"Lembra que você me fez um pedido da última vez?"

"Sim, disse para você trazer feijoada!", riu ela.

A resposta dela foi a senha para que eu mostrasse uma bolsa estrategicamente mantida, até então, longe do seu olhar. Retirei as vasilhas de plástico e, em seguida, servi uma feijoada para ela. Rosa não cabia em si de alegria. Estava hipnotizada pela imagem do feijão preto, lombo, paio, carne-seca, couve refogada, farofa, arroz. Ajeitei o prato com os talheres em seu colo.

"Fiz o meu melhor, espero que você goste!"

Ela comia com expressão de satisfação.

"Rapaz, isso é bom demais! Foi você mesmo quem fez?"

"Foi a minha esposa."

"Glória a Deus! Mãos abençoadas!", elogiou entre uma garfada e outra. "Isso aqui é bom demais! Bom, muito bom!"

"A beleza da vida é feita por pequenos prazeres, né?!"

"Sim, com certeza. E pensar que as pessoas ficam buscando os grandes prazeres, sem saber que os pequenos são os melhores. Sabia disso?"

"Estamos aprendendo isso com você!"

Rosa não parava de dizer, enquanto se refestelava, que a feijoada estava deliciosa.

"A sua fé é inabalável, né?", comentei.

"Fé é algo que ou você tem, ou você não tem."

"E nada abala a sua?"

"Não, nada abala a minha fé!"

Essa matéria vinha surtindo grande impacto em mim. As médicas estavam impressionadas. Observaram que a paciente terminal surpreendentemente conseguira renovar sua energia. Em condições normais, ela já não estaria mais ali. Documentar e compartilhar seu legado havia dado um propósito à jovem e enferma mulher. E com esse novo foco surgiam novas forças que a medicina não explicava. Rosa estava engajada em uma missão: revelar quem ela era de fato, mostrar os limites entre a vida e a morte, a fé e a lógica.

"O que essa fase da sua vida mudou em você?"

"Muita coisa. Antes eu trabalhava, trabalhava, trabalhava… Hoje eu vejo que não foi tudo em vão, mas uma boa parte do meu tempo foi perdida. Penso nos momentos em que deixei de estar com meus filhos para trabalhar."

"E você mudou para melhor?"

"Mudei. Graças a Deus, eu mudei! Tive o tempo e a oportunidade de melhorar como mãe e como filha."

"Com quem você acha que fez o reparo principal?"

"Com os meus filhos. A gente não tinha tempo para comer pipoca juntos, por exemplo."

"Se pudesse voltar no tempo, o que faria diferente, Rosa?"

"Assistiria a todas as apresentações dos dois na escolinha!"

"Você conseguiu falar isso para eles?"

"Sim, pedi perdão aos meus filhos. Pedi que me perdoassem pelos momentos que devia estar presente na vida deles, mas não estava."

Parei de falar e passei levemente a mão direita em sua cabeça, que transpirava. Era como se eu tentasse aliviar aquela sensação de culpa que ela sentia naquela hora.

"Mas, Rosa, você estava trabalhando, ganhando o pão nosso de cada dia!"

"Sim, mas tem limite, né?!"

"Então, você acha que daria para ter feito diferente?"

"Ah, Cabrini… Sim, com certeza."

* * *

À noite, em casa, antes de ir dormir, notei que havia uma mensagem privada de Rosa para mim em uma rede social: "Cabrini, amanhã vou te contar sobre a conversa com meu ex-marido, que comentei com você outro dia". Digitei uma resposta para ela: "Ok. Estarei aí no hospital amanhã".

No fim da tarde seguinte, Rosa sorria diferente quando entrei em seu quarto. E, depois, eu entendi o motivo. Era uma jornada de muitas reflexões e questões mal resolvidas.

"Nos últimos dias, você mais perdoou ou foi perdoada?"

"Fui muito perdoada! Fui perdoada pelos meus filhos, pela minha família, por alguns amigos."

"Vai mesmo me contar sobre a questão do seu ex-marido?"

"Sim, vou. Pedi perdão ao meu primeiro marido, o pai do meu filho."

"Perdão do quê?"

Rosa desviou o olhar e suspirou longamente.

"Por ter casado com ele... Eu casei para sair de casa, o que não foi justo com ele!"

"E ele não sabia disso?"

"Não, não sabia. Mas prontamente me perdoou!"

Rosa aproveitava seus últimos dias para aliviar arrependimentos.

"Tanta gente deixa de fazer isso, né, Rosa?", comentei, pensando alto.

"Não fazem por puro orgulho! O orgulho mata as pessoas, Cabrini."

Rosa não parava de me surpreender. Eu me questionava até onde ia a fé dessa mulher que tanto falava em Deus. Decidi falar sobre isso.

"Você acredita em milagres?"

"Acredito. Eu vivo esperando um! Creio na minha cura! Gostaria muito de sarar e recebê-lo na minha casa."

"Opa! Convite aceito! Nada é impossível na vida, certo?"

"Exatamente. Deus pode me curar fisicamente ou me levar, pois curou a minha alma."

"Ou seja, se você não sarar, isso não significa que Deus tenha falhado."

"Significa que ele curou a minha alma, e isso é mais importante. É a minha vida eterna!"

Uma a uma, Rosa foi se despedindo das pessoas que amava.

Naquele dia, ela se encontrava com os irmãos e a mãe, dona Severina, que a criou praticamente sozinha. Um filme de belas e emocionantes memórias passava na cabeça das duas. O nascimento das crianças, as brincadeiras em casa e na rua, as descobertas, os almoços de domingo, as broncas, os chamegos amorosos.

"A senhora deve se lembrar de quando ela nasceu...", falei com dona Severina.

"Lembro até da hora que ela nasceu."

"E o que a Rosa tem sido na sua vida?"

"Uma filha muito fiel, muito companheira."

O tempo, sempre o tempo. Implacável, desafiador, insensível. O estado de Rosa se deteriorava rapidamente. Na madrugada de uma sexta-feira de novembro, a sua família desembarcou no terminal rodoviário do Tietê, em São Paulo. De lá, o marido Ricardo e os filhos David e Gabriele seguiram para o hospital com o coração apertado.

Em uma sala, a dra. Fabiana reuniu a família de Rosa. Sentados em um sofá, não arriscavam uma palavra, como se o silêncio pudesse mudar a realidade do que lhes seria dito. Quando, enfim, a médica começou a falar, escolhia cada palavra com cuidado.

"Estamos em um momento muito difícil. Vocês acompanham de perto e sabem da gravidade da doença. Nesses últimos três dias, percebi que Rosa vem dando um sinalzinho que me deixou em alerta, e hoje isso se confirmou."

Os filhos começaram a chorar, enquanto o marido tinha os olhos fitos no chão, como se estivesse perdido. A médica tentou ampará-los com a ternura de um olhar solidário, treinado para situações assim.

"Quero compartilhar isso com vocês, porque o vento de hoje pode ser o vento final... Pode ser a complicação que levará Rosa. Então, eu preciso muito da ajuda de vocês. O nosso objetivo agora é deixá-la confortável, sem dor, sem sofrimento."

A hora das despedidas chegara. Não havia como negar essa verdade.

"A paz dela...", disse Ricardo, soluçando. "A paz que ela transmite mesmo em um momento como esse..."

"E aqui?", a médica bateu levemente no peito dele, apontando para o coração. "Está em paz?"

"Está difícil!"

"Estaremos por perto, vocês não ficarão sozinhos. Acho que é o momento de vocês estarem juntos, e junto dela. Ela vai precisar muito de vocês." A médica fez uma pausa e depois completou em um tom mais alto, quase animado: "Agora vamos lá paparicar a Rosa".

Naquele dia, a família conversou até de madrugada. Recordaram todos os momentos importantes que passaram juntos. Lembraram-se dos medos, das alegrias, dos planos, das conquistas e das vergonhas. Risadas altas se misturaram a choro, e, então, os risos predominaram.

＊＊＊

Na tarde de 18 de novembro de 2014, sem planejamento de gravação, senti vontade de visitar Rosa. Chegando ao hospital, descobri que ela não passava bem. Mesmo assim, os médicos permitiram que eu seguisse sozinho ao quarto

4010. Não sabia bem por que, mas caminhei mais rápido que o normal, quase corri naqueles bem conhecidos e extensos corredores.

Entrei com ainda mais cuidado naquele quarto.

"Oi, Cabrini...", disse uma voz bem fraquinha, candidamente. "Que bom que você está aqui..."

Eu não sabia, mas aquele seria o nosso último encontro, depois de três meses de convívio tão intensos que mais pareciam três décadas. Tentei dizer-lhe que não gravaria nada, pois aquilo era o que menos importava. Rosa segurou minha mão, como fazia quando queria me dizer algo importante, e insistiu:

"Não vamos parar a nossa missão."

Eu não havia levado comigo um cinegrafista e nem sequer uma câmera.

"Onde está o seu celular?", sorriu, sugerindo uma alternativa.

"Você agora está me ensinando meu ofício, né?!", correspondi à descontração.

Quando liguei a câmera e vi sua imagem em meu *smartphone*, ela sorriu como um anjo.

"Como se sente hoje, Rosa?"

"Hoje estou um pouco cansada."

"É?"

"É... Cansada, dorminhoca."

Mesmo cansada e abatida, continuava sendo a Rosa. Sempre positiva, alegre, a mulher de fé. Sua mensagem gravada em uma fala sorridente e meiga não poderia ter mais o jeito Rosa de ser:

"*Bora* ser feliz enquanto é possível! Este é o dever do ser humano: ser feliz! É isso!"

Três dias depois, uma brasileira – mãe, filha, esposa – morreu no quarto 4010. E tudo aconteceu como ela imaginou. Rosa estava dormindo, serena.

Lembrei-me da sua última resposta à minha última pergunta no nosso último encontro.

"A vida valeu a pena, Rosa?"

"Valeu, sempre vale. Quando se vive honestamente, quando se vive com dignidade, sempre vale!" Sorriu abertamente. "É isso aí! Então, *bora* ser feliz!"

No dia de sua morte, escrevi em meu diário de bordo:

"Trajetórias, biografias, ganhos e perdas, início e fim, recomeço.

Corredores que tinham tudo para serem frios, mas não são.

O tempo pode ser o senhor da nossa vida ou apenas uma referência de humildade. Rosa foi a prova viva de que os últimos momentos de um ser humano podem, sim, ser os melhores, os mais genuínos, os que de fato representam a essência, principalmente quando se aprende a agradecer, perdoar, agregar... e, por que não?, sonhar até o último momento."

Passados vários anos de sua morte, sua imagem permanece viva e forte em minha mente. Não há uma única semana em que alguém não me pare para falar sobre ela, sobre o impacto que sua história provocou. Rosa teve o dom de fazer milhões de pessoas usarem o caso dela para um exame profundo sobre como lidar com a perda de entes queridos. Era frágil externamente, e uma fortaleza por dentro. Ao seu modo, a mulher magra e sorridente ofereceu alento, consolo e explicações para as inquietações mais dolorosas que a morte traz junto de si. Forneceu harmonia onde antes havia apenas inconformismo.

O legado de Rosa é inestimável. Ao encarar a própria morte, com coração leve e cabeça erguida, mostrou-nos que a vida humana não deve ser medida pela quantidade de dias — mas, sim, pelo conteúdo vivido em cada segundo, inclusive nos últimos.

CONCLUSÃO:
CONVERSA COM A ALMA

Olha, pessoal, o bom é que relatei tudo isso, todas essas histórias e aventuras sentindo na pele a emoção e a adrenalina viciante da profissão. Como se fosse a primeira vez, com o prazer típico do iniciante... É como me sinto mesmo depois de tantos anos correndo atrás das histórias. O jornalismo me deu mais oportunidades do que eu poderia imaginar. Olhando para trás, passa um filme movimentado, daqueles de perder o fôlego. Vejo coberturas de guerras e dos principais fatos históricos do país e do mundo; centenas de reportagens investigativas; 5 Olimpíadas; 5 Copas do Mundo; além de coberturas em cerca de 70 países, 200 documentários, 6 mil reportagens, um milhão de emoções. Mas olhar para o que passou é algo raro no meu dia a dia. Para mim, a melhor matéria é sempre a próxima. É o que me move.

A profissão muitas vezes me levou a correr riscos: das bombas nas guerras; das pressões dos investigados; de bandidos à banda podre da polícia. Cunhei uma frase que sintetiza a perspectiva do outro lado. Aprendi que "denunciados não mandam flores". Ameaçam não só você, mas muitas vezes a sua família. Alvejam, intimidam, processam, ferem. Mas, calma, alto lá. Situações assim vão revelar seu grau de comprometimento com o ofício de repórter, e fico feliz ao constatar em retrospectiva que, afinal, tudo valeu. Desenvolvi anticorpos aos desafios, descobri como ganhar ainda mais força nas situações mais difíceis, que, em vez de me abaterem, serviram para moldar convicções. Não há nada de que eu tenha me arrependido. Jornalismo é, antes de tudo, um exercício de humildade que começa pelo prazer em conversar com os anônimos, os esquecidos, os excluídos, aqueles que quase sempre nos trazem as grandes histórias. Sem eles, nada somos.

Penso que jornalismo que não ajuda a melhorar a vida das pessoas é um jornalismo inútil, sem alma, irrelevante, condenado ao rápido esquecimento. Não basta só informar. É preciso ir além, ter sentido de justiça por meio da conscientização das pesssoas. Não podemos cair na armadilha de tentar fazer os outros pensarem como nós. O lado mais nobre do ato de ser repórter é o de passar informaçoes isentas para que, munidas delas, as pessoas possam tomar decisões mais sábias. Temos que vencer a tentação de apenas desenvolver teses previamente estabelecidas saindo atrás de entrevistados ou situações que se alinhem a raciocínios prévios e desprezando o que possa contrariá-los. Temos que nos permitir a nos surpreender e até mudar de conceito mediante o que encontramos pela frente no mundo real, ou seja, não sucumbir à ditadura das redações muitas vezes partidarizadas. Corrupção, desrespeitos de direitos humanos ou preconceitos não pertencem à direita ou à esquerda, a esse ou àquele segmento. São, na verdade, desvios de caráter inerentes à raça humana. É preciso fugir de maniqueísmos culturais ou de simplificações rasas. A meta tem que ser a de apurar fatos pelo seu mérito, e não de acordo com sua procedência ideológica.

Concordo: nem sempre é fácil. Vivemos na mira invisível de nossos conceitos preestabelecidos, às vezes de forma até subliminar em nossas consciências, aqueles fincados pelos valores de nossas famílias, nossa comunidade, nossa civilização. É natural o ato de repudiar o diverso em nossa mente, mas é errado não confrontar essa zona de conforto. É cômodo privilegiar aqueles com os quais concordamos, mas é absolutamente necessário abrir espaço também para aqueles dos quais discordamos sob pena de fazermos panfletagem, e não jornalismo.

Censura? Em qualquer veículo de comunicação, em qualquer parte do mundo, o jornalista vai enfrentar algum tipo de restrição em algum momento. Isso, entretanto, não pode servir como desculpa. Cabe ao jornalista resistir. Penso que a pior forma de censura não é a governamental ou a empresarial, mas a autocensura. Já presenciei situações em que o próprio repórter deixa de investigar fatos por atuar com o pressuposto de que vai ser cerceado. É preciso ter sabedoria, mas também é necessário ousar, avançar.

Em tese, todo jornalismo deveria ser investigativo, porém existem tantos exemplos de jornalismo oficial, unilateral, tendencioso, raso ou superficial que se convencionou denominar de investigativo aquele que é praticado com mais profundidade. Isso é o que me move, o que me faz seguir.

A tecnologia mudou drasticamente nossa profissão. Antes, por exemplo, em coberturas de guerra em determinadas regiões, precisávamos percorrer mais de 1.000 quilômetros para chegar ao chamado Uplink, onde havia condições técnicas para fazer o material chegar ao satélite e, assim, ser transmitido para a redação. Hoje, com um smartphone, enviamos tudo de qualquer lugar e em tempo real. Uma pesquisa sobre um entrevistado, que em outros tempos levava dias para ficar pronta, agora está ao nosso alcance em um apertar de botão do Google. Se antes nós, repórteres, saíamos às noitadas para encontrar fontes esculpindo o romântico estilo da boemia em nome da chance de conseguir furos, hoje descobrimos tudo com o imediatismo das redes sociais. Nós nos tornamos mais ágeis, porém mais solitários, escondidos atrás de terminais de computador ou dos modernos celulares multifunção. Se antes raramente éramos confrontados pelos consumidores de nosso trabalho, hoje passamos pelo escrutínio diário da interatividade cibernética na velocidade da luz. São tempos em que cada cidadão virou um repórter em potencial capaz de gravar tudo, interagir conosco, nos desafiando e muitas vezes nos confrontando. A informação ficou mais democrática, e isso trouxe junto seus males, suas distorções, representadas, por exemplo, na ocorrência tão frequente das chamadas *fake news*, as notícias forjadas e plantadas – o que de certa forma nos valoriza. Nós nos tornamos também checadores eternos, profissionais capazes de distinguir entre o que é verdadeiro ou falso, apuradores da credibilidade do que circula na rede mundial que atende pelo nome de internet. Olhando por aí, não faltam profetas do apocalipse de nossa atividade, sustentados por uma era em que máquinas já são capazes de escrever textos – e, diga-se de passagem, de surpreendente precisão, ou pelo fenômeno em cadeia dos parques industriais de comunicação que fecham sem parar mundo afora e pela mudança de perfil da profissão em que tudo converge para as multiplataformas em detrimento do impresso ou do rádio antigo, aquele que não tinha imagem. Mesmo assim, mesmo com tudo isso, ouso contrariar a correnteza de "achismos" predominante e proclamar que a profissão jamais vai morrer. Sinto que, com as devidas adaptações dos tempos, sempre vai haver a necessidade da existência desses loucos sonhadores, de gente de carne e osso com microfones, canetas e bloquinhos à moda antiga, em sintonia com as fragilidades e fortalezas próprias de nosso ser, reportando aqueles dilemas existenciais que máquinas não contam extamente por serem máquinas. E, no final do dia, é o que somos: contadores de histórias, com a simplicidade e a profundidade que isso representa.

Ainda tenho, é claro, muitas histórias, muitos bastidores para contar. Mas isso fica para daqui a pouco, para a próxima esquina.

Agradecimentos

Agradecimentos aos amigos e companheiros cinegrafistas com quem dividi e compartilhei tantas jornadas, sensações e experiências ao longo dos tempos: parceiros valentes e talentosos sem os quais essas histórias não teriam existido.

**Acreditamos
nos livros**

Este livro foi composto em Adobe Garamond Pro
e impresso pela Gráfica Santa Marta para a Editora
Planeta do Brasil em outubro de 2019.